UMA HERANÇA DE AMOR

O plano perfeito

Lycia Barros

UMA HERANÇA DE AMOR

O plano perfeito

ASES DA LITERATURA

Diagramação Isabelle Martins
Capa Hugo Breves
Revisão Thiago Fraga

2016

EDITORA ASES DA LITERATURA

Texto de acordo com as normas do Novo Acordo Ortográfico da Língua Portuguesa (Decreto Legislativo nº 54, de 1995)

Para os meus queridos filhos, Renan e Lorena.
Porque eles são a minha herança de amor.

"Podemos facilmente perdoar uma criança que tem medo do escuro. A real tragédia da vida é quando homens têm medo da luz."

Platão

Capítulo 1

Quando o ruído da porta batendo acordou Ivy naquela manhã, ela sabia que chegara o grande dia. O primeiro semestre na faculdade de Jornalismo havia acabado e ela finalmente voltaria a casa para passar as férias. Adorava a república de Ouro Preto, onde agora dividia um pequeno e aconchegante quarto com sua querida melhor amiga, Nicole – a responsável pelo ruído –, mas não podia negar a falta que sentia da convivência diária com a família. E, embora falasse com razoável frequência com eles por um software da internet que permitia a comunicação por voz e vídeo em tempo real, aos dezoito anos ela ainda se sentia como uma adolescente que precisava da proteção que só um abraço poderia proporcionar. Não que jamais fosse confessar isso para nenhuma colega de turma.

Seu corpo parecia pesar cem quilos quando retirou o antebraço de cima dos olhos e avistou Nicole suada, com o habitual short preto de corrida e uma regata branca por cima de um top verde-limão. Ivy olhou para o relógio ao lado da cama e viu que ainda eram oito horas da manhã. "Como Nicole podia já ter corrido naquele horário?", perguntou a si mesma, levemente ressentida. A amiga havia ido dormir às duas horas da manhã por ter ficado jogando cartas com os outros alunos. Ivy também ficara com eles, por isso estava um bagaço. Admirava o ânimo da colega para fazer exercícios, ainda mais naquela cidade, onde as ladeiras dominavam o cenário.

Nicole corria pela cidade universitária todos os dias, religiosamente, fizesse chuva ou sol. Era ovolactovegetariana e comia o equivalente a uma menina anêmica de oito anos. E já estava tão esguia que parecia poder ser levada por qualquer brisa rápida. Ivy, do contrário, era totalmente avessa a exercícios. Mas, por sorte, a genética da família não lhe permitia engordar com facilidade. Ainda assim, ela era consciente de que, se continuasse a se alimentar de tanto fast-food, não conseguiria eliminar os pneuzinhos discretos que se formavam ao redor da sua cintura, cada vez mais proeminentes.

Sua irmã mais velha, Amanda, dizia que Ivy era maluca. Que não havia pneuzinho nenhum em torno do seu um metro e setenta e quatro de altura. Porém, secretamente, Ivy sabia que escolhia cuidadosamente suas roupas a fim de parecer mais magra. Além disso, Amanda alegava que a irmã possuía rosto de anjo, e que isso compensaria qualquer outro possível defeito. Mas no fundo Ivy sabia que aquilo na verdade era um autoelogio, já que as duas eram extremamente parecidas.

Nicole retirava os tênis enquanto deslizava o polegar pelo Smartphone, provavelmente para conferir as fotos em suas redes sociais e saber o que os amigos fizeram na noite de véspera. Seus cabelos curtos e vermelho intenso estavam arrepiados pelo suor. Somente quando Ivy apoiou os cotovelos na cama foi que Nicole percebeu que a amiga já estava acordada. Então, voltou seus olhos azuis e muito claros para ela.

– Adivinha? – atirou à queima roupa, olhando novamente o celular e passando o dedo pelo visor freneticamente.

– Bom dia para você também... – retrucou Ivy, com um sorriso preguiçoso.

Nicole revirou os olhos e deu-lhe um rápido bom-dia antes de continuar a fofoca – o grande mal dos estudantes de Jornalismo.

– Bateram uma foto de Marcos beijando outra garota naquela festa de ontem, e já até colocaram no Facebook.

– O quê? – Chocada, Ivy sentou-se ereta na cama. – E será que a Fabiola já sabe disso?

– Acho que não. Ainda deve estar dormindo por causa da farra de ontem... – Nicole parou, preocupada, e olhou pensativa para Ivy. Não havia necessidade de comentar que sentiu uma pontinha de inveja da garota da foto. Afinal, Marcos era um dos caras mais gatos do campus, e nunca dera bola para ela. Nicole lembrou-se de Fabiola e expulsou o pensamento malicioso. – Acha que devemos contar a ela pessoalmente?

Ivy ponderou sobre a pergunta. Embora fizesse Jornalismo, não gostava de se meter na vida pessoal dos outros. Quer dizer, gostava de estar por dentro de tudo, mas daí a passar uma notícia adiante quando sabia que iria magoar uma amiga...

De todo modo, gostava muito de Fabiola. Ela era uma menina esforçada, colega de classe, e sempre muito bem-humorada e disposta a colaborar com os outros alunos. E, embora fosse uma morena linda, vestia-se com simplicidade e parecia não se dar conta da sua beleza invejável. Ivy a admirava por isso. Fabiola começou a namorar Marcos no início do período, causando inveja a boa parte feminina do corpo estudantil, e era evidentemente apaixonada por ele. E quando soubesse sobre o que ele andou aprontando, imaginou Ivy, ficaria devastada. Por essa razão, Ivy achou melhor que ela e Nicole estivessem por perto quando Fabiola recebesse a notícia.

– Vou trocar de roupa e tomar um café. Em seguida, nós iremos ao quarto dela. – Indignada, Ivy levantou-se e amarrou os pesados cabelos loiros em um coque grosso no alto da cabeça. Sua cara ainda estava inchada de sono, diminuindo ainda mais os seus olhos castanhos e repuxados. – Não sei por que esse idiota fez isso com ela. Se não está mais a fim da garota, por que simplesmente não terminou logo o namoro?

– Homens... – Nicole arregalou os olhos e jogou o iPhone na cama. – Uma mulher nunca é o suficiente para eles por muito tempo.

Ivy olhou de soslaio para a amiga e deu um pequeno sorriso enquanto trocava de blusa. Em sua opinião, Nicole não tinha nenhuma moral para dar pitaco sobre aquele assunto. A cada dois meses, terminava um namoro e embrenhava-se em outra de suas paixões vulcânicas. Era viciada em ter o coração partido. Quando não estava apaixonada, ficava-se no banheiro chorando sem parar. E era Ivy quem recolhia os pedaços.

Contudo, a verdade é que Ivy ficara muito feliz quando ambas foram aprovadas no vestibular da Universidade Federal de Ouro Preto (UFOP). Ela e Nicole estudaram juntas desde o Ensino Médio e dali em diante nunca mais se separaram. E, como queriam ingressar na mesma carreira, tentaram prestar para as mesmas faculdades. Graças a seus esforços, tudo deu certo. Mas, embora Nicole fosse uma amiga excepcional, desde pequena era uma pessoa muito emocional e vivaz, dada facilmente ao riso, mas também ao destemperamento e às lágrimas. "A dramaturgia está perdendo um grande talento", Ivy sempre dizia.

Meia hora depois, Fabiola tremia sentada na cama lutando contra as emoções arrasadoras que tentava conter desde que soubera da escapulida de Marcos. A notícia a atropelara como um caminhão de dez toneladas. Porém, lembrou-se de que havia sido avisada dezenas de vezes sobre a personalidade mulherenga do namorado. *Por que não dera ouvidos àqueles boatos?* – ralhava ela agora internamente consigo. Do contrário, confiara nele cegamente, enfeitiçada por sua beleza e pelo seu jeito despojado de andar, e agora ele a fizera de tola. Seria o assunto e a chacota do campus.

Sua cabeça latejava de dor e ela inspirava profundamente, procurando se acalmar. Embora estivesse destroçada por dentro, não queria tomar nenhuma decisão de cabeça quente. Estava agradecida por Ivy estar sentada ao seu lado, apertando sua mão esquerda em um gesto de conforto, enquanto Nicole fora lhe buscar uma xícara de chá na cantina do prédio da república. Pelo menos, não estava sozinha naquele terremoto, já que sua colega de quarto e melhor amiga havia partido na noite anterior. Ainda não sabia o que iria fazer em relação a Marcos. Será que teria forças para perdoá-lo, caso ele se arrependesse? Teria forças para deixá-lo? Lembrou-se daqueles lindos olhos negros, do corpo esculpido e quente, e sentiu um aperto tão grande no coração que chegou a arder. Nessa hora, Nicole retornou com o chá.

– Desculpe a demora, mas hoje todo mundo está ansioso para voltar para casa e tinha uma fila enorme na cantina por conta do café da manhã. Havia malas por todo lugar. – Ela fez uma pausa, olhou para Ivy, e entregou a xícara a Fabiola. – Ele não estava lá. Eu o procurei. Estava doida para jogar esse líquido quente direto nas calças daquele babaca.

– Nicole! – Ivy arregalou os olhos. – Ainda não sabemos direito o que aconteceu. Não vamos julgar.

– Ah, Ivy, não me venha com essa. Fotografaram! Não tem como ele fugir. Não me venha você iludir a menina com essa sua mania de ver o mundo com lentes de contato coloridas. Olha – Nicole se abaixou para encarar Fabiola no olhos –, quanto mais cedo você encarar os fatos, melhor: *ele te traiu*. Agora substitua essa autopiedade por ódio. É o melhor remédio. Acredite em mim. Eu já passei por isso.

Milhares de vezes, Ivy quis acrescentar.

Desconsolada, Fabiola desatou a chorar ainda mais, fechando os olhos e sacudindo os ombros. Ivy retirou a xícara de sua mão e encarou a melhor amiga com raiva.

– Cale a boca, Nicole. Ele podia estar bêbado, foi levado pelo momento, ou qualquer coisa do tipo. Também não sabemos se armaram alguma coisa para cima do Marcos.

– Armaram como? – A voz de Nicole insurgiu mais aguda. Ela conhecia aquele tipo de cara o suficiente para alimentar qualquer esperança. – A língua dele está visivelmemente mergulhada na garganta daquela mocreia. Olha aqui... – Ela mostrou o celular com a foto de novo. – A menina está até inclinada para trás, e ele estava avançando, então eu não acho que... – Calou-se quando Ivy olhou para ela com uma mistura de condenação e ameaça nos olhos.

– De todo modo – Ivy interferiu, falando entre os dentes –, acho que Fabiola e ele precisarão conversar sozinhos, e que ela mesma deve tirar suas conclusões. – Ela olhou novamente para a menina, que não parava de soluçar desde que Nicole entrara no quarto. *Bela ajuda!* – Fabiola, converse com ele quando estiver mais calma, tenho certeza de que tudo vai se resolver. E seja qual for sua decisão, estaremos aqui.

– Inclusive para quebrar as pernas dele com um taco de beisebol – acrescentou Nicole, sem dó nem piedade.

Nesse momento, todas ouviram alguém abrindo a porta do quarto com violência. Foi quando Marcos entrou.

– Fabi... – Ele ajoelhou-se em frente à Fabiola e segurou suas mãos. Estava descabelado e com uma cara arrasada, vestindo somente uma calça de moletom, e ainda assim era bonito o suficiente para fazer as entranhas de Nicole se revirarem. – Fabi, me perdoe... Eu não sabia o que estava fazendo ontem à noite.

Fabiola olhou bem dentro dos olhos dele e se perdeu imediatamente. O que restava de amor-próprio evaporou como orvalho.

– Ah, nada disso... – Nicole gritou ao seu lado, de braços cruzados, decidindo que era sua função argumentar no lugar de Fabiola, visivelmente hipnotizada. – Vai querer nos dizer que você tem dupla personalidade? Ou, então, que é sonâmbulo?

Marcos voltou os olhos para Nicole, confuso, pois só conhecia a garota de vista, e não tinha a menor ideia do que ela estava fazendo ali.

– Como?

– Como é o escambau! Conheço muito bem os tipinhos como você – ladrou ela, sacudindo um dedo na cara dele.

Marcos pensou em mandar aquela menina intrometida pastar, mas estava mais preocupado em consertar a besteira que tinha feito na noite passada. A intrusa podia esperar, Fabiola não.

– Fabi, vamos conversar em particular. Sei que fiz besteira, mas bebi demais e acabei passando um pouco da conta. Aquela garota não significa absolutamente nada pra mim...

Pelo olhar desolado dele, Ivy acreditou que Marcos estava realmente arrependido e desesperado. Nicole observou sua expressão complacente para com ele e abafou um suspiro frustrado. Conhecia muito bem aquela conversa mole, embora soubesse que seria difícil resistir a um gato daqueles. Nicole estava olhando fixamente para aquelas costas musculosas, dizendo a si mesma que só estava buscando provas de sexo – como arranhado de unhas de outra mulher ou algo do tipo. "É sempre bom reparar nos detalhes", disse firmemente a si mesma, com a boca seca.

Quando Fabiola secou as lágrimas e olhou para as amigas indicando para que elas saíssem, Nicole explodiu:

– Não vai mesmo enxotar esse traidor?

– Nicole, vamos embora. – Vermelha como um tomate, Ivy já puxava a amiga pelo braço. – Eles dois precisam conversar. – E olhou para Marcos. – Não ligue para ela, Nicole simplesmente fala tudo que lhe vem à cabeça.

– Falo mesmo! – Nicole olhou incisivamente para Fabiola, enquanto era arrastada por Ivy. – Não caia na lábia desse malandro. Esse idiota já comeu todas as periguetes do campus.

– Não comeu você – Ivy argumentou, jogando a dolorosa verdade na cara dela, enquanto fechava a porta.

– Só porque eu não estava atrás de nenhuma doença venérea – retrucou Nicole, se recompondo, como se dormir com ele jamais tivesse lhe passado pela cabeça.

Ambas voltaram para o seu quarto. Incrédula, Nicole tirou os tênis, sentou-se na cama e desabafou:

– Você viu a cara dela? Está na cara que ela vai perdoar aquele canalha. Como ela pode ser tão imbecil?

– Isso não é da nossa conta – comentou Ivy, indiferente, embora também estivesse surpresa por Fabiola nem ao menos parecer estar irritada com ele. – Cada um é responsável pelas escolhas que faz.

Nicole deitou-se na cama e pôs as mãos atrás da cabeça. Ivy começou a arrumar sua mala.

– Fácil para você falar, você nunca se apaixonou por ninguém.

– Claro que me apaixonei.

Nicole bufou.

– Paixonites adolescentes não contam. O Justin Bieber não sabia que você existia.

Ivy deu risada enquanto tirava as coisas do armário.

– Não foi só por ele. Gostei de vários garotos na época da escola.

Nicole sentou-se e balançou a cabeça negativamente para a amiga. Para ela, não havia nada melhor do que viver imersa em sentimentos arrebatadores. Algo que estava longe do cotidiano de Ivy.

– Gostar não é se apaixonar, sua pateta. Você parece uma pedra de gelo. Estou falando de ficar de quatro por alguém a ponto de não conseguir pensar mais em nada. É como se um raio tivesse caído na sua cabeça, dividindo a sua vida em antes e depois da pessoa. Em sentir o corpo todo estremecer quando toca o celular, só porque pode ser ele...

– Isso me parece mais uma obsessão – Ivy riu de novo. Não tencionava perder a cabeça por causa de ninguém. E também não tinha pressa para encontrar o seu príncipe encantado (não que ela acreditasse nisso). Estava mais focada em estudar e construir uma carreira. Além disso, ela pensava no amor como uma coisa plena, calma e feliz, assim como o casamento de seus pais. Por isso, quando escolhesse alguém para amar, não seria por sua beleza ou popularidade no campus – como a maioria das suas colegas costumava fazer. Ele teria que ser um cara digno e educado. Temente a Deus. Seria gentil, generoso e forte, e seria respeitado por onde passasse. Essas foram as qualidades ensinadas a ela para que procurasse em um marido. Quando isso acontecesse, seriam devotados um ao outro e construiriam uma família feliz.

– Chame do que quiser. – Nicole interrompeu seus pensamentos matrimoniais. – Mas tenho certeza de que esse dia também chegará para você. Só espero que não fique tão retardada quanto a nossa amiguinha Fabiola. – Quando o seu celular deu um toque, Nicole olhou para o visor e seu humor melhorou dramaticamente. – É o Júlio – anunciou sorridente. – Ele ficou de me buscar e me levar para a rodoviária. Você vem com a gente?

Dobrando uma blusa, Ivy balançou a cabeça que não.

– Só consegui ônibus para voltar mais tarde, vou almoçar por aqui. – E apontou o celular da amiga. – Pensei que vocês dois tivessem parado de se ver, depois que ele te deu aquele bolo.

– A mãe dele estava doente e ele foi para lá ajudar – explicou Nicole, na maior naturalidade, teclando o celular.

Ivy riu e se perguntou se a amiga se dava conta do quanto era parecida com Fabiola. Afinal, a família de Júlio morava no Rio Grande do Sul. Como ele poderia ter ido até lá em tão pouco tempo? Mas se Nicole gostava de se iludir, o que mais Ivy poderia fazer, a não ser recolher os cacos depois? Ivy fechou a mala, satisfeita com o pensamento de que isso jamais aconteceria com ela, pois ela era esperta demais para se deixar levar tão facilmente.

Capítulo 2

Fazia quinze graus em São Lourenço quando Ivy desceu do ônibus naquela noite de julho. Ela inspirou profundamente buscando absorver os odores da sua infância. Conseguiu captar o cheiro de mato e o barulho de grilos e sapos, tão característicos do seu lar. Sentia-se absolutamente nostálgica. Nunca ficara tanto tempo longe de casa e não via a hora de deitar-se na sua cama.

Contente com a chegada, ela retirou os fones de ouvido e foi para perto do bagageiro buscar sua mala. Vestia um enorme casaco cor de caramelo, com pelos por dentro, que acabava no meio das coxas, e suas velhas e surradas calças jeans. Nos pés, colocara uma antiga bota de couro de cano curto que ganhara de Amanda havia três anos. Tinha certeza de que devia estar parecendo uma rena com o nariz vermelho por causa do frio. Os grandes cabelos loiros estavam por dentro do casaco e ela carregava uma mochila pesada nas costas.

A rodoviária ficava próxima ao portal da cidade, e a maioria das lojas e lanchonetes do local não estava aberta. E, como era um pouco longe do centro da cidade, Ivy precisaria de algum transporte para levá-la até sua casa. Poderia aguardar um dos ônibus que circulavam em horários regulares ou tomar um táxi. Ainda não havia decidido. Mal teve tempo de puxar sua bagagem para longe do ônibus quando ouviu uma voz conhecida.

– Ivy, é você? – Lenita, uma velha amiga de sua mãe e a mulher mais bisbilhoteira da cidade, veio em sua direção segurando uma prancheta na mão e lhe deu um beijinho na bochecha. – Não acredito em como você está crescida! – Não havia necessidade de Ivy comentar que só estivera fora por seis meses, e por isso não podia estar tão diferente assim. – Sua mãe está por aqui? – Lenita olhou para os lados e colocou uma das mãos nos largos quadris. – Estive com ela hoje cedo na loja de flores e ela não me disse que você iria chegar.

Ivy remexeu a mochila nos ombros.

– Não, ela não sabe que cheguei hoje. Vou fazer uma surpresa.

– Ah... – Lenita subiu os óculos no nariz com o dedo indicador e abriu um sorriso, satisfeita com a notícia em primeira mão. – Janine vai adorar! Ela vive dizendo o quanto você faz falta naquela casa. – Lenita sorria e reparava em como Ivy parecia ter ganhado uns quilinhos. Será que estava grávida? *Que babado!*, fantasiou para si, pois ouvira dizer que as repúblicas de Ouro Preto eram um antro de orgias. – Acho que passarei lá amanhã para visitá-las, assim saberei das novidades.

Como não? O jornal em carne e osso da cidade...

– E você – Ivy suspendeu o puxador da sua mala –, o que faz aqui na rodoviária? Vai viajar?

– Não, não. – Orgulhosa de si, Lenita ajeitou os cabelos curtos que eram tingidos regularmente de preto. – Estou trabalhando aqui na administração, de quatro às dez da noite. Cansei de ficar em casa sem fazer nada, sabe?! Depois que meu marido faleceu, eu fiquei muito sozinha e desocupada. Cheguei até a ter depressão. Eu nunca tinha trabalhado fora, e muito menos tive oportunidade de fazer uma faculdade. As mulheres da sua geração são muito mais beneficiadas.

– Fico feliz de vê-la tão bem. – O sorriso de Ivy foi genuíno. – Você sabe onde posso pegar um táxi?

– Mas me conta – Lenita ignorou solenemente a pergunta –, já arrumou algum namoradinho na faculdade?

Ivy engoliu saliva diante da pergunta tão direta.

– Não houve muito tempo para isso – respondeu com voz fraca.

– Ah, deixa disso... – Lenita deu-lhe um leve empurrãozinho com o cotovelo. – Uma menina bonita como você deve ter arrumado uma penca de pretendentes.

– Bem, eu...

– Lenita? – Um moreno baixo, atarracado e de meia-idade, com uniforme de motorista, salvou Ivy de responder à intrometida pergunta. – Estive te procurando por todo o lugar – ele disse a Lenita.

Imediatamente, a mulher enrubesceu uns dois tons de rosa ao ouvir a voz dele e se virou com um sorriso radiante para o senhor.

– Eu estava bem aqui, conversando com uma velha amiga. Quer dizer... – Ela se voltou novamente para Ivy e deu uma risadinha. – Acho que sou a única que é velha por aqui.

– Imagina... – Ivy comentou por delicadeza. – Você está ótima. – E, realmente, Ivy recordou que nunca tinha visto Lenita com tamanho brilho nos olhos. Ficou contente por vê-la tão bem. Era fofoqueira, mas não era má pessoa.

– De fato, eu me sinto muito bem – disse Lenita, ajeitando os cabelos.

– Panela velha é que faz comida boa – acrescentou o homem, com um sorriso em um dos cantos dos lábios.

Lenita enrubesceu mais um tom e passou um braço pelo de Ivy. Até um cego poderia ver que estava rolando algo entre os dois. Ivy ficou surpresa com a novidade. Até Lenita havia arrumado um namorado? *Céus! Será que tem mesmo algo errado comigo?*

– Vou levá-la ao ponto de táxi, e você fique aqui me esperando, eu não demoro – avisou Lenita para o seu novo *affair*.

Com um sorriso, o homem assentiu com a cabeça e tirou um maço de cigarro amassado do bolso da blusa.

– Não podemos estar sempre disponíveis – comentou Lenita com Ivy, cheia de ares de sabedoria pelo caminho –, senão deixamos eles muito mal-acostumados.

– Quem te viu e quem te vê – Ivy deu uma risadinha. – Será que houve muitas novidades nessa cidade enquanto eu estive fora?

Lenita deu um sorriso esperto e abriu a porta traseira do táxi.

– Amanhã, querida. Amanhã eu passo na sua casa e te conto cada detalhe.

***

Amanda olhava furiosamente para o chão da sala. Estava sentada no sofá, podre de cansada, tomando forças para se levantar. Não acreditava que aquele terremoto todo fora provocado por duas crianças de cinco anos. Fora somente quinze minutos que levara para preparar o jantar, deixando os meninos sozinhos. Se estivesse na sua casa, pensou, deixaria para arrumar tudo aquilo amanhã. Mas, como estava passando alguns dias na casa da mãe com o marido e os filhos – por ter inventado uma maldita obra na sua casa –, precisava manter tudo em ordem antes que a mãe voltasse de sua loja de flores. Não queria atrapalhar, embora de maneira alguma Janine e Paulo – seu padrasto – demonstrassem qualquer insatisfação com a bagunça dos netos. Na verdade, estavam adorando toda aquela balbúrdia. Desde que Ivy fora para a faculdade, Paulo e Janine reclamavam que a casa andava muito silenciosa. Paulo havia até construído uma casa na árvore do quintal para os netos brincarem.

Agora, Amanda amaldiçoava-se por ter insistido no teto de gesso, que fora o responsável por retirar os filhos de sua casa, mas seus gêmeos tinham rinite e, se não os tivesse tirado de lá, sabia que pagaria um alto preço depois com remédios e visitas ao pediatra. E se eles entrassem em crise por conta da alergia, a coisa ficaria ainda pior. Teriam de faltar ao colégio. E, caramba, Deus sabe que a melhor hora do seu dia era quando ela descansava daqueles pestinhas. Não que não amasse os filhos. A bem da verdade, vivia para eles e foi para o seu bem-estar que se mudou do Rio de Janeiro para São Lourenço, sete anos atrás. Entretanto, também tinha uma vida própria e gostava de se cuidar para agradar o marido. Fora isso, estava a dias de fazer trinta anos e esse fato andava mexendo muito com a sua cabeça. Por isso, passava duas horas na academia todos os dias e fazia diversos tratamentos avançados para a pele do rosto. Invejava Adam por conseguir manter aquele corpo fenomenal sem nenhum esforço aos trinta e sete anos de idade. Desde que se casara com ele, Adam só parecia melhorar. O tempo o presenteara com um ar ainda mais viril ao longo dos anos. Amanda amava as pequenas rugas que se formavam ao redor daqueles olhos cor de conhaque quando ele sorria. Só de lembrar-se deles, sentia um tremor percorrê-la.

Sem querer mais protelar, e aproveitando que a vizinha levara Cauê e Nicolas para tomar sorvete na praça com o filho da mesma idade, Amanda se levantou e começou a colocar tudo em ordem na sala. Praguejou quando pisou num carrinho que não viu e machucou a sola do pé. Depois de pegar todos os brinquedos e colocá-los na caixa, passou o aspirador no tapete, ajeitou as almofadas do sofá, recolheu todos os copos e pratos usados e levou-os para a cozinha para lavar. No caminho, deixou cair um copo de vidro, que espatifou-se em mil cacos no chão. Quase histérica, pegou a vassoura para varrer e juntar os pedaços. Vinte minutos depois, colocava o último copo no escorredor da pia quando Ivy passou pela porta.

– Ah, agora você aparece... – Irritada e cansada, Amanda pegou o pano de prato para enxugar as mãos. – Depois que eu já coloquei todas as tralhas no lugar. Que bela tia você é! – Ivy mordeu os lábios para segurar o riso e ficou parada na porta, observando que a irmã cortara os cabelos na altura dos ombros, ficando ainda mais parecida com a mãe. – Adam também ainda não deu as caras. Parece até que fica protelando na rua só para chegar tarde e encontrar tudo arrumadinho. Mas ele vai ver só, se eu for... – Parou de falar quando se deu conta de que a irmã chegara de viagem. – Oh, querida... – Com um sorriso suavizando-lhe o coração, Amanda caminhou para Ivy e puxou sua mala para dentro antes de lhe dar um abraço. – Desculpe-me. Eu estava tão atarefada minutos antes de você chegar, que não estava raciocinando direito. Como foi de viagem? Ninguém me contou que você chegaria hoje.

– Ninguém sabe. – Sentindo-se acolhida, Ivy retirou a mochila das costas. – Eu disse para a mamãe que só viria na semana que vem. Pretendia pegá-los de surpresa.

Amanda puxou sua mão e elas se sentaram à mesa.

– Foi uma surpresa maravilhosa. Não sabe como estou sentindo falta da presença de mais uma mulher nesta casa.

– Cadê os meninos? – Ivy reparou no silêncio. – Por acaso os trancou no porão?

– Não tenho a chave de lá, infelizmente – Amanda sorriu. – Tavinho está com o pai e os gêmeos saíram com a vizinha. Tenho alguns minutinhos de liberdade.

– Estou morrendo de saudade deles. Já fiz mil programações na minha cabeça para levá-los para passear. – Seus sobrinhos eram motivo de grande alegria. Ivy os mimava desavergonhadamente. Era impossível não gostar deles. Eram divertidos, barulhentos, inteligentes e cansativos, na opinião dela, exatamente como crianças deveriam ser. Amanda jogou o corpo para trás na cadeira e deu um suspiro de alívio.

– Eu lhe serei grata pelo resto da vida. Já estava ficando maluca com essa história de todos entrarem de férias na semana que vem. Sorte teve Aléxia, de ter somente uma menina fofa como a Lili. Eu fui tentar mais um filho e olha só no que deu... minha vida virou de cabeça para baixo por causa daqueles pimentinhas. – Ela riu, mas depois ficou séria de novo. – Quer dizer, Tavinho eu sei que vai ficar grudado no pai, não consigo arrancar o moleque daquela oficina nem com dinamite. Adam o leva todo dia pra lá e desperdiça uma das maiores vantagens de trabalhar fora: ficar um pouco longe dos filhos.

Ivy riu da irmã.

– Pelo visto, Tavinho vai mesmo seguir os passos de Adam – ela comentou.

Amanda revirou os olhos e se levantou, disposta a passar um café para as duas.

– Bem, mas, antes disso, ele vai ter de estudar. Não quero mais um ogro na família. Ele já possui o mesmo temperamento de dinossauro de Adam. Se quiser mesmo ser mecânico, vai fazer Engenharia.

– E como ele vai nos estudos? – Ivy perguntou preocupada, pois sabia das dificuldades de alfabetização que o sobrinho estava passando. – Ele já conseguiu melhorar as notas?

Com um muxoxo, Amanda colocou a água na cafeteira.

– Melhorou nada. Tavinho não quer saber de estudar. Ele é um menino bom sobre vários aspectos. É calmo, introspectivo, inteligente, respeitador; e é o único que sempre arruma a própria bagunça. Mas, quando se trata de estudos, é a criança mais dispersa que já conheci. Não sei mais o que fazer para ajudá-lo. Enfim, vamos falar de coisas boas. – Ela se sentou novamente na frente da irmã e pousou o queixo nas mãos. – Já arrumou algum gatinho na faculdade?

Ivy revirou os olhos para o teto.

– Por que todo mundo fica me fazendo a mesma pergunta? Estou me sentindo uma mulher de trinta anos e encalhada... – Amanda fechou o semblante. – Desculpe – Ivy segurou o sorriso e sacudiu uma mão –, nada contra as mulheres de trinta anos, mas é que estou bem assim, e parece que as pessoas não entendem.

Amanda bateu com as duas mãos sobre a mesa.

– Ivy, você não é mais uma garotinha, é uma mulher linda de dezoito anos. É normal que tenha interesse por outros caras.

– Talvez – Ivy deu de ombros, observando que na mesa tinha um tabuleiro com bolo prestígio, o seu preferido –, mas não achei ninguém que me atraísse na faculdade. Provavelmente, porque eu estava muito focada no curso, que, aliás, obrigada por perguntar, estou adorando.

– Eu já ia te perguntar sobre isso. – Amanda abriu um largo sorriso enquanto Ivy atacava um pedaço do bolo. – É que na sua idade eu era mais saidinha. Claro que ainda não frequentava a igreja, mas posso te garantir que me diverti um bocado. Tinha um garoto do curso de Educação Física que era um deus grego. Toda vez que a gente saía...

– Acho que não vou querer saber sobre isso. – Adam, que havia entrado pela porta da sala, apareceu na cozinha com um par de arranhões recentes no braço por debaixo das mangas arregaçadas da camisa. Estava ladeado pelo filho maior e pelo seu vira-lata.

– Querido? – Sentindo-se culpada, Amanda deu um pulo da cadeira. – Só estava conversando com Ivy sobre o meu tempo de faculdade. Não ouvi você chegando.

– Foi o que presumi. – A voz dele estava fria.

– O que foi isso no seu braço?

– Ossos do ofício.

Ivy reparava em como Tavinho estava cada vez mais parecido com o pai. Ambos morenos, olhos cor de âmbar, cabelos lisos e compridos o suficiente para aparecer por detrás das orelhas. Até o jeito de andar dos dois era parecido.

– E como foi o seu dia? – Agitada, Amanda deu um estalinho na boca do marido e um beijo rápido na cabeça do filho, torcendo para que Adam não reparasse o quão quente estava o seu rosto.

– Foi ótimo – ele disse. – Talvez não tão excitante quanto o seu tempo de faculdade... – Adam deu um sorriso ligeiramente perverso para Ivy secretamente e piscou. Em seguida, andou até ela e lhe deu um abraço de urso. Ao sentir o cheiro do irmão – declaradamente o seu preferido –, Ivy sentiu um aperto agridoce no coração, e finalmente sentiu que estava em casa.

– Tavinho aprendeu algo produtivo hoje? – perguntou Amanda, as mãos cruzadas na frente do corpo, tentando dar à conversa um rumo diferente.

– Aprendi a cuspir longe pelo buraco do dente – anunciou o menino orgulhoso. Ivy jogou a cabeça para trás e deu uma gargalhada enquanto afagava as orelhas do vira-lata. – Quer ver? – ele perguntou para a mãe.

– Claro que não! – Amanda berrou, mas depois diminuiu o tom de voz. – Não aqui. Talvez mais tarde, no quintal. – E olhou para Ivy, que ainda estava rindo. – Ainda bem que alguém está achando graça.

– E esse bonitinho aqui? – Ivy estava encantada com o cachorro branco com manchas cor de caramelo, que possuía um olho verde e o outro azul. Ele lambia sua mão freneticamente em busca de restos de bolo.

– Esse é o Foguete. Ele corre pra caramba. – Tavinho se abaixou para ganhar uma lambida do vira-lata.

– O problema é que ele dispara e nunca mais volta – Adam comentou, e Ivy franziu o cenho. – Foguete é surdo – ele informou. – Pegamos ele na rua há três meses e finalmente descobrimos isso na semana passada, quando o levamos ao veterinário. Achávamos estranho, porque ele nunca respondia a nome nenhum. Mudamos o nome dele um bocado de vezes. – Adam sorriu à lembrança.

– E você? – Amanda olhou para o filho. – Fez o dever de casa?

Adam olhou de cara feia para Tavinho, assumindo um ar intimidador.

– Você não me disse que tinha dever de casa.

– Você não perguntou – foi a resposta do menino.

Adam ficou pensativo por dois segundos.

– É verdade – ele concordou, virou de costas e abriu a geladeira, parecendo muito conformado com aquela resposta. Amanda fixou perflexa.

– Adam? É só isso que vai fazer? Virar de costas? Esse menino está enrolando você.

Adam se virou com uma lata de refrigerante na mão e uma expressão de surpresa, desatando a fivela do cinto.

– Mas eu realmente não perguntei nada a ele.

Amanda apertou os lábios.

– Mas é responsabilidade *dele* nos informar sobre o dever de casa. – Explicar a mesma coisa dezenas de vezes estava esgotando a sua paciência.

– Mas ele só tem sete anos.

– Ele *já* tem sete anos. Não infantilize o garoto. Ele sabe que precisa melhorar a caligrafia.

– Talvez ele tenha se esquecido.

– Talvez *você* devesse ter perguntado. As notas dele estão péssimas, Adam. Nós precisamos tirar 10 em Português para que ele passe de ano direto.

– *Nós* precisamos? Ouça só o que está dizendo! Se Freud estivesse presente, eu poderia ouvir o seu gemido.

Com um pequeno sorriso no rosto, Ivy tinha a impressão de estar assistindo a uma partida de pingue-pongue. Estava sentindo falta daquilo. Sentia-se imensamente sortuda por seus dois meios-irmãos tão queridos serem casados. Ela reparou que Foguete estava sentado calmamente aos seus pés, enquanto a discussão acalorada de Amanda e Adam continuava. Parecia perfeitamente em paz. Ivy meditou sobre as vantagens de ser surdo.

Quando Amanda deu um grunhido frustrado e foi pegar café para ela e a irmã, Adam inspirou profundamente, desgostoso, e puxou uma cadeira para se sentar.

– Tudo bem – ele pôs a lata na mesa à sua frente e pegou um pedaço de bolo –, a culpa foi minha. Eu devia ter pressionado mais ele. Mas também não precisamos estragar o jantar por causa disso, afinal, nossa maninha acabou de chegar. E pode ir tirando essas suas mãozinhas sorrateiras daí... – avisou para Tavinho, que abria um pote de biscoitos pelas costas da mãe. – Já lhe disse que só pode comer besteira depois do jantar.

– Mas que merda! – Tavinho chutou o pé da cadeira.

Com as mãos na cintura, Amanda se virou com um olhar desaprovador.

– Já conversamos sobre esse seu vocabulário, Tavinho, é inaceitável. Se quiser manter a pele do seu traseiro intacta, é bom parar de falar palavrão.

– Mas o meu pai fala – contra-argumentou o garoto.

Amanda faiscou um demorado e penetrante olhar para Adam. Seus olhos castanho-claros demonstrando dura censura, e Ivy meditou que um homem menos forte definharia sobre aquele olhar.

– Vá se sentar para jantar – Amanda ordenou a Tavinho, os olhos ainda fixos culpando o marido. – E se eu ouvir essa palavra de novo, vai ficar de castigo.

Emburrado, Tavinho sentou-se na frente do pai.

– Isso não é justo! – ele reclamou. – Por que só eu que fico de castigo?

– Eu adoraria que sua mãe me castigasse, contanto que eu pudesse castigá-la também – disse Adam, lançando um sorriso predatório para Amanda, que enrubesceu até os ossos lembrando-se das brincadeirinhas que os dois faziam entre quatro paredes.

– Minha vida é uma merda – Tavinho deixou escapar a palavra de novo.

Amanda lançou um olhar inquisitivo para o marido.

– Você não vai dizer nada?

Adam ergueu os olhos para o céu, como se estivesse fazendo uma prece. Em seguida, olhou para o filho e falou:

– Vai acabar arruinando a minha noite. Pare de falar merda, *merda*!

– Viu? – Tavinho apontou para o pai e rompeu numa gargalhada, acompanhado de Ivy.

Furiosa, Amanda olhou para o marido.

E o maldito Adam abriu o sorriso outra vez.

Tomada pelos nervos, Amanda estremeceu e puxou Ivy para a sala. Não aguentava mais conviver com aquele comportamento indisculpável, que parecia enraizado na testosterona.

– E como vão os negócios? – perguntou Ivy, quando se sentou no sofá ao lado da irmã, que já se acalmara. Amanda possuía uma galeria de arte on-line já bastante conhecida no mercado. Vários nomes de artistas desconhecidos haviam sido aclamados depois que ela os assessorou. O site vendia quadros e esculturas de todos os tipos. – Espero que eu possa te ajudar enquanto estiver por aqui. Estou louca para trabalhar em alguma coisa, mesmo sem remuneração.

– Os negócios estão indo de vento em popa... – Amanda sorriu, pois o assunto a agradava. – A melhor coisa que fiz foi fechar a minha loja do Rio. Hoje, posso trabalhar em casa e sem me preocupar com todos aqueles gastos. Inclusive, um cliente que está passeando pela cidade virá buscar um quadro lindo de Adam ainda esta semana. Depois eu te mostro... – Ela tomou um gole de café. – Mas e você? Quando pensa em arrumar um estágio?

– Ainda é cedo para isso, mas acredito que no terceiro período já estarei preparada.

– Que bom. Sentimos muito sua falta por aqui. Ainda bem que veio na quinta em vez de na sexta.

– Eu também senti muita falta de vocês. – Ivy sorriu e deitou a cabeça no ombro da irmã.

Nesse momento, Janine e Paulo entraram pela porta da sala. Janine abafou um grito de alegria quando avistou a filha caçula sentada no sofá. Seus olhos encheram-se de lágrimas e ela correu para abraçá-la. Ivy não esperava ser recebida com tamanho entusiasmo.

– Filha, nem acredito... – Janine segurou-a pelos ombros e, quando se afastou, reparou, contente (como só as mães podem ficar com esse tipo de constatação), que a filha havia engordado um pouquinho. – Por que não nos avisou que estava vindo? Quem te pegou na rodoviária?

– Vim sozinha. Queria surpreender vocês. – Ivy sorriu ao abraçar o pai, que beijou o alto da sua cabeça.

– Preciso tirar as coisas de Tavinho do seu quarto – informou Amanda. – Ele tem dormido por lá esses dias.

– Não precisa – disse Ivy. – Ele pode ficar lá comigo.

– Vai ser melhor mesmo que ele fique por lá. – Paulo interferiu. – Rafael acaba de me ligar dizendo que vem com a família dele neste final de semana e ficará alguns dias para passar as férias.

– Vou ver Aléxia? – perguntou Ivy excitada. Adorava de todo o coração a cunhada, esposa do irmão gêmeo de Adam. – Não a vejo desde o Natal! Estou doida para ver a barriguinha. De quantos meses ela está agora?

– Seis. – Os olhos de Janine brilharam antes de anunciar a notícia. – Eles vão ter outra menininha.

– Como eu disse, garota de sorte. – Amanda bufou para Ivy.

– E você... – Paulo tirou os sapatos e sentou-se ao lado de Ivy, passando o braço no ombro dela e olhando-a com divertimento nos olhos verdes. – Já preciso mandar Adam capar alguém no município de Ouro Preto?

– Paulo! – Janine o advertiu.

– Só quero saber se ela está namorando.

– Eu também quero saber! – gritou Adam da cozinha.

– Eu não estou namorando *ninguém*. – A voz de Ivy surgiu enfática.

– Por que não? – Janine perguntou, em tom preocupado.

– Na sua idade as garotas já namoram.

Sem alternativa, Ivy se encolheu no sofá e forçou o sorriso de lado, preparando-se para mais uma sessão da inquisição espanhola sobre a sua vida sentimental.

Que maravilha!

Capítulo 3

Ele já estava perdendo a paciência. Leonardo esperava retornar do café da manhã havia quase dez minutos a recepcionista da pequena pousada onde se hospedara. Não havia substituto para ela, de forma que ele precisava esperar, pois fora informado de que não podia sair da pousada sem deixar a chave na recepção. O jeito era torcer para que a bendita voltasse logo. "Como podia ter deixado a recepção abandonada daquele jeito?", suspirou ele, num esgar de impaciência. Nos hotéis de Florianópolis, isso jamais aconteceria.

Seus dedos compridos e envoltos pela pele bronzeada no sul da Califórnia – onde fixara residência nos últimos três meses – tamborilavam nervosamente no balcão. Fora isso, a leve torção que havia arrumado no joelho direito – devido a uma ousada manobra de surf, que lhe rendera pelo segundo ano consecutivo o troféu do Circuito Mundial de Surf da Associação dos Surfistas Profissionais (ASP) – estava tornando quase impossível ficar em pé por muito tempo no mesmo lugar.

Como atleta que era, ficar afastado do treino por duas semanas partia-lhe o coração. Mas não tinha jeito, precisava desse tempo para recuperar-se fisicamente. Então, aproveitaria para colocar seu principal projeto particular em prática. Nunca tivera pena de investir tempo e dinheiro a serviço dos caprichos do coração. E, quando queria alguma coisa, mergulhava fundo até conseguir.

Leonardo não via a hora de resolver o que viera fazer naquela cidade. Estava havia tempos adiando sua vinda a São Lourenço, sempre achando que não estava preparado para o que decidira fazer, mas sabendo internamente que precisava. Sentia que enfim cumpriria uma promessa que fizera a si mesmo e à mãe seis meses atrás. Sabia que não conseguiria seguir em frente se não a cumprisse. Contudo, não podia negar que estava intranquilo. Por isso, nem tentou disfarçar a irritação quando uma mulher morena, na casa dos trinta anos, de cabelos cacheados, finalmente saiu por detrás da cortina de miçangas coloridas e parou surpresa ao fitá-lo atrás do balcão.

Por pouco, Elisa não engasgou. Não havia visto aquele hóspede chegar, visto que estava de folga na noite anterior. E prometeu a si mesma que teria uma conversinha com Diana – a recepcionista que revezava com ela de dia – por não ter lhe dado uma notícia tão agradável, pois assim teria se arrumado um pouquinho melhor.

– Está aí há muito tempo? – ela perguntou, derrubando um porta-lápis ao levantar a mão para limpar o canto da boca sujo de geleia, do qual se deu conta tarde demais.

– Não, não... Acabei de chegar – Leonardo mentiu, ciente de que precisava ser simpático para obter a informação que estava esperando, e entregou a chave do quarto. Em seguida, tirou um pedaço de papel amassado de bolso. – Preciso ir neste endereço. – Ele indicou a anotação. – Poderia chamar um táxi pra mim?

Atordoada e impressionada com a simetria do rosto dele, a recepcionista olhou para baixo e tentou se concentrar no que estava escrito.

– Essa rua... – Ela buscou na memória e depois abriu um sorriso caloroso, doida para saber como eram os olhos por trás daquelas lentes escuras. Seriam castanho-claros como aqueles cabelos lisos? Ela estava louca de vontade de tocá-los... – Ah, não precisa chamar um táxi. É pertinho daqui. Mais precisamente dois quarteirões à esquerda.

– Ótimo, então posso ir andando. Muito obrigado – disse ele resoluto.

Leonardo se afastou do balcão e virou-se de costas em direção à saída.

– Ei? – berrou ela por detrás do balcão. – Não vai levar o endereço?

Leonardo sorriu sozinho antes de se virar para ela. Quando queria lançar mão desse artifício, ele invariavelmente funcionava.

– Não precisa. – Ele apontou o papel. – Qual o nome da rua e o número da casa?

– Rua Luiz Felizardo, casa 36.

– Eu chego lá. – Ele agradeceu com a cabeça e seguiu andando para a rua.

***

Era uma daquelas manhãs em que era bom estar viva, pensava Ivy ao observar o sol e o céu sem nuvens. Por essa razão, ela resolvera que o melhor que tinha a fazer era passar algum tempo se ocupando do jardim de Janine. Ironicamente, desde que havia aberto a própria floricultura, alguns anos atrás, a mãe não tivera mais tanto tempo livre para cuidar do próprio canteiro. Ivy costumava fazer isso para ela, mas, como ficara seis meses longe de casa, nunca o havia visto com tantas ervas daninhas.

Enquanto ouvia nos fones o som de sua banda gospel predileta, fazia o possível para fixar na terra uma roseira que sua mãe havia trazido da loja enquanto Foguete, nada cooperativo, tentava arrancá-la. Por vezes, Ivy suspirava de impaciência com o cachorro e, para se acalmar, jogava uma bolinha de borracha para ele pegar, enquanto analisava a horta, os passarinhos e as borboletas coloridas voando ao redor. Observou, também, que a cerca branca precisava ser pintada e que as rachaduras das paredes laterais da casa estavam se aprofundando. No entanto, a infinidade de plantas e trepadeiras que se espalhavam por elas formavam uma combinação tão harmoniosa, que parecia quase um pecado arrancá-las somente para fazer os reparos. Ivy viu que Foguete estava longe e tornou a concentrar-se em plantar a muda de rosas.

A primeira coisa que ele notou foram os cabelos dela, pois eram tão claros que pareciam captar a luz do sol. E sentada sobre os joelhos, Ivy não parecia nem um pouco sedutora. Suas mãos e a regata branca estavam sujas de terra, os cabelos mal-amarrados num rabo de cavalo desajeitado, e a legging preta e envelhecida cheia de pelos. Para piorar, ela estava descalça.

Leonardo respirou fundo. A curta distância até ali fez seu estômago revirar de forma extraordinária. Havia bem poucos momentos em sua vida em que ele experimentara tamanha apreensão, e não estava apreciando nem um pouco o gosto de medo que deixava na boca. Mas não podia aparentar o que estava sentindo, ele disse firmemente a si mesmo. Sendo assim, manteve uma máscara de serenidade entalhada na sua face. Seu coração batia cada vez mais rápido ao se aproximar e ele decidiu que precisava fazer alguma coisa para acalmá-lo.

Reparou em Ivy. E notou, fitando-a especulativamente, que ela era nova demais para ser quem ele estava procurando. A garota não notou a presença dele, por causa dos fones. Somente quando a sombra dele a cobriu Ivy percebeu que não estava sozinha. Ela ergueu os olhos e os cobriu com a mão. Em seguida, avistou contra o sol a silhueta de um homem esguio do outro lado da cerca. Estava mais para magro, mas, pelo braço, parecia ter uma musculatura bem definida. Ele vestia com uma camiseta cor de azeitona – perfeitamente ajustada no tórax proeminente – e uma calça jeans meio surrada e usava óculos Ray-Ban escuros.

– Oi. – Ela retirou um dos fones. – Nem ouvi que tinha alguém me chamando.

– Eu não chamei. – Ela notou a rouquidão em sua voz, que era baixa, porém segura. – Eu... – Leonardo baixou a cabeça quando Foguete colocou as patas da frente na cerca para chamar a sua atenção. O cachorro balançava o rabo e segurava a bolinha de borracha na boca. Relutante, Leonardo olhou para Ivy, que sorriu.

– Por favor... – Ela indicou a bolinha.

Ainda resistente, Leonardo pegou a bolinha da boca de Foguete com cuidado e arremessou-a o mais longe que pôde. Nesse momento, Ivy reparou em uma enorme tatuagem de tribal que ele ostentava na parte interna do antebraço direito, e que era comprida o suficiente para entrar pela manga da blusa e terminar com uma ponta no pescoço. Ela quase torceu o nariz. Não gostava de tatuagens.

Quando o cachorro saiu correndo todo feliz, Leonardo ficou satisfeito, pois não estava acostumado com animais.

– Alguém daqui está te esperando? – Ivy capturou de volta a sua atenção.

– Não – disse ele, querendo afirmar uma série de coisas com aquela palavra tão simples.

Houve uma pausa momentânea enquanto Ivy esperava ele dizer mais alguma coisa. Como ele não falou nada, por puro senso de decoro, ela se levantou.

– Bem... – Ela limpou a mão direita no quadril e a estendeu. Finalmente Leonardo pôde ver o seu corpo por inteiro, e apreciou. – Meu nome é Ivy. E você é...?

– Leonardo, mas pode me chamar de Leo. – Ele também estendeu a mão e, com isso, virou o rosto um pouco de lado, captando a luz do sol. Um calor subiu pela mão de Ivy e envolveu o seu braço ao observar aquele rosto masculino de perto. Ela teve que se esforçar bastante para parecer indiferente àquela imagem inesperada, mas distraiu-se momentaneamente com a beleza dele quando percebeu que seu maxilar parecia apertado e uma linha cavava teimosamente o caminho entre as suas sobrancelhas, como se ele estivesse controlando algum tipo de tensão. Também reparou que ele tinha uma pequena cicatriz embaixo do queixo e que o nariz retilíneo tinha leves indícios de que um dia já fora quebrado. Entretanto, essa ligeira assimetria facial não diminuía em nada a imponência do seu rosto. Pelo contrário, a acentuava. Ivy puxou a mão de volta e adotou uma postura defensiva.

– Na verdade – ele disse, percebendo que Ivy ficara sem graça e agora estava passando a pazinha de ferro de uma mão para outra –, vim somente buscar um quadro, mas não avisei nem o dia nem o horário que eu viria.

Ivy ficou mais um momento olhando para ele, depois se lembrou:

– Ah, sim... Você é o cliente de Amanda... – Ela abriu um pequeno sorriso. Nem um lampejo de consternação passou pela face dele ao ouvir aquele nome. – Você não é daqui, não é? Seu sotaque parece do sul, mas também tem resquícios do Rio.

– Sou de Florianópolis, mas fui criado por uma carioca. Ela está? – perguntou, voltando os olhos para a casa, pensando em como faria para obter as informações que precisava.

– Está sim, mas...

– Então vá chamá-la. – Ele analisava a residência com atenção.

Ivy levantou uma sobrancelha.

– Como?

– Vá chamá-la pra mim – repetiu ele, desatento. – Estou com um pouco de pressa.

Com um suspiro rápido, Ivy crispou-se com o tom autoritário. Ele parecia ser o tipo de sujeito que sempre entrava nos ambientes para comandar. Onde pensava que estava?

– Não vai nem dizer a palavrinha mágica? – perguntou ela, em tom de brincadeira, mas no fundo falando sério.

Perdido em outro planeta, Leonardo voltou os olhos para ela e piscou, confuso com aquela pergunta.

– Como disse?

Levemente revoltada, Ivy deixou a pazinha cair no chão e bateu as mãos para limpá-las. *Que se dane o senso de decoro!*, pensou. Não iria, sob nenhuma circunstância, se prontificar a ajudar alguém tão mal-educado.

– A palavrinha mágica? – Ela cruzou os braços. – Não te ensinaram quando você ainda era criança?

Um sorriso faceiro afastou a tensão da boca dele quando finalmente compreendeu sobre o que Ivy estava falando. E foi um sorriso tão rápido, mas tão surpeendentemente encantador, que ela quase pediu que ele sorrisse de novo.

Ciente de seu poder, Leonardo tirou os óculos de sol para encará-la com os brilhantes olhos verde-escuros, quase do mesmo tom da camisa, e Ivy tentou lutar contra o rubor que nasceu em seu rosto ao perceber o quanto ele era realmente atraente. Seus olhos tinham um verde intenso como a relva do verão, com um maravilhoso halo dourado contornando a pupila. Sua pele era bem bronzeada e ele tinha um olhar de menino pidão, carente. Bonito não era exatamente a palavra para defini-lo, estava mais para... fascinante. Talvez, por isso, ela tenha continuado parada em pé, boquiaberta, rígida como um pedaço de madeira.

– Desculpe-me – ele disse. – Foi grosseria da minha parte falar contigo daquela maneira. É que estou um pouquinho ansioso e pensei...

– NICOLAAAAAAAAS! – A porta da sala se abriu num estrondo e Leonardo viu um pequeno menino de cachinhos dourados, pelado, sair correndo desabalado para a rua. Atrás dele, vinha correndo outro menino igualzinho, perseguido por uma mulher.

Escaldada, Ivy logo percebeu o que estava acontecendo e agarrou Cauê pela cintura, que vinha correndo disparado atrás do irmão. Enquanto este se debatia em seu colo, Amanda passou rapidamente por eles e foi para a rua enquanto Foguete, muito excitado por observar o portão aberto, também resolveu fugir.

A visão súbita de Amanda o deixara dolorosamente surpreso, e também bastante confuso. Sendo assim, demorou alguns segundos até Leonardo perceber que deveria fazer alguma coisa. De súbito, ele virou-se e disparou atrás de Foguete, que corria em círculos, com a língua para fora, enquanto Amanda corria em volta de um fusca, ao encalço do filho nu.

Ivy ficou contendo Cauê e, assim como o resto dos vizinhos, achando graça daquela cena patética de Amanda e Leonardo perseguindo os pequenos fugitivos. Alguns minutos depois, ofegante, Leonardo conseguiu capturar o cachorro. E assim que este foi para o seu colo, começou a lamber incansavelmente o seu rosto – o que, apesar de deixar Leonardo desconfortável, não o impediu de escapar uma risada pelo canto da boca ao ver Nicolas dançando pelado em cima do fusca, enquanto Amanda, já vermelha, implorava para o menino descer. O danadinho era durão, e ficava pulando de um lado para o outro, fugindo das investidas das mãos da mãe.

Compadecido, Leonardo aproximou-se para ajudá-la. Amanda quase desfaleceu de alívio quando Leonardo finalmente conseguiu puxar o menino pelo calcanhar com a mão livre e ela pôde pegar Nicolas no colo e trazê-lo para casa, debatendo-se.

Leonardo entrou no gramado, soltou o cachorro e limpou o rosto com a ponta da camisa. Imediatamente após cruzar o portão, Amanda o fechou, colocou o filho no chão e levou-o pela orelha até onde estava Cauê, que foi liberado por Ivy e também teve o lóbulo confiscado pela mãe.

– Obrigada – Amanda disse para Leo, soprando os cabelos desarrumado do rosto. De repente, sentiu um inexplicável nó no coração ao olhar para ele. – Se não fosse você, eu ainda estaria atrás desses pestinhas. Todo dia na hora de tomar banho é a mesma coisa.

– Ele estava te procurando – Ivy avisou para ela.

– Ah é? – Apreensiva, Amanda olhou para ele outra vez. – O que foi? Meus filhos destruíram algo na sua casa? Arranharam seu carro com a bicicleta? Olha, se já lá o que for, eu pago. Eu juro que tento ficar de olho neles, mas às vezes eles simplesmente somem e eu não sei...

– Não, não – Leonardo forçou um sorriso simpático –, não é nada disso. Eu só vim buscar o quadro que encomendei do... Adam, não é esse o nome do artista?

– Ah, sim. Mamãe me deu o recado que você viria. – O sorriso de Amanda se acendeu, e Leonardo sentiu a angústia queimar mais forte no seu estômago. – Mas esqueci completamente que você vinha hoje. De todo modo, o quadro já está aqui. Vou lá dentro pegar e já volto. E vocês dois – ela olhou para os filhos – acabaram de arrumar uma detenção por tempo indeterminado. – Dito isso, ela foi para dentro de casa e deixou Ivy e Leonardo sozinhos mais uma vez.

Sem saber o que fazer, pois os olhos cor de menta de Leonardo estavam fixamente pousados sobre ela, Ivy cruzou os braços e enterrou os dedos nos próprios bíceps, apertando e soltando, apertando e soltando... Estava tensa. Não queria ficar fazendo companhia para ele. Leonardo tinha um olhar altivo e uma postura segura que a intimidavam. Queria manter distância. Mas o fato de estar vergonhosamente atraída por ele ao mesmo tempo não estava ajudando muito. Ela decidiu que era melhor olhar para longe.

Leonardo desejou saber sobre o que Ivy estava pensando, mas infelizmente aquele rosto angelical não fornecia informações naquele momento. E, mesmo usando aquela roupa inacreditavelmente horrorosa, ele percebeu que sim, ela era sensual. Ficou deliciado ao perceber o leve colorido que brotou nas suas faces quando eles ficaram sozinhos de novo, pois ele não se lembrava de uma mulher que corasse hoje em dia. Para passar o tempo, resolveu puxar papo. Talvez ela fosse útil aos seus planos.

– O guri é corajoso – ele comentou.

– Ahn?

– Seu sobrinho, o que subiu em cima do carro. Eu jamais faria isso na idade dele, pois morro de medo de altura.

– Pois é, aqueles meninos não têm medo de nada. Amanda tenta manter os gêmeos com rédeas curtas, mas é quase impossível. Eles têm muita energia.

Houve uma pausa prolongada entre os assuntos.

– Então – Leonardo continuou –, eu estava pensando em uma maneira de compensar os meus modos rudes com você agora há pouco. Que tal um almoço? Eu não conheço nada nesta cidade e pensei que você poderia me ajudar a escolher um lugar.

– Não tenho aptidão para cicerone – Ivy respondeu sem preâmbulos, mas foi com muita dificuldade que conseguiu simular desinteresse na voz. – Além do que, não costumo sair para almoçar com sujeitos que mal conheço. É só ir ao centro da cidade que você vai encontrar vários restaurantes maravilhosos por lá.

– Você não sai para *almoçar*... – Leonardo apoiou as costas na cerca e pousou o dedo indicador sobre a boca, com um ar pensativo. – Então, que tal tomarmos um café mais tarde. Ouvi dizer que em São Lourenço estão os melhores cafés do Brasil.

Levemente irritada, Ivy voltou os olhos para ele.

– Não gosto de café. – Ela mataria por um. – E, para que fique bem claro, não faço *nenhuma refeição* com desconhecidos.

Pela primeira vez, o sorriso de Leonardo chegou aos olhos, trazendo-lhes um brilho divertido. Ela estava linda com aqueles cabelos desarrumados e colados no rosto suado, mas, do jeito que era arredia, se ele estendesse a mão para ajeitá-lo, ela recuaria como uma lebre. Ivy era o tipo de mulher que se resguardava, e essa era uma atitude que Leonardo respeitava. Mesmo assim, ele a provocou:

– Pois eu duvido. Você foi muito receptiva quando cheguei por aqui. Me pareceu bem... desinibida conversando com um forasteiro.

Ivy entendeu aquilo como uma afronta e abriu a boca para mandá-lo para o inferno, mas não teve tempo. Amanda já atravessava a porta da sala tagarelando.

– Leonardo, me desculpe. Eu jurava que já tinha trazido esse quadro pra cá. Mas, olha, daqui a pouco vou levar os meninos na escola; aí, pego lá em casa e entrego para você. Em que hotel você está?

Ainda olhando para Ivy, ele se desencostou do portão.

– Não se preocupe com isso. Eu passo aqui mais tarde para pegá-lo.

Astuta como uma raposa, Amanda ficou calada por um momento. Olhou para a irmã e depois para seu cliente de novo. Em seguida, providenciou um sorriso que julgou inteligente.

– Suponho que isso significa que achou algo mais interessante pelo que valha a pena voltar. Muito bem, eu tenho uma ideia melhor. A fim de compensar o incoveniente, que tal eu arrumar alguém para lhe fazer companhia e levá-lo para passear pela cidade. Quando você retornar, o quadro já estará aqui.

Imaginando o que estava por vir, Ivy corou até o último fio de cabelo.

– Acho uma ótima ideia. – Leonardo sorriu para ela. Talvez infringisse alguma regra particular aproximando-se demais de Ivy. Mas uma semana de ar puro, somada a sexo, lareira e um bom vinho, talvez fizesse algum bem para aquela galega. E, com certeza, para ele não faria mal algum. – Eu estava mesmo procurando companhia para almoçar. Eu poderia convidar a sua irmã.

– Ótimo – disse Amanda, em tom decidido. – Ela irá acompanhá-lo, então, já que está de férias e não tem nada para fazer por aqui. Acredito que tenham quase a mesma idade e devem ter interesses em comum.

Ivy permaneceu encarando Amanda, perplexa.

– Não acho que isso será possível – ela interferiu, pois, ainda que não tivesse muita experiência com homens, reconhecia o perigo quando estava diante dele. – Planejei organizar o meu quarto hoje.

– Mas você terá vários dias para isso – Amanda insistiu. – Além do que, não adianta arrumar um local que seus sobrinhos bagunçarão um segundo depois. Enquanto estivermos todos aqui, acostume-se ao caos.

– Isso pode ser interessante – Leonardo falou, com um sorriso matreiro. – Entregar-se ao caos de vez em quando faz bem.

– E devo lhe lembrar – Amanda continuou – que a senhorita prometeu que iria me ajudar. E preciso entreter o meu cliente até que eu consiga trazer aquele quadro.

Sentindo-se encurralada, Ivy encolheu os dedos dos pés na grama.

– Bem, eu, ahn.. tudo bem. Acho que posso fazer isso – ela disse entre os dentes, contrafeita, olhando furiosamente para Leo.

Como se pudesse ler seus pensamentos, Leonardo mordeu a bochecha por dentro para evitar de rir deliberadamente. Amanda virou-se para a irmã e, muito satisfeita, sussurrou um animado "de nada", que deixou Ivy ainda mais furiosa. Depois, com a desculpa de que Ivy iria se trocar, Amanda carregou-a para dentro de casa, mas não antes de advertir Leonardo para que ele a trouxesse de volta em segurança, pois a irmã era um dos bens mais preciosos daquela família. Ao ouvir isso, Leonardo não podia estar mais satisfeito.

– Ivy – disse ele em voz alta quando elas entraram, saboreando o nome dela na língua. E, quando terminou de pronunciar, já sabia como executar o que viera fazer.

Capítulo 4

– Amanda, o que você fez? – rosnou Ivy quando fecharam a porta da sala. Amanda se virou com um sorriso animado.

– Vai aprendendo, irmãzinha. Uma mulher inteligente sabe como convencer um homem a chamá-la para sair e fazê-lo pensar que a ideia foi toda dele.

– Você foi tão sutil quanto um tiro de espingarda. – Ivy se jogou no sofá. – E quem disse que eu queria ser convidada?

Amanda se sentou ao lado dela.

– É claro que queria. Ainda mais por um pedaço de mau caminho daqueles. Você devia era me agradecer, sua ingrata.

– Amanda, eu pareço satisfeita? Olha bem para minha cara e me diz o que vê.

– Uma garota que não sabe relaxar.

Ivy girou os olhos para o teto.

– Eu realmente preciso organizar o meu quarto.

– Ao diabo que precisa. Com que roupa você vai?

– Ouça bem – Ivy se virou para ela, tentando parecer muito séria –, farei isso por você. E somente *por você.* Mas, para falar a verdade, não estou compreendendo essa sua empolgação em me empurrar para um completo desconhecido.

Pensativa, Amanda encolheu os ombros.

– Gostei dele logo de cara. Não sei explicar. Além do que, ele foi muito gentil me ajudando com os meninos. Fora isso, vai sair daqui fedendo a baba de cachorro. O mínimo que eu podia fazer era oferecer a minha irmãzinha de cortesia para o cliente. – Ela riu da careta horrorisada de Ivy. – Estou brincando... Vê se relaxa, garota. O cara é um gatinho e, ainda por cima, gosta de arte.

Balançada com o discurso da irmã, Ivy ficou em silêncio por um momento. A verdade é que estava mais do que interessada em sair com Leo. Talvez, só tivesse que admiti-lo em voz alta, para ouvir as palavras.

– Eu vou, mas, se ele me raptar, a culpa será sua.

Amanda se levantou do sofá.

– É impressionante como em algumas coisas você ficou tão parecida com Adam. Eita menina turrona! Se você não for raptada por esse gato, é porque não aprendeu nada com a sua irmãzinha. Agora vamos. Você está parecendo uma catadora de lixo.

Com o entusiasmo de uma mulher condenada, Ivy também postou-se em pé.

– É impressionante como você sabe levantar um astral.

***

Vinte minutos depois, mordiscando um canto do lábio, Ivy abriu a porta da sala para sair, perguntando-se se Amanda não havia exagerado na produção. Porém, consciente de que jamais teria ficado linda daquele jeito sozinha. Se não fosse *marchand*, sua irmã podia perfeitamente ser assessora de moda. Como estava esfriando, colocara em Ivy um vestido branco de tecido grosso, manga longa e meio curto, que se ajustava perfeitamente à sua cintura, por onde passou um cinto caramelo que combinava com as botas de cano curto. No pescoço, jogou um lenço com o mesmo tom mais escuro, que ressaltavam os brincos dourados. Usava uma fina meia-calça marrom que moldurava divinamente as suas pernas. Parecia pronta para assistir a uma partida de golf, como se fosse a esposa de um milionário.

Ao vê-la, Leonardo hesitou, os olhos cor de berilo percorrendo-a com aprovação e um brilho de algo mais. Não imaginava que aquela menina descabelada que encontrou pudesse se transformar naquele tesouro. Imediatamente, sentiu-se indigno de andar ao lado dela na rua. Decidiu que precisava urgentemente se trocar e tirar aquele cheiro de cachorro do seu rosto. *Talvez não fosse uma boa ideia aproximar-se de uma mulher tão perigosamente bonita*, ele pensou. Mas agora não podia voltar atrás. Ainda mais depois do que ouvira de Amanda: *Ela era um dos bens mais preciosos daquela família.* Sim, Ivy era um dos caminhos para ele chegar aonde queria. Ele não podia deixá-la escapar.

Não era intenção de Ivy arrancar-lhe elogios. Entretanto, não pôde evitar o contentamento que sentiu quando notou a admiração ardente nos olhos de Leo. Desconfortável, ela lhe ofereceu um sorriso inamistoso, sentindo-se pronta para a festa de Natal, tão arrumada ela estava.

Leonardo abriu o pequeno portão de madeira e ofereceu o braço para que ela o tomasse, com um sorriso lisonjeado, mas ela o ignorou, fechou o semblante e passou para a rua. E como Leonardo ficou segurando o portão, seus braços se esbarraram quando ela passou. O breve roçar naquela pele bronzeada enviou choques elétricos pelo corpo de Ivy.

Ela não estava reconhecendo a si mesma. Nunca estivera tão intimidada e atraída por um homem antes. E esses sentimentos conflitantes a irritavam por causarem nela todo aquele alvoroço: interesse e desdém, desejo e repulsa. Sempre fora uma pessoa sóbria. Só que agora sentia-se tão nervosa quanto quando saiu com Caio – sua primeira paixonite adolescente – pela primeira vez. Porém, os sentimentos que ela tivera na adolescência empalideceram em comparação. Mal podia olhar para Leo sem sentir o estômago tremer, de medo e excitação.

O que está acontecendo? – ela se perguntou. Tradicionalmente, estava quase certa de que não era uma pessoa dada a impulsos carnais. Então, por que desejava tão desesperadoramente tocá-lo? Era uma loucura! Um impulso imprudente e disparatado. Precisava ser vigiado e contido.

– Isso foi muito traiçoeiro – foi a primeira coisa que disse.

Leonardo riu.

– Traiçoerio por quê?

Empertigada, Ivy se virou para ele.

– Sabe muito bem que eu não queria almoçar com você.

– Você nem sabe se queria. Fez um julgamento prematuro sobre mim e agora está se agarrando a ele, talvez como defesa.

– Não preciso me defender de você. Não há nada a temer.

– Bem – ele disse, se postando ao lado dela, muito à vontade. – Então, é melhor nós irmos logo para o hotel. – Ivy olhou para ele como se fosse decapitá-lo. – Para eu me trocar – ele riu e esticou sua blusa. – Não posso sair ao seu lado deste jeito. Não imaginava que você ia caprichar tanto na produção *para mim*.

– Quer saber, isso tudo é uma loucura. – Ivy se virou para a casa, destemperada. – Você não está nem aí para conhecer a cidade e eu tenho mais o que fazer do que ficar aturando as suas insinuações.

– Ei, pera aí. – Ele segurou-a pelo cotovelo. – Tudo isso porque te fiz um elogio?

Ivy puxou o braço de volta.

– Deixe de ser ridículo, você se autoelogiou dizendo que me vesti assim *para você*. Como se eu estivesse muito interessada em lhe impressionar.

Divertido, Leonardo apertou os lábios.

– Você fica ainda mais irresistível quando está furiosa, mas prometo que não vou mais te provocar. Por favor, me faça companhia. Será uma honra andar ao lado de uma beldade como você. Literalmente andar, pois não estou de carro na cidade. A propósito, belas pernas.

Corada pelo regozijo que tentou suprimir, Ivy suspirou e procurou se acalmar. Realmente, estava sendo intransigente. Mas a única coisa que queria naquela hora era se enfiar no seu quarto com um balde de sorvete e ficar vendo *Friends*. De preferência, para o resto da vida. Quem haveria de dizer que seu dia tomaria um rumo tão louco?

– Tudo bem. – Ela olhou para ele, mas a expressão não era particularmente acolhedora. – Mas espero que me respeite durante todo o caminho, e que não fique de gracinhas para o meu lado. Não gosto de abusos.

– Já percebi. Se não fosse assim, eu não teria convidado você.

Ouvir isso pareceu apaziguá-la. Num acordo silencioso, Leonardo estendeu a mão para a frente e, então, ambos começaram a caminhar. Obviamente, Ivy não estava confortável com o compromisso que assumira com a irmã. Iria desfazê-lo assim que voltasse para casa, decidiu. Não iria mais ajudá-la em porcaria nenhuma. Mas, primeiro, precisava fazer companhia para o cliente como prometera. Só esperava que Leonardo mantivesse a postura. Como ele pôde ter concordado com Amanda sabendo que não queria ir com ele? Era muito cara de pau. Canalha!

Bem, isso ficaria para depois.

Para ele, havia uma sedução quase infantil na forma como Ivy falava e em como reagia às coisas sem planejar. E ela era apressada e andava um pouco à sua frente, na tentativa de impor distância entre os dois. Ele só não sabia se emocional ou se física. Mas, aos poucos, Ivy pareceu se acalmar e permitiu que Leonardo caminhasse a seu lado. Não queria parecer infantil.

– Tem certeza de que você nasceu aqui? – ele quebrou o silêncio.

– É o que diz minha certidão de nascimento.

– Você parece gaúcha.

– Minha mãe é do sul.

– Está explicado – disse Leo, demonstrando uma emoção indiscritível naquele rosto que, rapidamemente, retomou sua máscara de indiferença. – E você já esteve por lá?

– Não, mas sempre quis conhecer. Não saí muito aqui da cidade, mas costumo ir frequentemente ao Rio. Um de meus irmãos mora lá. E a sua família? – Já que não tinha jeito, Ivy resolveu entabular a conversa. – Também são todos de Florianópolis?

– Não tenho família – Leonardo disse, obtuso.

– Como assim?

– Meus pais morreram – acrescentou.

Ao ouvir isso, o coração de Ivy condoeu-se por ele e ela o mirou.

– Mas não tem ninguém? Nem um irmão, nem esposa, nem filhos?

– Tenho cara de homem casado? – Leonardo riu com deboche. – Minha mãe morreu há seis meses. Ela era a última família que eu tinha. – Ele já estava falando demais.

– Puxa... Sinto muito. Deve estar sendo difícil para você. Como tem conseguido superar? – Ivy estava realmente compadecida.

– Ou a gente avança ou desaparece, não é? Chegamos.

Ambos entraram na pousada onde Leonardo estava hospedado. Com certo constrangimento, Ivy cumprimentou a recepcionista Elisa, que a conhecia desde pequena, e esta ficou visivelmente abalada por ver seu hóspede preferido chegar em tão bela companhia. Elisa nem sabia que Ivy estava na cidade, e muito menos que estava namorando. Será que dona Lenita sabia disso? De raiva, pegou o telefone para espalhar a notícia.

– Vou te esperar no saguão – Ivy avisou para Leo, percebendo os olhares acusadores da recepcionista.

– Eu não demoro – ele disse e em seguida subiu as escadas.

Ivy sentou-se na saleta da recepção, em frente à lareira apagada. Já estava mais calma. A caminhada até ali mostrara a ela como estava sendo tola em julgar Leo precipitadamente. Mal o conhecia. E nunca imaginaria que aquele rosto de arrasar carregasse uma bagagem tão sofrida e solitária. Já sabia que ele não tinha esposa, mas será que tinha alguma namorada? A pergunta não saía da sua cabeça.

Tentou distrair a mente pegando uma revista de fofoca velha na mesinha de centro, e logo estava entretida nas frivolidades da vida das celebridades. Esperava que não tivesse que esperar por Leonardo mais do que vinte minutos.

Ele desceu em dez.

– Estou digno de você? – Leonardo perguntou por trás dela.

Ivy se virou e teve que conter um suspiro. Aparentemente, Leonardo estava mesmo empenhado em bagunçar com os seus hormônios. Havia tomado banho e estava com o cabelo liso molhado, a franja irregular pendendo charmosamente na testa. Vestia um jeans escuro e uma camiseta azul-turquesa por debaixo da jaqueta de couro preta. Seu perfume importado flutuava até Ivy, entorpecendo seus pensamentos.

– Para mim, você está ótimo. – Retirando os olhos dele, Ivy pegou sua bolsa e se levantou. Leonardo ficou estranhamente animado com aquele comentário. – Onde prefere comer? Gosta de comida mineira?

Ele pegou a sua mão e colocou no próprio antebraço.

– Vamos descobrir.

Capítulo 5

Leonardo adorou. Acostumado a comer somente saladas, açaí e comidas integrais, agora sentia-se como se nunca tivesse colocado nada com gosto dentro da boca. Fora isso, estivera tão agitado com o propósito de mais cedo que não havia tomado café da manhã. Mas agora, como estava se divertindo na companhia de Ivy, já tinha relaxado e o apetite veio à tona. Constrangeu-se momentaneamente quando levou o garfo à boca pela primeira vez e percebeu que Ivy fechou os olhos para orar.

Ali.

No meio do restaurante.

Não sabia que ela era religiosa. Mas, embora não tivesse sido criado sob nenhuma doutrina espiritual, respeitou o momento.

Ivy riu sozinha da forma como ele devorou com gosto todas as iguarias da culinária mineira, especialmente o torresminho e a feijoada. Também não se fez de rogado antes de experimentar três tipos diferentes de cachaça. Quando Ivy soube o que Leonardo fazia da vida, ficou espantada de ver um atleta com tão poucas restrições alimentares. Mas ele argumentou que estava de férias e por isso queria aproveitar o momento, em todos os sentidos.

Conversaram bastante, a ponto de esquecerem ambos o que estavam fazendo ali. Porém, Leonardo tomou cuidado de editar certos trechos da sua vida durante o papo amistoso, para que não fornecesse informações inadequadas sobre o passado. Focou a conversa nos últimos meses: no campeonato que vencera; no joelho machucado; e em como estava tomando uma surra para administrar os imóveis que herdara da mãe. Em certo momento do almoço, o telefone dele tocou e Leonardo mudou do português para inglês com muita facilidade, como se tirasse um chapéu e pusesse outro. Como Ivy falava somente o básico da língua, admirou a sua fluência, pois já sabia que ele havia residido na Califórina. Pelo pouco que entendeu, concluiu que ele falava com um amigo de lá.

Um doce de leite da casa com queijo branco depois, Leonardo pediu a conta ao garçom, mas não antes de pedir um café expresso.

– Acho que nunca comi tanto na vida – regalou-se ele.

– E eu acho que vou ter que chamar um reboque para te tirar daqui – Ivy riu.

– Não será necessário. – Ele agradeceu com a cabeça à menina que servia o café. – Meia hora de caminhada vai dar conta da digestão.

Ivy pigarreou.

– Amanda já deve ter voltado com o quadro – ela tentou escapar.

– Não quero saber do quadro. O que vamos fazer? – Ele deu o primeiro gole na xícara fumegante.

Porque estava tensa, Ivy levou a mão a nuca para prender um rabo de cavalo.

– Não há muito o que fazer nesta cidade, esta hora da tarde. E eu realmente preciso organizar umas coisas.

– Eu adoro seus cabelos.

– Ahn? – Ivy piscou e assumiu no rosto o tom rubro de sempre.

– Seus cabelos – Leonardo olhava em seus olhos – são lindos. Dá vontade de tocar.

– Obrigada, tenho desde que nasci. – Por pura precaução, Ivy desviou o olhar dele e pegou o celular que estava na mesa para guardar. Tentava enfiar seus sentimentos fora de controle dentro da bolsa, junto com o aparelho.

Uma vez que não estava com a mínima vontade de levá-la de volta, Leonardo insistiu num passeio.

– Podíamos andar a cavalo.

Ivy teve vontade de rir.

– E por acaso você sabe montar?

– Fico em cima de uma prancha me equilibrando a cinquenta quilometros por hora, gatinha. Andar a cavalo vai ser moleza. Vou tirar de letra, e ainda aposto uma corrida com você.

Ivy jogou a cabeça para trás e deu uma gargalhada gostosa. Poucos na região cavalgavam tão bem quanto ela, que, desde pequena, praticava hipismo rural. Ele somente ergueu a xícara e esperou, agraciado, que ela parasse de rir.

– Equilíbrio é o meu sobrenome – ele completou.

– Olha, isso é muito tetandor. Adoraria ver você e sua arrogância se espatifando no meio do campo, mas... – O telefone dela começou a tocar. – Um minuto. – Ela retirou-o da bolsa e olhou para o visor, era Nicole. – Oi, amiga...

– Pode batendo a ficha. O cara é solteiro?

– O quê? – Ivy ficou chocada.

– O cara com quem você está almoçando.

– Mas como você sab...

– Liguei para a sua casa e Amanda me contou. E aí, como ele é?

Ivy deu um sorriso amarelo para Leo.

– Não posso falar agora.

– Ele está na sua frente? Então vá para o banheiro. Não vou desligar enquanto não souber alguma coisa. Vou te ajudar. Se tivesse que descrevê-lo diria que ele é...

– Legal.

– Legal? Pelo amor de Deus, Ivy. Agora eu vou querer ficha completa. Ele é rico? É gostoso? Beija bem?

Ivy desejava ter um buraco para se enfiar. Sua face esquentou. Queria esgoelar Nicole por colocá-la em uma situação tão embaraçosa. Fascinado, Leonardo sorriu por detrás da xícara.

– Eu te ligo quando chegar em casa mais tarde – Ivy avisou à amiga.

– Qual o tamanho do pé dele? – Nicole a ignorou. – Dizem que, pelo tamanho do pé, dá para saber o tamanho do... – Plect... Ivy desligou o celular, constrangida demais para ouvir o resto.

– Era seu namorado? – Leonardo perguntou, sorvendo o café, mas sabendo que não era.

– Não tenho namorado. Era uma amiga. Ou inimiga. Ainda não decidi. – Leonardo se engasgou com o líquido quente ao rir do comentário maldoso.

– Ela queria saber sobre mim?

Ivy olhou para ele, os olhos estreitos.

– Queria saber *sobre mim*. Mas tudo bem – ela guardou o celular na bolsa de novo –, estou acostumada a ter a vida examinada pelo microscópio da polícia. As pessoas que me cercam adoram me vigiar.

– E eu imagino o porquê – ele disse. – Vamos caminhar?

Ivy engoliu saliva com dificuldade.

– Realmente não posso ir com você, tenho coisas a fazer.

– Por que está me evitando? – Ele limpou a boca com um guardanapo.

– E por que eu haveria de te evitar?

– A pergunta foi minha. Escuta – ele colocou a xícara de lado –, faz tempo que não tiro férias para curtir algo que não tenha a ver com o mar. Só estou pedindo um pouquinho de companhia. E você terá vários dias para arrumar o seu quarto, e seus sobrinhos para desarrumar. Então vamos... – Ele segurou a mão dela sobre a mesa. – Você também está de férias. Ajude-me a torná-las inesquecíveis...

Antes que Ivy respondesse, o garçom apareceu com a conta que Leonardo pagou com prazer. Pensando pragmaticamente, ela concluiu que podia se permitir realmente um passeio vespertino. No fundo, reconhecia que estava gostando da companhia de Leo, e exatamente por isso que o estava evitando. *Isso não faz nenhum sentido*, ela disse a si mesma. Nunca se sentira tão atraída por alguém, e fora exatamente isso que sempre condenara em si própria. E agora, que estava finalmente acontecendo, tinha vontade de sair correndo como um coelho assustado. Talvez pelo fato de Leonardo ser oito anos mais velho do que ela e, com toda certeza, muito mais experiente. Além disso, ainda que não tivessem entrado no assunto, ele não parecia em nada um homem que frequentava a igreja, requisito fundamental para ela se envolver com um cara. Mas isso não significava que não podiam ser amigos, meditou para si, tentando se convencer. E, então, uma ideia um tanto diabólica criou raízes naquela cabecinha cristã.

– Tudo bem. Mas então eu defino o passeio. Está mesmo interessado em ter as férias mais inesquecíveis da sua vida? Mesmo que custe caro?

Um sorriso mudo repuxou o canto da boca de Leo.

– O céu é o limite, guria.

Ivy riu por dentro. Ele não podia ter dito nada mais apropriado.

– Então, já podemos ir. A não ser que você queria mais alguma coisa deste restaurante. O que eu acho impossível.

– Eu não teria tanta certeza se fosse você. – O olhar dele fez um desvio, dando uma parada completa nos lábios dela. A posse quase física daquele olhar fez Ivy ficar com a boca seca. – Mas não acredito que seja algo pelo qual eu possa pagar. De todo modo, eu sou paciente. E ainda tenho uma semana por aqui. Vamos? – Ele se levantou.

Sentindo uma agitação estranha por dentro, Ivy também colocou-se em pé e o acompanhou para fora do restaurante, quase certa, para a sua vergonha, de que Leonardo conseguiria tudo que queria naquele mesmo dia.

***

– Você só pode estar brincando comigo – desesperou-se Leo, ao olhar o enorme balão com listras amarelas, brancas e vermelhas no qual estavam prestes a embarcar.

– Você disse que queria férias especiais. Já andou de balão?

– Não, mas...

– Então pronto. Pensei que gostaria de inovar. Você me parece um homem que gosta de aventuras. Vai amarelar?

Ao ouvir isso, Leonardo apunhalou-a com o olhar. Em seguida, deu um passo até Ivy e puxou-a pelo cotovelo, para falar bem perto da sua orelha e não deixar o guia do balão ouvir. O estímulo sensorial que o cheiro dele provocou nela foi atordoante.

– Essa sua cabecinha malvada guardou quando eu disse que tinha medo de altura, não foi?

Ivy sorriu, satisfeita com a sua perspicácia.

– Pensei em levá-lo ao teleférico, mas seria muito menos emocionante.

Leonardo olhou novamente para o balão e enfiou as mãos nos bolsos da jaqueta. Depois, passou os olhos por todo o aeroporto de São Lourenço, cheio de balões, picapes e gente animada para estar perto das nuves. Um grupo de pessoas que acabara de voltar de um passeio estourava uma garrafa de champanhe. Leonardo gostaria de estar tão animado. Aflitíssimo, começou a balançar umas moedinhas que carregava no bolso, para aliviar a tensão. Destestava quando era humilhado por causa das suas limitações. Isso sempre lhe lembrava a maldita época da escola, que fora um pesadelo para ele. Seu fracasso naquele tempo ainda era fonte de profunda angústia. Por isso, depois de um breve debate consigo próprio, olhou para Ivy.

– Quanto tempo dura o passeio?

– Uns quinze minutos.

Leonardo olhou de novo para o balão.

– Então, vamos logo – ele disse.

– Tem certeza? – Era com muita dificuldade que Ivy reprimia o riso. Sentia-se meio cruel, mas, para a sua supresa, estava adorando. – É meio caro. Quatrocentos por pessoa.

– Eu falei que dinheiro não seria o problema. – Ele ainda olhava aterrorizado para o balão.

– Você me parece assustado. Se estiver realmente com medo, podemos ficar e voltar à minha casa para pegar o seu quadro.

Leonardo virou o rosto para ela, com um olhar desafiador.

– Posso ter medo de altura, mas, para sua decepção, não sou covarde. Além do que, tenho muito mais medo de mulheres como você. E mesmo assim, estou aqui. – Com uma notável economia de gestos, ele pulou para dentro do cesto e depois segurou Ivy pela cintura, que estava do lado de fora.

– Medo de mulheres como eu? E posso saber o porquê? – Ela segurou nos seus ombros, olhando-o nos olhos.

– Porque têm as munições em todos os lugares certos. – E ordenou para o baloreio: – Olhe pra lá. – Dito isso, ele passou um braço por baixo dos joelhos de Ivy e puxou-a para dentro da côndola, com todo cuidado, pois ela estava de saia. Se o joelho machucado doeu quando ele fez isso, Leonardo tentou não demonstrar. Ivy lamentou quando saiu dos seus braços.

Leonardo olhou para o alto e observou o interior do balão, com aquele vazio imponente. Esperava que o fato de ter se agarrado com firmeza aos cabos de aço passasse despercebido pelos outros tripulantes. Porém, Ivy notou.

– Vão querer bater uma foto antes de ir? – perguntou o baloeiro, solícito.

Ivy olhou para o rosto pálido de Leo.

– Como não? Por favor... – E entregou ao homem o seu iPhone.

Zonzo por antecedência, Leonardo passou um braço em sua cintura e sussurrou enquanto sorria:

– Você me paga, guria.

Ivy esquentou ainda mais o sorriso para a câmera.

– Não seja ingrato. Você queria um passeio memorável. E algo me diz que este pode ser um.

– Um minuto... – Leonardo disse para o homem. Em seguida, se virou para Ivy, segurou em seu queixo e, com os lábios a um centímetro dos dela, ordenou. – Solte os cabelos. Se vou ter que sair nessa porcaria de foto branco feito um fantasma, quero que pelo menos você esteja do jeito que eu quero.

Ivy revirou os olhos para ele, mas obedeceu. Tentou não demonstrar a emoção que sentiu quando pensou que Leonardo fosse beijá-la ao pegar no seu queixo. Olhou de novo para a câmera, com um sorriso decepcionado.

Clic. A foto foi tirada. O maçarico foi aceso, as cordas soltas, e em pouco tempo o balão começou a deixar o solo. Alçou voo suavemente. Alguns turistas, fascinados com o momento, começaram a bater foto do balão onde eles estavam. Ivy acenava sorridente enquanto Leonardo já começava a sentir vertigens. Mal conseguiu admirar a cidade quando passaram por cima do Parque das Águas. Para Ivy, a visão não poderia ser mais fascinante. Sempre sonhara em sobrevoar de balão sua amada cidade, mas nunca conseguira por conta do preço. Algumas espécies de pássaros pairavam no ar, alguns dando pios agudos e fantasmagóricos.

Pouco depois, quando começaram a sobrevoar algumas fazendas, Leonardo precisou agachar-se para retomar o equilíbrio.

– Você parece meio verde, está precisando de ajuda? – perguntou Ivy, fazendo um esforço heroico para não rir.

Leonardo ergueu o rosto e abriu um breve sorriso, com o rosto coberto pelos cabelos, os olhos cor de absinto fervendo de raiva.

– Você está se deliciando com isso, não é?

Ivy se abaixou ao seu lado.

– Você poderia ter recusado o passeio. Por que teve que ser tão orgulhoso?

– Quando é que vamos descer? – exigiu ele saber, impaciente.

– Ainda faltam sete minutos – avisou o baloeiro.

– Vamos, levanta daí. – Ivy colocou-se em pé. – Você não pagou oitocentos reais para ficar aí sentado no fundo. Aproveite a vista. Eu seguro a sua mão.

Irritado por estar sendo tratado como criança, Leonardo se levantou. Ivy sorriu, em meio aos cabelos esvoaçantes. Ele notou que ela abraçava o próprio corpo de frio. Por isso, quando ela lhe estendeu a mão, Leonardo a puxou de costas para si e envolveu-a subitamente em um abraço apertado. O calor do corpo dele contra as suas costas fez o coração de Ivy disparar. Confusa com o que havia acontecido, seus lábios se abriram brevemente com a aceleração da respiração. Por isso, ficou rígida e sentiu a risada de Leonardo na sua nunca.

– Agora você é que me parece pálida, coração. Há algo que eu possa fazer por você?

Ela gostaria de gritar para que Leonardo a soltasse, mas não conseguiu trair os anseios do seu corpo, que agora estava tão confortável.

– Eu estou bem. – Foi um choque ouvir a própria voz dizer isso.

– Que bom.

Ambos começaram a observar em silêncio o céu alaranjado e sem nuvens. Concordaram tacitamente que não havia necessidade de palavras. Contemplaram a diversidade de pássaros, o sol, os outros balões flutuando a distância... Ivy não se lembrava de ter usufruído de um momento tão gostoso nos últimos tempos. Aliás, nem em toda a sua vida. E porque pensava a mesma coisa, Leonardo sentiu um aperto no coração. Ele apertou mais os braços em volta da cintura de Ivy – o que a fez fechar os olhos e morder os lábios para abafar um suspiro – e apoiou a boca na cabeça dela, respirando em seus cabelos. Eram muito perfumados, e Leonardo achou o ato estranhamente confortador. Ele sabia que a felicidade simples e normal sempre estivera longe do seu cotidiano. Não estava acostumado com ela. Por isso, geralmente a evitava. Mas era maravilhoso podê-la sentir agora. Então, desfrutou do momento. Ivy era quase da mesma altura que ele e seus corpos se encaixavam perfeitamente. Somente quando o baloeiro lhes mostrou um lindo cafezal que sobrevoavam foi que o enjoo de Leonardo voltou com força total. Não devia ter olhado para baixo. Ele sentiu um tremor no estômago e bile subiu à garganta.

– Ai, meu Deus... Merda, merda...

A risada de Ivy morreu em sua boca quando Leonardo, num movimento súbito, largou-a, virou-se de costas e debruçou o tronco para fora do cesto, começando a vomitar em cima dos pés de café.

Para ajudar, Ivy tentou puxar os cabelos dele para trás, mas, devido aos espasmos violentos de Leo, não conseguiu. Quando, enfim, descarregou todo o conteúdo do seu estômago, Leonardo retornou ao fundo do cesto e apoiou a cabeça nas mãos, arrasado.

Compadecida, Ivy entregou-lhe um lenço que carregava na bolsa e pediu ao baloeiro que retornasse para a pista. E, para compensar o sofrimento de Leo, convidou-o para tomar um sorvete.

Leonardo nunca ficara tão grato na vida do que quando pisou em terra firme de novo. Já andara de avião dezenas de vezes, embora odiasse. Mas sempre voara na primeira classe, tomava um calmante e dormia o máximo que podia durante o voo, tentando ignorar que estava no céu. Contudo nada disso era possível dentro de um balão, e ele prometeu a si mesmo que jamais colocaria os pés em um cesto de vime de novo. Saiu dele num pulo só e passou a mão pelo estômago, distraído, levantando a camisa um centímetro e dando a Ivy um breve panorama do cós da calça e da barriga estreita, coberta de pelos castanhos. Ivy engoliu em seco e achou melhor caminharem.

Eles não se tocaram mais desde que saíram do balão. Foram para a melhor sorveteria da cidade e tomaram sorvete de milho. Em seguida, juntaram-se a uma multidão na praça para ver alguns rapazes fazendo malabarismos. Conversaram muito mais dessa vez. E Leonardo teve de aturar as gracinhas de Ivy pelo que tinha acontecido com ele durante o passeio. Mas ele levou na esportiva, dizendo que a culpa fora da comida e da cachaça misturadas.

Quando enfim Ivy retornou para casa, já era crepúsculo. Ela não sabia se eles se veriam de novo e essa pergunta a atormentava. Tinha adorado a companhia de Leo. E teve a nítida impressão de que ele também desfrutara imensamente da sua, a despeito do passeio malfadado.

Pararam em frente ao portão e, antes que ela dissesse alguma coisa, Adam abriu a porta da sala com o rosto fechado numa carranca. Leonardo encolheu-se por dentro ao deparar com aquele sujeito grande, moreno e nitidamente zangado.

– Pensei que tivesse sido sequestrada – rosnou Adam em voz baixa. – Por que não avisou que iria chegar tarde?

– Mas Amanda sabia... – Ivy tentou se explicar.

– Amanda disse que você voltaria logo depois do almoço – afirmou ele, olhando para Leonardo com um olhar desaprovador.

– Desculpe, a culpa foi minha. Eu convidei Ivy para tomar um sorvete e acabamos nos atrasando por conta do papo – disse Leonardo. – A propósito, meu nome é Leo.

– E esse é o Adam, meu irmão – antecipou-se Ivy, vendo que Adam não iria se apresentar.

– Nossa! – disse Leo, tentando ser simpático. – Vim a São Lourenço somente para buscar um quadro seu. Eu realmente adorei.

– Um minuto – disse Adam com rispidez e fechou a porta na sua cara, deixando Ivy e Leonardo constrangidos.

– Tenho a impressão de que o conheço de algum lugar – falou Leonardo, para quebrar o clima. Ivy girou os olhos para o comentário. Isso sempre acontecia.

– Ele tem um irmão gêmeo que mora no Rio de Janeiro. Rafael, ele apresenta aquele programa de televisão: o *Shop and Cook*.

– Ah... isso mesmo! – Leonardo sorriu. – Adoro as receitas práticas que ele faz.

Ivy uniu as sobrancelhas.

– Você gosta de cozinhar?

– Por que essa cara? Eu moro sozinho há cinco anos. É claro que sei cozinhar. E adoro. Principalmente comidas naturais.

– Você mora sozinho há cinco anos? Pensei que morasse com sua mãe, antes de ela... – Ivy se arrependeu de tocar no assunto assim que comentou. – Nossa, me desculpe.

Leonardo sentiu um nó na garganta, mas disse:

– Imagina. Não tenho problemas de falar sobre ela. Minha mãe e eu morávamos perto, mas não na mesma casa. Um homem na minha idade tem certas... necessidades que precisam de privacidade.

– Hum, imagino... – Ivy sorriu. Tinha um sorriso encantador, Leonardo notou. Meio infantil, sem afetação. Não sorria para insinuar-se com as outras garotas. – Você sempre foi assim: independente? Deve ter começado a morar sozinho bem cedo. Quantos anos você tem?

– Vinte e seis. Tinha vinte e um quando aluguei meu primeiro apartamento.

– Mas você já trabalhava? – Sla ficou admirada.

– Não. Aluguei com o dinheiro que ganhei em meu primeiro campeonato de surf.

– Isso é bastante ousado – Ivy comentou. – Você nem sabia se ainda ganharia outros.

– Quando criança, eu não era muito confiante – ele disse. – Mas isso acabou me beneficiando. Se você sofre uma dose saudável de rejeição muito cedo em sua vida, vai ser forçado a descobrir como realizar as coisas à sua maneira. A acreditar em você, independentemente do que os outros dizem.

Tendo tido uma infância feliz, Ivy se comoveu com o comentário. Porém, não pôde deixar de sentir uma pontinha de inveja de Leonardo por ter sido independente tão cedo. *Mais um ponto pra ele*, pensou.

Nesse momento, Adam apareceu pela porta de novo com um embrulho grande quadrado e o entregou para Leonardo.

– Agora já podemos entrar? – perguntou para a irmã.

– Eu já vou. Deixa eu só me despedir do meu amigo. – Ivy arregalou os olhos para Adam.

– Estamos te esperando para jantar. Não demore – disse ele, embora ainda fosse cinco e meia da tarde, e depois olhou para Leo. – Faça bom proveito do quadro.

Quando Adam entrou, a vontade de Ivy era dar um passo à frente, agarrar Leonardo pelo pescoço e dar-lhe um beijo cinematográfico na boca, como despedida. Mas apenas ficou ali, parada, enfeiçada por aqueles olhos cor de absinto. E embora Leonardo estivesse com o mesmo desejo, decidiu que ainda não era o momento. Precisava agir de cabeça fria. E, para isso, seria bom parar de encarar aquela boca que parecia de boneca, implorando por um beijo. O pensamento o enfurecia e o deprimia. Ele odiava inibir os seus instintos, mas sabia que havia coisas mais importantes em que ele deveria focar. E bastou se lembrar de suas razões particulares para estar naquela cidade, a fim de que o escudo removido de seus olhos retornasse como uma rocha. Ivy percebeu a súbita contrição em seu olhar quando tornou a olhar para ela.

– Preciso ir – ele disse.

Vencida, Ivy deu um passo para trás.

– É.

– Adorei o passeio. Tirando a parte em que eu... Bem... Você sabe.

– Eu também nunca vou me esquecer. – Ela abriu o sorriso de novo, buscando alguma abertura, porém ele permaneceu sério.

– De repente a gente se vê por aí – ele murmurou, olhando para o embrulho nas mãos, porque era mais fácil.

Ivy acenou com a cabeça que sim, decepcionada demais para falar. No entanto, considerava-se esperta o suficiente para saber que aparentar desinteresse aguçava o desejo dos homens. Por isso, não pediu o telefone dele nem tentou marcar nada de novo, só tentou parecer satisfeita. Mas estava odiando a personalidade ambivalente de Leo. O dia todo sendo tão oferecido e agora aquela pedra de gelo. Mesmo assim, contra a sua vontade, se ouviu perguntar:

– Vai ficar muito tempo por aqui? Quais são os planos?

Leonardo não resistiu. Deu um meio sorriso e derreteu o olhar novamente para ela, absolutamente seduzido. Ivy era muito fácil de se ler.

– Tempo suficiente para nos cruzarmos de novo. – Ele pegou a mão dela e levou aos lábios. O toque quente da sua boca perdurou por alguns segundos no dorso da mão de Ivy. Em seguida, ele partiu sem dizer mais nada.

Incapaz de fazer o contrário, Ivy ficou observando-o caminhar até que, antes de dobrar a esquina, Leonardo virou para trás e lhe lançou um sorriso arrebatador. Quando ele saiu de sua vista, Ivy voltou-se para a casa e respirou o ar profundo da noite. Sentia-se leve como uma pluma.

– Ah, São Lourenço... Você é demais.

Capítulo 6

Aos sábados geralmente o movimento era bom, mas aquele dia havia superado todas as suas expectativas. Janine ficara praticamente sem flores para comercializar. Costumava comprar estoque suficiente para manter a loja bem ornamentada e vender durante a semana, sem que tivesse nenhuma perda. Mas, ao que parecia, havia muitos turistas apaixonados na cidade naquele final de semana. Por conta disso, estendera o horário. Já eram seis horas da tarde e ela estava se preparando para fechar. Esperava chegar em casa a tempo de preparar o pão de queijo que Aléxia tanto gostava. A família de Rafael havia chegado naquela tarde e ela nem tivera tempo de mimar a sua netinha. Levaria flores para Lili, decidiu, pois a pequena era fascinada por elas. Aliás, Janine riu sozinha, ela tinha bom gosto para tudo, exatamente como o pai.

Como era muito ciumento, Rafael carregava a filha consigo para todos os lugares e a ensinava a comportar-se com uma dama. Lili sabia interagir socialmente como uma princesa. E, para sete anos, era esperta demais. Fora isso, estudava alemão e inglês, tocava piano e ainda praticava hipismo clássico no final de semana. Aprendera direitinho a lição. Talvez, por isso, Deus estivesse concedendo a Rafael outra menina. Ele tinha um talento nato para lidar com as mulheres. Contudo, todo esse refinamento não impedia Lili de virar uma completa moleca quando vinha para a casa da avó. Ela sabia se impor com os primos, trepar em goiabieras e correr descalça se sujando toda pelo gramado. Janine ficava extasiada com toda aquela jovialidade na casa.

Morrendo de saudade, ela conferiu o caixa daquele dia e pegou um coroa de flores, que entregaria pelo caminho. Depois, apanhou a sua bolsa para sair. Tão excitada estava para se juntar à família que nem percebeu o homem que a observava encostado em um poste próximo. Foi para casa feliz e passou o resto da noite mimando a nora grávida e a netinha.

***

O domingo começou bem para todos, menos para Ivy. Após o culto matutino, todos se reuniram no quintal dos fundos da casa e estavam desfrutando de um delicioso churrasco preparado por Adam. Rafael ficara responsável pelos acompanhamentos e Paulo comprara a sobremesa. Portanto, as mulheres estavam de folga. Amanda e Aléxia batiam papo sentadas em uma rede colocada entre duas árvores e Janine tinha ido tomar banho. As crianças corriam pelo gramado e, embora estivesse frio, o céu estava ensolarado e os gêmeos e Lili começaram uma guerra de balões de água. Tavinho estava sentado em uma cadeira de praia, ao lado de Ivy, entretido no video game portátil. Foguete estava deitado a seus pés.

Ivy estava muito feliz em ver toda a família reunida, porém, nunca esperara notícias de alguém com tanta ansiedade. E também nunca estivera tão balançada por um homem. Já gostara de outros, mas sempre faltara aquela centelha. Centelha essa que Leonardo tinha de sobra.

Podia jurar que tinha pintado um clima especial entre eles durante o passeio na sexta-feira. Aliás, ela tinha ido dormir como um anjinho naquela noite. Teve sonhos encantadores com ele. Como uma boba, contudo, não imaginara que Leonardo fosse tomar chá de sumiço. Não era possível que ela fosse tão míope. *Devo ter feito alguma besteira*, pensou Ivy para si, só não sabia *o quê*. Mas, com certeza, a culpa era dela. Era imatura e inexperiente quanto a relacionamentos. Leonardo podia até ter se interessado por ela, mas, em algum ponto do caminho, decidiu que ela não valia a pena. Ivy daria um rim para saber o que fizera de errado.

Ou ela podia ter se enganado, começou a meditar ressentida. Leonardo podia tê-la usado somente para passar o tempo, como um brinquedo. Aquela humilhante possibilidade também devia ser considerada.

Passara o sábado inteiro pesquisando a vida daquele floripense escorradio no Google, para ver se ele tinha namorada, e, ainda que não soubesse o seu sobrenome, o achou por conta do seu prestígio no surf. Ele realmente era famoso no meio esportivo e já havia ganhado diversas medalhas. Mas, infelizmente, Leonardo era muito discreto quanto à sua vida particular. Somente achou algumas fotos dele em campeonatos pelo mundo e uma ou duas fotos com meninas ao seu lado enquanto segurava o troféu. Para sua decepção, e espanto, não o achara no Facebook e em nem nenhuma outra rede social.

Roía a unha do dedão nervosamente quando os olhos verdes abaixo das sobrancelhas grisalhas do pai se estreitaram ao se sentar ao seu lado.

– Posso saber o que está causando essa ruginha na sua testa?

Tomando um susto, Ivy plantou um sorriso educado nos lábios.

– Nada, pai. Só estou pensando em algumas coisas que preciso fazer, como montar a minha grade da faculdade para o próximo semestre.

– Mentira, vô, ela deve estar pensando naquele cara de sexta-feira – falou Tavinho, em alto e bom tom, sem tirar os olhos do jogo. – Meu pai disse que vai partir ele no meio se ele vier atrás da tia de novo.

– Tavinho! – Amanda berrou de longe, lançando um demorado e penetrante olhar para ele. – Não se mete nesse assunto. Eu e Adam já tivemos o maior arranca-rabo por causa disso.

– E com razão – Adam acrescentou. – Quem manda empurrar a minha irmã para o primeiro playboyzinho que aparece?

– Ela é *minha irmã* também – Amanda salientou. – Mas pensei melhor e acho que você tinha razão. Eu fui imprudente.

– O quê? – Adam levou uma mão no peito, com uma expressão assombrada. – Repete isso. Preciso desfrutar melhor do momento. Você está dizendo que eu estava certo? Eu, Adam, seu marido, estava certo?

– Deixa de ser bobo – Amanda riu, pois sabia que dificilmente entregava a batalha. – O importante é que deu tudo certo e o cara não era nenhum assassino.

– Que cara? – Paulo ainda estava confuso.

– Cara nenhum, pai. E você – Ivy virou-se para o sobrinho –, parece que se esqueceu de quem é que vai te levar ao Paintball amanhã.

– Já não está mais aqui quem falou. – Tavinho se levantou e foi se sentar na rede com a mãe. Foguete, como um fiel escudeiro, o seguiu.

– Não fui com a cara dele. – Da churrasqueira, Adam também se meteu. – Ele deu em cima de você?

– Isso não é da sua conta, Adam. – Ivy se remexeu na cadeira. Tinha um carinho inestimável pelo irmão, mas não poderia permitir que ele intereferisse na sua vida. – Eu não sou mais criança.

– Mas não tem maldade nenhuma – ele insistiu. – Esses caras da cidade grande são muito saidinhos.

– Menos o meu marido – Aléxia sorriu, passando a mão na barriga. Seus cabelos negros haviam crescido até a altura das costas e o rosto estava levemente rechonchudo por causa da gravidez. – Assim eu espero. – E piscou para Rafael.

– Só tenho olhos pra você, minha querida. E eu nasci aqui... – Rafael sorriu e provou a linguiça.

– Mamãe? – Lili apareceu molhada dos pés à cabeça na frente de Aléxia. – Posso colocar o meu biquíni?

– Que biquíni, menina! Deve estar uns vinte graus.

– Mas está sol.

– Uma coisa não tem nada a ver com a outra. E por que só você está molhada desse jeito? – Aléxia observou os sobrinhos ao longe, pulando de um lado para o outro, com cara de que estavam aprontando.

– Porque eles dois só miram em mim. Estou em desvantagem. E Tavinho não quer brincar...

– Essa brincadeira é muito boba – resmungou Tavinho, considerando-se adulto, embora tivesse a mesma idade da prima.

– Então venha aqui brincar comigo – Adam falou para ele. – Tenho uma brincadeira mais adulta. Vamos chamá-la de: faça seu filho de escravo por um dia. Pega uma Coca-Cola gelada pra mim.

– Ninguém merece. – Tavinho se levantou. – Tudo por culpa dessa pentelha – rosnou para a prima.

– Não fale assim com a minha princesa – Rafael tirou a camisa. – Agora ela não está mais sozinha. Venha, filhinha, me passa uma bola dessas. Vamos dar um belo banho naqueles pestinhas. – E, com um grito de guerra, Rafael e Lili correram para acertar os meninos, fazendo Foguete os seguir, latindo.

***

Ele já havia tocado a campanhia duas vezes, mas ninguém atendeu. Sabia que havia pessoas na casa pelo barulho que vinha dos fundos. E as janelas também estavam abertas.

Com as mãos enfiadas nos bolsos da calça, Leonardo ficou se balançando nos calcanhares e pensando se deveria bancar o enxerido e entrar sem ser convidado. Não sabia como seria recebido, principalmente por Ivy, que devia estar chateada por ele não tê-la procurado antes.

E ele bem que teve vontade. Mas o fato de ter passado a noite de sexta-feira pensando nela o deixou apreensivo. Na tentativa de seduzi-la, havia subestimado o poder de Ivy sobre ele.

Isso não se repetiria.

Precisou ficar afastado para reorganizar os pensamentos.

Decidindo que era melhor se arriscar, abriu o pequeno portão e entrou no gramado. Esperava ser reconhecido pelo cachorro, caso ele aparecesse. Preocupado, olhou para trás, com medo de que algum vizinho o delatasse para a polícia, achando que era um meliante. Já imaginava como seria ir parar em uma cadeia mireira.

Bem, pelo menos a comida devia ser boa.

Ao contornar a casa, Leonardo avistou a família na parte de trás. E a cena que viu à primeira vista foi tão convidativa, tão familiar, que por um minuto ele desejou escorregar para dentro daquele cenário. Todos estavam conversando e rindo animadamente. Com exceção de Ivy, que estava com o olhar perdido nas flores. Ele mal teve tempo de tentar adivinhar no que ela estava pensando quando foi atingido por algo e ficou completamente encharcado do pescoço para baixo.

– Um invasor! – gritou Nicolas com veemência, satisfeito com o tiro.

Todos olharam para Leo e a felicidade cobriu Ivy como uma onda. Suas mãos tremeram ao se levantar da cadeira de praia e um sorriso brilhante ocupou o seu rosto. Todas as suas preocupações desapareceram.

Tavinho espiou Nicolas com o típico desgosto de irmão mais velho, e Leonardo avistou Amanda se levantar e vir caminhando até eles, com os dentes cerrados e passos firmes.

– Já pra dentro! – berrou ela com o filho, num tom autoritário. – Mas será possível que vocês só me fazem passar vergonha!?

Ao avistar Leo, a irritação óbvia transpareceu nos olhos de Adam. Rafael, curioso, veio andando até ele e ofereceu um sorriso cordial. Seus dentes brancos pareciam tão brilhantes que podiam ofuscar a vista de alguém.

– Esse aí é o motivo da depressão da nossa caçula? – perguntou para Amanda, que lhe deu uma cotovelada no estômago. – Ai... desculpe... – Rafael riu e apontou a roupa de Leo. – É que estávamos brincando de guerra de balões de água. Não imaginávamos que viria alguém por aí.

– Você está todo molhado – Amanda falou, olhando para Leo. – Rafael, vá lá dentro e pegue uma roupa sua pra ele. Você é mais magro que Adam, deve servir.

– Não sou magro, sou sarado. E, a propósito, meu nome é Rafael. – Ele estendeu a mão para o visitante.

– Pode me chamar de Leo. Sou amigo de Ivy e cliente de Amanda – Leonardo falou. – Desculpe a invasão. Eu toquei a campanhia diversas vezes, mas acho que ninguém ouviu. Daí eu pensei...

– Essa campanhia está uma droga. – Ivy veio até ele também, contentíssima. Como uma adolescente diante de um astro de rock.

– É por essas e outras que eu queria comprar um cachorro maior – disse Adam, metendo a faca com violência na carne que ia cortar.

Como se quisesse provocar Adam por dizer isso, Foguete foi até a visita balançando a cauda em sinal de boas-vindas, com um sorriso canino.

Rafael tornou a olhar para Leo.

– Não liga pra ele. Adam não é muito amistoso. Vamos lá buscar uma roupa seca?

– Não quero incomodar.

– Deixa disso. Aléxia – Rafael se virou para a esposa –, onde estão minhas coisas?

– Estão na antiga casa de Adam. No armário, porta da esquerda.

Rafael piscou para Leo.

– O que seria de nós sem as mulheres...

– Ela parece organizada – Leonardo comentou.

– Organizada? Amigo... – Rafael pousou a mão no ombro dele. – Ela organiza minhas barras de cereais conforme o teor de açúcar. Como eu poderia viver sem ela?

Dito isso, ambos riram e se encaminharam para a antiga casa de Adam. Ivy mal podia se conter, tamanha a alegria. Sem se preocupar com as especulações da família, correu para dentro de casa a fim de colocar suavemente uma maquiagem. E também resolveu mudar de blusa.

E de short.

E de sutiã.

Esperava por Leonardo de volta ao gramado quando olhou com irritação para seu celular que tocava.

– O que você quer? – perguntou a Nicole, impaciente. A amiga sempre ligava nas horas erradas.

– Ele já apareceu?

– Está aqui na minha casa. Não posso falar com você agora.

– "Não posso falar com você, não posso falar com você..." É só isso que eu escuto. Vou acabar ficando magoada.

Ivy percebeu que estava sendo um pouco grosseira.

– Amiga, desculpa, eu juro que te ligo mais tarde.

– É exatamente sobre mais tarde que quero falar. Vai rolar uma festinha boa hoje à noite em Passa Quatro, na casa de um fazendeiro amigo meu. Muita gente da nossa época da escola vai estar lá. Vamos?

– Pensei que você fosse passar essas férias grudadas no Júlio – Ivy zombou.

– Aquele canalha tem uma namorada no sul. Descobri pelo Facebook.

– Sinto muito. – Ivy teve pena dela, mas queria desligar.

– Ele que se dane. Vou à forra hoje à noite. E aí, você vai ou não vai? Posso passar aí para te pegar. Vou de carona com uma amiga.

– Não sei... – Ivy viu Leonardo retornando. Não iria se compremeter com nada antes de saber se seria convidada para algum programa com ele. – Eu te ligo mais tarde pra confirmar.

– Se é por causa do gato, chama ele também. Estou doida para conhecer esse santo milagreiro que fez você se interessar por ele.

Até que não era má ideia.

– Vou ver se isso é possível – Ivy falou, quando Leonardo chegou perto dela, sozinho. – O que vai fazer hoje à tarde?

– Vou ficar picotando fotos do Júlio e esperando você me ligar. Vê se não demora. – E Nicole desligou o telefone.

– E aí... – Ivy disse para Leo. – Passeando por estas bandas?

Leonardo examinou-a e teve vontade de rir ao notar que ela tinha se arrumado. *Ela é uma figura,* ele pensou divertido. Mas somente se aproximou do seu rosto e sussurrou em seu ouvido.

– Eu precisava te ver. Fiquei te devendo um beijo na última vez que nos vimos. Vim pagar a minha dívida.

Surpresa com aquele atrevimento, Ivy ficou vermelha como um tomate.

– Eu... ahn... só espero que não faça isso aqui na frente da minha família.

Rindo, Leonardo segurou sua mão.

– Não antes de você me apresentar a todo mundo.

– Tem certeza de que quer conhecê-los? – Ivy não imaginava que Leonardo quisesse ficar sentado no meio de mulheres abelhudas e crianças barulhentas.

– Acho que vai ser interessante.

Ambos andaram juntos até o grupo e Ivy fez as apresentações. Assim como Adam, a expressão de Paulo não foi das mais receptivas. Olhava para Leonardo com uma onda de antipatia. Afinal, o cara invadira seu terreno sem ser convidado. O que aconteceria se sua filha estivesse sozinha? Porém, cumprimentou-o de forma educada, como era seu dever de cristão. Mas teria uma conversinha com Ivy sobre ele depois. Precaução nunca era demais.

Aléxia não podia esconder o quanto estava impressionada com a beleza do rapaz. Ivy tinha bom gosto, ela concluiu, ao vê-lo com uma camisa polo branca emprestada por Rafael, que ressaltava seu bronzeado perfeito. *Também, pudera,* pensou ela ao olhar para o marido, que estava de volta à churrasqueira se acotovelando com Adam por um último pedaço de queijo coalho. Tendo sido criada num lar em meio a homens exuberantes, Ivy não podia ter deixado por menos.

Para distrair a cabeça, porque era muito bem casada, Aléxia tratou de se levantar e levar Lili para tomar um banho. Já estava entardecendo e não queria que a filha ficasse resfriada.

Leonardo observava o gramado à procura de alguém. A única pessoa que ele estava doido para conhecer, mas ela não estava ali. Distraiu-se quando observou Paulo correndo atrás dos netos, brincando com eles. Cada vez que agarrava um deles, Paulo o jogava no chão e fazia cosquinhas. Leonardo achou aquilo intrigante. Seus avós nunca foram interessados nele quando pequeno. O viam raramente, davam alguns presentes, perguntavam sobre a escola e depois iam embora, decepcionados. Ainda assim, Leonardo sentiu-se nostálgico sobre aquele tempo.

A vida agora era muito mais complicada.

Por fim, ele tentou manter a respiração regular quando viu Janine sair de casa de banho tomado. Ao se aproximar, ela notou um convidado inesperado de lado para ela, conversando com Ivy. Não viu que ele já a havia espiado. Sorrindo, deduziu que ele devia ser o motivo da briga de Adam e Amanda na tarde de sexta. Mas quando, enfim, Leonardo se virou para ela e a olhou diretamente nos olhos, seu sorriso sumiu.

A angústia que Leonardo vinha sentindo desde que chegou à cidade queimou em se interior, como uma úlcera. E Janine também sentiu o impacto, pois só teve tempo de contemplar o seu rosto, sentir uma imensa tontura e cair no chão, desacordada.

Capítulo 7

– MAMÃE? MAMÃE? ABRA OS OLHOS! – Amanda dava tapinhas nas bochechas de Janine, que já havia sido colocada em sua cama por Adam, enquanto todos esperavam o médico chegar. – O que será que aconteceu? Rafael, vá pegar um copo de água para eu jogar no rosto dela...

– Não precisa... – avisou Ivy, enxugando as lágrimas, pois ficara desesperada ao ver a mãe desmaiar. – Ela já está acordando, olha só... Mamãe, você está bem? Olha pra mim...

Janine ainda estava semiconsciente quando conseguiu observar seis pares de olhos ansiosos acima de sua cabeça. Toda a família a cercava, exceto as crianças, que ficaram na sala com Leonardo, pois ele se prontificou a distraí-las após o incidente. Janine ainda estava confusa sobre o que tinha lhe acontecido. Talvez sua mente tivesse lhe pregado uma peça. Por um minuto, ela pensara ter visto... Não. Não era ele. Aquilo era simplesmente impossível.

Desejando espantar a assombração, ela tentou se sentar, porém sua família inteira a deteve. Janine tentou tranquilizá-los afirmando que já estava sentindo-se bem, que devia ter sofrido uma abrupta queda de pressão, mas ninguém ficou convencido. Pediram que ela esperasse deitada pelo doutor Sérgio Valadares, o clínico geral da família e amigo de Paulo desde que eram pequenos. Para a tranquilidade de todos, Janine obedeceu, mas passou os olhos por todo o quarto para ver se avistava novamente aquele rosto. Conferindo que não, voltou sua atenção para a filha.

– Onde está seu amigo? – perguntou para Ivy.

– Amigo? – Desnorteada por um segundo, Ivy ainda enxugava o rosto molhado de lágrimas. – Ah, o Leo? Ele está na sala, distraindo as crianças. Todas ficaram muito assustadas ao ver você desmaiar.

– Ô mãe... – Tavinho abriu a porta do quarto de supetão, chamando a atenção de todos. – A culpa não foi minha, eu juro...

Irritada por antecedência, Amanda largou a mão de Janine. Será possível que nem em uma situação como aquelas conseguiria um segundo de paz?

– O QUE FOI QUE ACONTECEU DESTA VEZ? – o grito dela poderia rachar o concreto.

Nicolas apareceu embaixo do braço do irmão, excitado e feliz.

– Tavinho deu um chute no saco do Pedro.

Com uma mão na testa, Amanda levantou-se da cama. Respirou duas vezes antes de perguntar:

– E quem é esse tal de Pedro? – reduziu o tom de voz, em busca de equilíbrio.

– É um moleque da rua de cima – Tavinho explicou, com um ar irritado. – Ele anda sempre por aqui. Uma pipa caiu no nosso quintal e, quando Cauê foi pegar, ele pulou nosso muro e puxou da mão dele.

– E o Pedro já tem nove anos – Nicolas ressaltou, orgulhoso do feito do irmão.

Amanda voltou os olhos para Tavinho.

– Mas não é assim que se resolve as coisas, garoto. Você precisa aprender a usar a boca.

– Isso mesmo – Adam se intrometeu. – Morda ele se for preciso. Tem muito marmajo achando que pode invadir o nosso quintal.

– Adam! – Amanda o advertiu. – Não é disso que estou falando. Ele precisa aprender a *argumentar*. Sem violência. Não pode resolver tudo no chute.

– A mãe dele está aqui na frente e quer falar com alguém – Nicolas avisou para ela.

Exausta de viver a mesma cena uma vez por semana, Amanda girou os olhos.

– Pois, então, o pai de vocês vai lá fora falar com ela. Aproveita e explica suas teorias de troglodita.

Tavinho deu um suspiro, aliviado.

– Ah, que bom. Ela adora o papai. Vive lá na oficina.

Desconfiada, Amanda examinou o rosto de Adam.

– Por que ela vive lá na oficina?

– Para trocar o óleo, trocar o pneu, bater um papinho... – Adam sorriu, provocando-a.

A face de Amanda esquentou visivelmente, e Ivy segurou a risada.

– Ah é? Então, saia da minha frente que eu vou lá bater um papinho com ela também. – Desarvorada, Amanda passou por ele, atropelando-o.

– Sem violência, minha tigresa. Sem violência... – Adam recomendou quando foi andando atrás dela, para impedir um massacre. Amanda era muito ciumenta.

Depois que o doutor Sérgio chegou, Janine foi examinada por ele, que constatou que realmente ela estava bem. Devia ter sofrido um mal súbito. Porém, por segurança, recomendou que ela fizesse alguns exames de praxe. Quando o médico se foi, Janine foi para a sala se juntar à famíla.

Os gêmeos estavam deitados de barriga para baixo no tapete, comendo sorvete do mesmo pote e disputando quem abocanhava a bola maior. Foguete às vezes ganhava uma delas, enquanto Lili, sentada ao lado deles, fazia cara de nojo. Tavinho estava no computador e Rafael e Aléxia sentados no sofá de couro, assim como Paulo, Ivy e Leonardo. Ninguém parecia preocupado em arrumar a bagunça que as crianças estavam fazendo, e aquilo deixou Leonardo estranhamente confortável. Nunca em sua vida fora permitido que ele se comportasse daquela maneira, tão natural. Passara a vida ouvindo os gritos da tia que o criara, devido ao constante estado depressivo da mãe, e ela sempre exigia que estivesse tudo perfeitamente arrumado. Estava fascinado com aquela desordem.

Adam e Amanda não estavam presentes, pois discutiam no quarto. Aparentemente, Amanda achou que Adam fora muito educado ao conversar com a mãe de Pedro, pois fizera até Tavinho pedir desculpas ao filho dela.

Que absurdo!

Quando chegou à sala, Janine focou os olhos no rosto de Leonardo de novo, que sorriu e se levantou para cumprimentá-la.

– A senhora está melhor? – ele perguntou por delicadeza.

– Sim, sim – Ela ainda estava abalada. A semelhança era impressionante... atordoante... – Desculpe pelo susto. Meu nome é Janine, muito prazer.

Leonardo estendeu a mão para ela e Janine sentiu um calafrio perpassar a sua espinha.

– Está de visita à cidade?– ela perguntou, apertando a mão dele.

– Sim, e aproveitei para comprar um quadro de Adam. Eu e Ivy saímos juntos na sexta e vim convidá-la para jantar hoje à noite, caso ela não tenha compromisso.

– Na verdade, não tenho – avisou Ivy prontamente, com um largo sorriso –, mas fui convidada para uma festa, numa cidade muito próxima daqui. Está a fim de ir?

– Seria ótimo. – Leonardo também sorriu. – Vai ser bom ter um pouco de diversão.

– Rafael pode levá-los. – Paulo resolveu sugerir. Não queria sua filhinha perambulando pela cidade com um completo desconhecido.

– Não precisa. – Ivy percebeu sua intenção. – Nicole vai vir me buscar. Ela está de carona com uma amiga.

Amanda apareceu aos gritos na sala.

– Eu não quero mais falar sobre isso, Adam! Quebre o motor dela se for preciso. Não quero mais aquela oferecida na sua oficina. Cauê, Nicolas, parem de comer desse jeito. Onde estão os seus modos? Não estão vendo que temos visita? Tavinho, larga esse computador e vai tomar banho. Aproveita e leva esse cachorro pra fora daqui. Alguém vai querer um café? – perguntou à família, sorrindo, como se nada tivesse acontecido.

Como todas as ordens dela foram imediatamente atendidas, Leonardo teve uma dica de quem mandava na casa. Emburrado, Adam passou pela sala e foi direto para cozinha. Não estava com ânimo para ficar olhando para a cara de Leo.

– Bem, eu não posso ficar para o café. – Leonardo se levantou. – Já incomodei vocês mais do que deveria.

– Você vem a que horas? – Ivy pulou do sofá, tocando o braço dele, e Amanda olhou Aléxia, balançando a cabeça em censura. A menina era trasparente como uma janela de vidro.

– Oito horas, pode ser?

– Perfeito. – Ela sorriu mais ainda.

Leonardo despediu-se de todos e Ivy o levou até o portão. Quando voltou do jardim, sentindo-se na lua, viu que toda a família parou de cochichar e olhou para ela.

– Que foi?

– Você não acha que está sendo muito precipitada? Nem conhece o cara direito e já o chama para sair com as suas amigas.

Ivy fez um estalo com a boca.

– Pai, nem vem. Vocês estão sempre achando que eu sou uma completa idiota. Esqueceu que moro sozinha em uma república? Sei muito bem me cuidar. Além do que, saí com ele sozinha na sexta-feira e nem por isso ele me raptou. Não vai fazer isso agora, com minhas amigas de testemunha. Se eu estivesse indo jantar só com ele, talvez você pudesse ficar preocupado.

– Só acho que você deve vigiar. Não sabemos nada sobre ele. Acho melhor Rafael ir com vocês.

– Eita... Comes e bebes de graça? – animou-se Rafael, que já ia ligar a televisão. – Vou adorar!

Com um ar de ironia, Aléxia se virou para ele e falou:

– Há, há, há, que você vai para uma festa e eu vou ficar aqui sozinha com este barrigão.

– Ô mãe, quer falar para o pai parar de se preocupar? – Ivy não estava gostando do rumo das coisas.

Janine engoliu em seco. Não estava nem um pouco animada com a aproximação de Ivy daquele sujeito. Algo nele a incomodava. E cada poro do seu corpo estava gritando para a filha não ir.

– Acho que seu pai tem razão. Não conhecemos o rapaz. Rafael irá te levar.

– Que absurdo! – Ivy gritou. – Eu já tenho dezoito anos. Não podem ficar me humilhando dessa maneira!

– Se continuar gritando – Paulo a olhou firmemente –, quem vai te levar é o Adam. Gostaria de ter ele na sua cola?

Sem saída, Ivy apertou os dentes com força. Entre Adam e Rafael, o último com certeza era a melhor escolha. Não que a escolha fosse boa...

– Tudo bem. Mas Rafael *não* vai ficar lá. Ele me leva e me busca no fim da festa.

– Feito. – Aléxia sorriu para ele. Rafael deu um muxoxo e ligou finalmente a tevê.

– De chefe de cozinha a motorista. Eu mereço! – resmungou ele e se deitou no colo da esposa.

Capítulo 8

– Se acha que vai levar Lili junto com a gente, você realmente perdeu a noção. – Ivy avisou para Rafael, observando-o afivelar o cinto de segurança na filha pequena, que já estava sentada no banco de trás do carro.

– Aléxia pediu que eu levasse Lili, pois ela está enjoada. E na volta nós vamos comprar pipoca, não é, minha princesa?

– Por que não podemos chamar o Tavinho também? – A menina perguntou, ressentida. Embora sempre fosse maltratada pelo primo, nutria uma paixonite secreta por ele.

– Seu primo prefere jogar videogame – Rafael avisou. – Mas posso ir lá dentro convidar o Cauê e o Nicolas.

– Nem pensa nisso! Era só o que me faltava. – Ivy exasperou-se e cruzou os braços. Estava tensa, pois já eram oito e vinte da noite e Leonardo ainda não havia chegado. Por insistência dela, ela e Rafael já estavam na calçada, em frente de casa. Não queria que Leonardo entrasse e enfrentasse o clima hostil de sua família outra vez, mais precisamente de seu pai e de Adam. E muito menos que eles fossem para a festa sendo acotovelados por um monte de crianças. Já estava sendo envergonhada o suficiente naquela noite.

Rafael fechou a porta do carro e enfiou as mãos gélidas nos bolsos da calça.

– Dá pra parar de dar tanto na pinta? Se continuar olhando para os lados dessa maneira, vai arrumar um torcicolo.

Ivy olhou para ele, roendo a unha do dedão.

– Melhor eu parar de olhar mesmo, né? Acho que vou entrar e, quando Leonardo chegar, você me chama. Assim não vai parecer que eu estava aqui, ansiosa, esperando. – E olhou para a própria roupa. Vestia uma calça jeans escura, botas marrons de cano alto e um casado de couro cor de creme, fechado por cima da blusa branca. Como estava muito frio naquela noite, usava uma boina cor de caramelo que cobria as orelhas, e estava levemente maquiada. – Acha que estou estou bonita? Não era melhor eu colocar um vestido?

Rafael revirou os olhos.

– Não, maninha, não vale a pena se congelar por causa do cara, embora eu deseje que você seja o mais fria que puder nesta noite. – Ele riu. – Escuta – Rafael a segurou pelos braços, sentindo-se responsável –, sei que não sou a melhor pessoa para dar conselhos sobre como se comportar num primeiro encontro, mas quero que você saiba que um homem só dá valor a uma mulher que sabe se controlar. Quanto mais difícil você for, mais chances de ele ficar na sua.

– Você fala como se eu estivesse doida pra me atirar nos braços dele. – Ivy tentou parecer ofendida, mas sabia que salivava em expectativa para fazer isso.

– Só estou dizendo que você deve ser você mesma. Você é uma boa menina, tem a cabeça no lugar, não quero que perca sua inocência com qualquer um.

Chocada, Ivy ficou olhando para ele.

– Minha inocência? – Ela não pôde evitar de sorrir.

– É... – Constrangido, Rafael a soltou e passou as mãos pelos cabelos recém-lavados. – A sua... o seu... Hum... você sabe... – Ele a olhou de soslaio, preocupado. – Você ainda é inocente, não é?

Ainda com um sorriso nos olhos, Ivy cruzou os braços.

– Está me perguntando sobre como anda o meu hímen?

– Ai, caramba! – Rafael contorceu o rosto e virou-se de costas, com as mãos na cabeça. – Não fala essa palavra, meu Deus do céu, você é minha irmã...

– Mesmo assim eu tenho hímen. – Ivy rompeu numa gargalhada. – E, para sua informação, ele ainda está intacto.

Rafael olhou para Lili através do vidro fumê do carro, para ter certeza de que ela não estava ouvindo. Tudo que ele não queria na vida era que sua filhinha descobrisse que tinha um hímem, e muito menos para que servia. Mas, felizmente, Lili estava inocentemente entretida num joguinho do iPad.

– Muito bem – Rafael se virou para irmã –, fico feliz em saber que você ainda não foi deflorada. Só espero que o seu "você sabe o que" volte dessa festa hoje firme como uma rocha. Sexo não é lá essas coisas, Ivy, é igual a cozinhar: muita preparação e, segundos depois, já está tudo acabado.

Com certo deboche, Ivy fez uma expressão pensativa.

– Então, por que será que na minha idade você corria tanto atrás disso? – Rafael apertou os lábios para ela. *Droga!* Por que sobrara logo para ele ter aquele maldito papo com Ivy? – Não se preocupe – ela disse, adorando o desconcerto do irmão. – Não estou com intenção de romper nada esta noite. Mas eu estou crescendo, maninho, e vai chegar o momento em que você e essa família terão que encarar as minhas mudanças. Eu ainda vou florescer. – Ivy riu.

– Troque de folhas, mas não perca as suas raízes. – Ele abriu a porta do motorista. – Que foi? – Olhou para a irmã, que o encarava, boquiaberta. – Eu li isso no Facebook. – Ele riu e se sentou ao volante. – Agora entra logo no carro, você está congelando. – E bateu a porta com força.

Mas Ivy não teve tempo de fazer isso. Já ia dar a volta no carro quando avistou Leonardo virando a esquina, e pensou, zonza, no quanto ele estava maravilhoso. Caminhava calmamente pela calçada, com a mais encantadora naturalidade, os cabelos castanhos brilhando, refletindo as luzes dos postes. Estava olhando diretamente para Ivy, com uma expressão pensativa, como se estivesse tramando alguma coisa. Vestia uma calça black jeans, um suéter de gola em V – ajustado perfeitamente no corpo –, com listras horizontais cinzas e pretas e uma echarpe preta lhe envolvia o pescoço, dando-lhe um ar exuberantemente cosmopolita. Nas mãos, usava luvas de couro preto, e uma delas carregava uma pequena sacola. Ivy achou-o devastadoramente lindo.

Quando enfim chegou perto dela, Leonardo não notou a presença de alguém dentro do carro. Pensou que ele e Ivy estivessem sozinhos na rua. Por isso, não disse nada, somente chegou bem perto do rosto dela e ficou olhando em seus olhos, fazendo-a sentir um irresistível cheirinho cítrico. Parecia perdido em pensamentos. Mas, para Ivy, o olhar de Leonardo era simpesmente hipnotizador. Ela apostava que ele podia levá-la ao precipício com o domínio de um Maquiavel.

– Desculpe a demora – ele murmurou, sem se justificar.

– Tudo bem – Ivy tentou sorrir, desconcertada com aquela proximidade. – Se demorasse mais um minuto, eu iria sem você.

– Ia mesmo? – Quando as sobrancelhas dela se juntaram, Leonardo sorriu. – Eu estava morrendo de fome, por isso parei para fazer um lanche.

– Sorte a sua. Eu já estava entrando no carro. – A voz de Ivy soou muito fraca.

– Sabe – ele pegou a ponta dos cabelos dela e cheirou levemente –, mentir exige uma habilidade que eu não creio que você tenha. – O olhar dele baixou, fixando-se na boca de Ivy.

– Nem pensa nisso – ela suplicou, embora estivesse sedenta por ele –, meu irmão já está dentro do carro.

Confuso, Leonardo soltou os cabelos dela e olhou para o lado, a tempo de observar Rafael descer a janela de vidro, com cara de poucos amigos. Não podia imaginar sua irmãzinha dando beijos tórridos na sua frente. Muito menos pelas suas costas.

– Tudo bom? – Prontamente, Leonardo esticou a mão para cumprimentá-lo, e Rafael o cumprimentou com firmeza. Os olhos estavam cheios de ameaça depois de ver aquele quase beijo na sua irmazinha. – Trouxe sua camisa, obrigado pelo empréstimo. – Leonardo entregou a sacola, depois olhou para Ivy. – Pensei que iríamos com suas amigas...

– Elas não puderam passar aqui. – Ivy mentiu, ficando vermelha. – Meu irmão vai nos dar uma carona.

Sem solução, Leonardo concordou com a cabeça e ambos deram a volta no carro em silêncio. Assustou-se, porém, quando se deparou com uma linda menininha sentada no banco de trás.

– Oi – Lili sorriu para ele e fechou o iPad.

– Oi – respondeu ele, meio sem graça, ao sentar-se e fechar a porta do carro. Não tinha muito jeito com crianças.

– Essa é Lili, minha sobrinha – Ivy apresentou.

– Tudo bem? – ele perguntou à menina.

Lili acenou com a cabeça que sim e deixou escapar uma risadinha entre os dentes.

– O que foi? – Leonardo perguntou, intrigado.

– Nada – disse a menina. – É que você está parecendo tão... seco – disse ela, ao lembrar-se de Leonardo todo molhado no quintal da avó.

– Costumo me sentir mais confortável molhado. De preferência, em cima de uma prancha. – Ele piscou para ela.

Rafael ligou o carro e Ivy foi na frente para indicar o caminho. Alguns quilômetros após a partida, contudo, parou em um posto de gasolina para abastecer, antes de pegarem a estrada. Leonardo olhava pela janela, para evitar contato visual com Lili, que o examinava desde que ele entrara no carro.

– Você que vai sair com a minha tia? – ela chamou a sua atenção, aparentando interesse. Leonardo olhou de novo para Lili e, girando o corpo para ela, balançou a cabeça que sim. – Vocês estão namorando? – perguntou ela inocentemente, fazendo Ivy olhar para trás, corando.

– Ainda não. – Com um ar conspirador, Leonardo aproximou-se da menina e entrou na brincadeira. – Acha que eu tenho alguma chance com ela? – E olhou para Ivy.

Lili também olhou para a tia e sorriu.

– Claro que sim. Não vê como ela se arrumou pra você.

– Crianças... – Ivy sorriu sem jeito, avermelhando ainda mais.

– Além do que, voce é muito bonito – Lili completou.

Lisonjeado, Leonardo recuou e sorriu para ela, esticando um braço na poltrona do carro.

– Você me acha bonito?

– Eu acho. – E olhou para a tia. – E não sou a única.

Querendo sumir, Ivy se virou para a frente.

– Eu acho que você fala demais. Deixa só o seu pai ouvir esse papo.

Nesse momento, Rafael retornou para o carro e Leonardo piscou para Lili, colocando um dedo na frente boca para indicar que aquela conversa deveria ficar em segredo. A menina deu uma risadinha e abriu o iPad de novo, para se entreter.

Passa Quatro não ficava muito longe, de modo que logo chegaram à cidade. No entanto, tiveram que pegar oito quilômetros de uma estradinha de barro para chegar à fazenda. De longe, podiam-se ver as luzes da festa. Tochas iluminavam o caminho após o portão principal até uma grande fogueira, onde todos estavam reunidos. Havia isopores com bebidas, uma grande mesa com licores, vinho, frutas, fondue e muita comida exposta. Um grupo local tocava música sertaneja e muita gente dançava juntinho.

Mal desceram do carro e as amigas de Ivy já vieram correndo bajular Rafael. Nicole praticamente se jogou dentro do carro para abraçá-lo e tirar uma foto com ele. Detiveram-se, no entanto, quando repararam na impressionante companhia de Ivy saindo do banco de trás.

– Meu Deus! – Nicole levou as mãos à boca. – Você não é o Leonardo Belfort?

Leonardo sorriu brevemente e esticou uma mão para cumprimentá-la.

– Eu mesmo. Muito prazer.

Nicole deu um gritinho agudo e agarrou-o pelo pescoço, deixando Ivy irritada.

– Meu Deus, amiga, agora você só anda com celebridades! Deixa eu tirar uma foto também. – E, ainda agarrada a Leo, sacou o celular e o entregou para a outra amiga.

– Desde quando você conhece o mundo do surf? – perguntou Ivy a Nicole, enciumada, enquanto Natalia batia uma foto dos dois.

– Namorei um gatinho lá de Floripa. – Nicole ainda sorria para o aparelho. Depois do flash, se virou e olhou para Leo com veneração. – Já assisti a um campeonato em que você venceu e, uau, o que foram aquelas manobras?!

– Que bom que não me viu tomando um caldo. – Ele riu, sentindo que os vários anéis de prata dela haviam machucado o seu pescoço. – Não é uma cena muito bonita.

– Já tomou algum caldo que te deixou sem cueca? – Nicole quis saber, interessadíssima, mas Ivy a interrompeu:

– Gente, que tal irmos logo para a festa? Rafael tem que voltar pra cidade.

– A que horas preciso vir te buscar? – seu irmão perguntou.

– Eu volto de carona – disse Ivy entre os dentes.

Rafael franziu os lábios e uma pequena ruga preencheu o espaço entre suas sobrancelhas.

– Não foi isso que combinamos – ele sussurrou.

Ivy se afastou dos amigos e se pendurou na janela do carro.

– Quer mesmo passar a madrugada à minha disposição? Não faço nem ideia de que horas pretendo voltar.

Rafael olhou para a filha e depois para Ivy de novo, baixando a voz.

– Papai e Adam vão me matar se souberem que deixei você voltar sozinha.

– Vou voltar com a Nicole. E todo mundo lá em casa já estará dormindo há muito tempo. Eu digo que você me levou.

– Não posso mentir para eles.

Furiosa, Ivy apertou os olhos.

– É verdade, mentira é uma coisa muito feia. Melhor eu contar para Aléxia que Natalia se sentou no seu colo pra bater uma foto.

Em pânico, os olhos de Rafael se arregalaram.

– O quê?

– Pensa que eu não vi?

Rafael segurou forte em seu braço.

– Isso não tem nada a ver com mentir, tem a ver com ficar com a boca fechada. E foi a garota que se jogou em cima de mim. O que eu podia fazer? Quando me dei conta, ela já tinha batido a foto.

– Tanto faz. O fato é que aconteceu. E que eu posso compartilhar no Facebook assim que ela postar.

– Ivy, não acredito! Vai jogar sujo assim comigo...?

– Você não viu o jornal de hoje? – ela perguntou, e Rafael fez uma careta, confuso. – O preço do silêncio subiu muito – ela ameaçou.

Rendido, Rafael soltou a irmã e virou a chave do carro.

– Você continua a mesma pestinha... Mas tudo bem, duas horas é o limite. Se até duas horas você não estiver em casa, eu venho à sua caça.

– Ain... – Ivy deu um um gritinho de alegria infantil e beijou a bochecha dele. – Obrigada, maninho. Eu e meu hímen intacto agradecemos.

– Argh... – Rafael empurrou-a para longe do carro. – É melhor ouvir isso do que ser surdo. – E foi embora cantando os pneus.

Quando se virou, Ivy observou que Leonardo estava sendo atacado descaradamente por Nicole, que pegou-o pelo braço e o conduziu até o local da festa. Ivy foi atrás deles, com Natalia, que, a despeito do frio enregelante, vestia um medonho vestido vermelho que parecia pintado no corpo, na sua cola, elogiando o físico de Leonardo de costas.

Não querendo ser passiva, Ivy acelerou o passo para ficar ao lado de Nicole e do *seu* convidado. Nicole apresentou-os ao dono da fazenda e à metade da festa. Depois, carregou Leonardo para a mesa de bebidas. Ele pegou um copo de vinho e Nicole, uma lata de cerveja. E no minuto em que ela o soltou para abri-la, Ivy a puxou pelo braço.

– O que pensa que está fazendo? – perguntou ela baixinho, revoltada por dentro.

Falsamente aturdida, Nicole piscou.

– Estou deixando o gato à vontade.

– Quem está *à vontade demais* é você.

– Está com ciúmes? – Nicole deu um gole e sorriu. – Mas você disse que não tinha rolado nada com ele.

– *Ainda...* – Ivy fez questão de enfatizar.

Nicole assumiu um brilho nos olhos.

– Amiga, que lindo! Você está mesmo interessada no gato... Olha – ela baixou a voz e olhou Natalia batendo papo com Leonardo –, vou arrastar nossa amiga daqui para deixá-los sozinhos. A festa está cheia de gatinhos da época da nossa escola. Alguns melhoraram escandalosamente depois que foram pra faculdade. Já viu como o Caio está? Acho que ele andou malhando bastante...

– Tá, tá... Então, faça isso. – Ivy a enxotou com a mão. – Mas vai rápido. Natalia já tocou no ombro do Leonardo três vezes.

Acenando, Nicole puxou Natalia pelo braço dizendo que ia apresentá-la a alguém, que estava olhando para ela sem entender nada, e embarafusou-se na multidão. Ivy foi para o lado de Leonardo, que admirava o casarão da fazenda, com o ar frio da noite escapando de sua boca. Ivy ficou olhando para ele. Sendo oito anos mais velho do que ela, Leonardo fazia os outros rapazes que conhecia parecerem garotos inexperientes e cheios de espinhas. E havia uma desenvoltura e uma autoconfiança urbana no modo como ele se movia, como se sempre estivesse no controle de tudo, como se nada o impressionasse demais. Era um cara viajado, já vira muita coisa. Sem dúvida, ele era o homem mais atraente em que ela pusera os olhos na vida.

Já Leonardo estava distraído com a casa branca, com detalhes azuis nas janelas. Havia oito delas só na parte da frente, o que indicava que a casa por dentro era grande. No telhado, havia uma chaminé por onde saía fumaça e ele imaginou uma sala imensa e quentinha. E, para completar o charme da cena, havia divesos tipos diferentes de flor margeando a entrada da casa. Ele podia sentir de longe o cheiro de dama-da-noite.

– Deve ser bom morar num lugar como este. Adoro cheiro de mato – ele comentou.

Perplexa, Ivy se virou para Leo.

– Conseguiria morar longe do mar?

– É – Leonardo girou o vinho no copo de plástico e deu um sorriso de lado, sem olhar para ela –, acho que não. Mas eu poderia voltar com frequência, se tivesse um bom incentivo.

– Tipo o quê? – Animada com o comentário, ela riu e ergueu um pouco a aba da boina.

– Tipo um bom sexo, por exemplo. – Ele faiscou um olhar malicioso para ela.

Ivy engoliu com dificuldade e ficou toda acalorada com aquele comentário. Toda vez que ele falava esse tipo de coisa, seu corpo ardia como se ela estivesse com febre. Sua consciência cristã já estava dando sinais para recuar com o cara.

– Você não vai beber nada? – perguntou ele, trivialmente.

– Não sou uma mulher dada à bebida. – Ciente de que o ombro dele estava muito próximo ao seu, Ivy manteve o olhar fixo na multidão. O puritanismo no tom de voz dela fez Leonardo sorrir.

– Eu estava brincando quando falei sobre sexo – ele esclareceu. – Gosto de quando você fica vermelha.

– Eu não gosto quando você fala essas coisas para mim. Não sou qualquer uma. – Sua consciência deu dois tapinhas de apoio nas suas costas.

– E eu nunca pensei que você era. Desculpe se te ofendi.

Circunspecta, Ivy encolheu os ombros.

– Tudo bem.

Leonardo olhou o terreno da fazenda mais uma vez, em silêncio.

– Quantos pontos eu perdi com essa tolice?

– Depende, pontos pra quê? Pra ser meu amigo? – Ivy arrancou um cacho de uva da mesa.

– Para ser um pouco mais que isso. – Leonardo roubou uma uva do cacho dela e enfiou-a na boca, num gesto que Ivy achou muito sensual.

– Bem... – A boca dela se contraiu, e então, quase a contragosto, seus lábios se curvam e Leonardo soube que ela estava contendo um sorriso. – Você não parece ser o tipo com quem pretendo me casar.

Leonardo deu uma risada e cuspiu o caroço da uva.

– Desde quando estamos falando de casamento?

Postura firme, Ivy se virou para ele.

– Não sou mulher de ficar tendo casinhos. Quando dou uma chance a alguém, é sempre pensando no futuro. Por isso sou tão seletiva. Sei que Deus preparou *uma* pessoa para mim, e não várias. É por isso que estou me guardando. Sei que parece careta, mas, quando eu o encontrar, será para sempre. Sei que vai valer a pena a espera.

Entendendo o que Ivy queria dizer, Leonardo ficou estarrecido. *Então Ivy ainda era virgem? E estava se guardando para o futuro marido?* Leonardo achou estranho, e realmente doce, que ela ainda acreditasse naquele tipo de amor.

– Venha. – Num gole só, ele esgotou o conteúdo do seu copo e colocou-o de lado. – Vamos dar uma volta.

– Mas vamos pra onde? – Ivy olhou, assustada, para o mato oculto nas sombras.

– Vamos explorar a fazenda – ele falou. – Odeio música sertaneja. Temos coisa melhor pra fazer.

Ivy olhou para o mato de novo e depois para o rosto de Leo, muito tentada.

– Mas está tudo escuro – Ivy se apavorou.

– Ninguém vai sentir nossa falta. – Ele pegou um pequeno lampião que estava em cima da mesa. – Além do que – segurou a mão dela –, eu nunca entrei num estábulo.

Capítulo 9

Caminharam sorrateiramente pelo gramado, seguindo o barulho dos cavalos. Ivy não sabia como Leonardo, que segurava a sua mão e andava um pouco à sua frente, havia conseguido enxergar aquele ponto na escuridão. Era um pouco mais longe do que ela imaginava. Entretanto, Ivy estava adorando a maciez da sua luva de couro enquanto caminhavam de mãos dadas, e achou que a sua mão parecia certa na dele. Quanto mais o som da festa ficava para trás, ambos podiam ouvir sons de sapos, cachorros e grilos. *Deve ter um canil aqui perto*, Ivy pensou, *mas, por conta da festa, os cachorros devem estar presos.*

Quando finalmente chegaram ao estábulo, Leonardo abriu a porteira e colocou o lampião apoiado no chão. O cheiro de feno e de dejetos de cavalos invadiu as narinas deles, mas tanto Leonardo quanto Ivy não se importaram. Acharam o ambiente, pouco iluminado, rústico e encantadoramente sedutor. Havia algumas selas penduradas, capacetes, pinguelins, arreios e outros materiais de equitação. Também havia botas e um violão velho encostado na outra extremidade do local. Leonardo foi passando pelas baias, cinco de cada lado, observando os cavalos. Alguns estavam dormindo, outros ficaram agitados com a súbita presença deles. Sem medo, Ivy esticou a mão para acariciar um cavalo branco. Motivado pelo seu gesto, Leonardo aproximou-se e fez o mesmo. E sorriu para Ivy, encantado, quando o animal se aproximou e cheirou o seu rosto. Quando criança, sempre sonhara em ter um animal como aquele.

– Como sabia que ele era manso? – ele perguntou.

– Ele é um Quarto de Milha, que geralmente é manso. Por isso mesmo, essa raça é conhecida como a mais popular do mundo. Além disso, tem uma placa na entrada do estábulo escrito "doma racional", ou seja, quem doma esses cavalos fez um curso para isso, e não usa de agressão.

– Nossa! – Leonardo arregalou os olhos. – Estou chocado... Conta mais. Como o reconheceu como um Quarto de Milha?

Ivy sorriu para ele, as covinhas surgindo-lhe nas faces. Adorava falar daquele assunto.

– Bem, em primeiro lugar, ele é troncudo. A cabeça é ampla, as orelhas pequenas, o focinho é estreito e as ganachas bem largas.

– Traduza "ganacha". – Leonardo segurou o sorriso e apoiou um cotovelo na porta da baia, observando-a atentamente, adorando a explicação detalhada.

– Desculpe. – Ivy espiou o seu rosto e sorriu. – É o maxilar inferior do cavalo. – E olhou novamente para o equino. – Mas a grande característica dessa raça é a potência dos quartos traseiros: tem glúteos bastante desenvolvidos. Na realidade, a musculatura desse cavalo é própria para uma violenta explosão de velocidade, mas com pouca duração, sendo mais adequada para as corridas curtas, que exigem equilíbrio, geralmente necessários em provas de balizas e tambores. É a raça de que eu mais gosto.

– Caramba! – Leonardo a puxou pela mão. – E eu querendo apostar corrida com você...

– Coloque-me em cima de uma prancha e terá uma grande decepção... – *Graças a Deus está escuro!* Ivy pensou, tendo certeza de que sua face ficara completamente vermelha quando Leonardo, sem aviso, envolveu-a possessivamente pela cintura. Ele aproximou o corpo de ambos e ficou olhando nos olhos dela, calado. E ela envergonhou-se da irregularidade da sua respiração quando ele sorriu brevemente e levou os lábios a um centímetro dos dela, inspirando em sua boca, antecipando-lhe o gosto.

– Não faça isso – o protesto dela foi fraco, facilmente ignorado pelos dois.

– Preciso pagar a minha dívida – ele sussurrou.

Ivy achou que Leonardo estava escadalosamente bonito com as luzes do lampião iluminando seu rosto de baixo para cima. Seu corpo não lhe deu chance. De repente, as mãos dele estavam envolvendo o rosto de Ivy com as luvas de couro. Ele encostou os lábios delicadamente nos dela, testando-a, com os olhos abertos. Somente um mero roçar de lábios. *Era sempre melhor bater* à *porta polidamente*, ele pensou, *antes de arrombá-la.* E como Leonardo previra, Ivy rendeu-se à inevitabilidade diante daqueles olhos verdes e predadores. O fogo se espalhou violentamente por suas veias quando os lábios dele, quentes e duros, se apossaram dos seus. Um calor intenso incendiou o corpo de Ivy. E, automaticamente, ela projetou-se para a frente, a fim de ficar mais próxima. Suas mãos se fecharam nos ombros de Leonardo, exigentes, pedindo mais. Mil sensações fluíam de seu coração, como se uma barragem tivesse sido rompida. Leonardo tentou conduzir o beijo com suavidade, freando os instintos de ambos, principalmente os dela, embora estivesse igualmente maravilhado com a doçura dos lábios de Ivy. Foi difícil um dos dois recuar, mas Leonardo o fez, gentilmente. E quando se separaram, pela vermelhidão em seu rosto, ele teve certeza de que Ivy estava sem fôlego. Ela abriu os olhos um segundo mais tarde que ele e sorriu, sentido-se nas nuvens. Nunca havia se permitido casos inconsequentes com um homem que mal conhecia. Aliás, nunca se permitira ter casos. Não era esse tipo de mulher. E pensou que um homem capaz de fazê-la se comportar daquela maneira devia ser marcado com uma placa de perigo.

– Já posso pedi-la em casamento? – Leonardo brincou.

Cabeça inclinada, Ivy sorriu docemente.

– Acho que preciso experimentar novamente. Esse teste foi muito rápido.

Leonardo soergueu uma sobrancelha.

– Para uma menina de respeito, a senhorita está muito gulosa. Que tal melhorarmos a nossa estada por aqui? – Ele olhou para o chão e começou a alisá-lo com a sola dos sapatos.

Ivy parou de sorrir e espiou o que ele estava fazendo, insegura. *O que ele estava querendo dizer com aquilo? Por que estava alisando a terra batida?* Percebendo sua apreensão, Leonardo olhou para o seu rosto e sorriu.

– Como eu disse, eu odeio música sertaneja. – E, largando-a, foi andando em direção ao violão.

Quando ele o pegou, Ivy quase soltou um suspiro de alívio.

– Você sabe tocar? – perguntou encantada.

– Arranho alguma coisa. – Ele sentou-se no chão perto do lampião e esticou a mão livre para ela, com um sorriso irresistível. Ivy a pegou e sentou-se ao seu lado. – O que gostaria de ouvir?

– Sei lá – ela deu de ombros –, alguma coisa de que você goste. – Ela queria saber de tudo sobre os seus gostos.

Leonardo ficou calado por alguns segundos, afinando o violão. Parecia sereno e pensativo. Depois, suavemente, começou a tocar algumas notas. Ivy demorou alguns segundos para reconhecer aquela melodia, mas sabia que era uma música antiga. Somente quando ele começou a cantar ela reconheceu a letra de *Só pra te mostrar*, dos Paralamas do Sucesso, numa versão bem mais lenta.

A voz de Leonardo soava melancólica enquanto cantava baixinho, de olhos fechados. Porém, sua harmonia e suavidade pareciam incomparáveis aos ouvidos de Ivy. Ela não imaginava que Leonardo pudesse ter um lado tão terno, e estava adorando. Sua voz soava até triste enquanto cantava:

Não vejo nada, mesmo quando acendo a luz... Não creio em nada, mesmo que me provem certo como dois e dois... As plantas crescem em nosso jardim, pra te mostrar, só pra te mostrar por que... Não há nada aqui, ponha tudo em seu lugar... O meu lugar está aí...

Os olhos dela estavam úmidos quando a música infelizmente acabou. Por algum motivo estranho, Ivy teve a sensação de que Leonado falava de si mesmo por meio da letra, e desejou confortá-lo. Era estranho, todos aqueles sentimentos maravilhosos tomando conta dela, preenchendo um espaço enorme que Ivy não sabia ter vazio em seu íntimo. Estava louca para provar o gosto dele de novo. Num ato de ousadia nada típico, Ivy tirou o violão do colo dele e ajoelhou-se na sua frente. Depois, passou os dedos pelo rosto de Leo, explorando com delicadeza a pequena cicatriz em seu queixo.

– Isso foi lindo... – ela disse. – Lindo como você. – E, inclinando-se para a frente, tocou os lábios dele com os seus.

Com cuidado, Leonardo puxou-a e ajeitou Ivy em seu colo, sentada de lado, e envolveu o seu corpo com os braços como se ela fosse um bebê. Ficaram ali, juntos, enfeitiçados um pelo outro. Rindo, conversando e muitas vezes se implicando mutuamente. Ivy, que por toda a vida mal conseguia ficar parada, ficou ali por horas e horas, imóvel, aninhada nos braços de Leo, adorando o hálito quente dele na sua face, adorando o calor do seu corpo, adorando até as batidas do seu coração. Gostar tanto de estar com ela também não estava nos planos de Leo. De repente, ele não queria deixá-la pelo resto da noite. Queria esquecer por que estava ali. Pelo menos por uma hora. E disse a si mesmo, preocupado, que aquilo era algo em que se pensar mais tarde.

***

Quando finalmente Ivy chegou em casa ao amanhecer, sentia o coração inchado de alegria. Foi difícil deixar Leonardo partir, após beijar delicadamente cada um de seus dedos, e vê-lo caminhar em direção à pousada. Até o ato de caminhar parecia sublime nele. Era encantadora a economia de movimentos, a coluna ereta sustentando aquele tronco bem torneado. *Se ficar com alguém que mal conheço é pecado, estava pecando com estilo*, pensou. Torcia para que Leonardo virasse de costas e mandasse muitos beijos para ela, mas ele não o fez. Devia estar cansado, ela concluiu. Mas Ivy não se importou. Nunca em sua vida tivera tanto prazer na companhia de alguém. Esperava que o perfume de Leonardo permanecesse na sua pele até se verem de novo. Era inebriante, perversamente tentador. Sentia como se nunca mais pudesse viver sem aquele cheiro. E então ela soube, com cada célula do seu corpo, que o que acontecera entre eles seria muito mais do que uma distração de final de semana. Nunca tivera tanta certeza sobre algo na vida. Sua espera finalmente havia acabado.

Capítulo 10

Tamanha era a felicidade de Ivy, que ela nem se importou com a bronca que tomou no dia seguinte. Por intermédio da neta, Paulo ficara sabendo que Ivy voltara sozinha da festa de madrugada. Houve uma grande discussão naquela manhã entre ele e Rafael, enquanto Ivy tomava café com a cabeça no mundo da lua. Não gostava de brigar com o pai, por isso só ficou balançando a cabeça e lhe pedindo desculpas, esperando a poeira baixar. Não estava nem um pouco arrependida. Como poderia? Tinha vivido a noite mais maravilhosa da sua vida. Mas quando Paulo disse que ela estava de castigo por uma semana, Ivy levantou-se, ultrajada.

– Pai, pelo amor de Deus! Quantos anos você pensa que eu tenho?

– Minha casa, minhas regras. – Paulo bateu na mesa. Estava indignado com o completo desrespeito dos filhos. Tanto de Ivy quanto de Rafael.

– Então eu vou voltar para a república e ficar lá até as aulas voltarem – Ivy gritou. – Não posso aceitar ser tratada como criança. Eu não fiz nada de mais.

– Baixe o tom de voz, mocinha. Está falando com o seu pai – Janine a advertiu.

– Então fale alguma coisa, mãe. Vai deixar ele me tratar desse jeito?

– Vá para o seu quarto.

– Mas mãe...

– Vá para o seu quarto – Janine também se exaltou.

Furiosa, Ivy jogou seu pão de queijo dentro no prato e foi para o corredor que a levava ao seu quarto. Sentiu-se melhor quando bateu a porta com uma força, estremecendo as paredes, e fez Adam, que se mantinha calado na sala, apertar os lábios enquanto via televisão.

Foi direto para a internet. Precisava urgentemente rever o rosto de Leonardo, só para confirmar que ele era mesmo real. Acesso o YouTube e ficou pesquisando vários vídeos de campeonados dos quais ele participara. Leonardo Belford. Ela suspirava só de digitar o nome dele. Admirou-se mais ainda quando viu as manobras ousadas que Leonardo fazia nos vídeos, descendo de ondas gigantes. Ele parecia tão poderoso em cima daquela prancha, e também parecia tão... absurdamente sexy. Ivy sentiu uma agitação na barriga. Também reparou que ele sempre estava sério nos vídeos, e, na maioria das vezes, isolado da bagunça dos outros surfistas. Sentiu o sangue ferver, no entanto, quando achou um vídeo de um luau na Califórnia em que viu Leonardo abraçando uma morena fabulosa pela cintura. Teve vontade de socar o monitor. Será que Leonardo era muito cobiçado? Ela tinha certeza que sim. Mas será que ele era mulherengo?

Não. Ivy se recusava a acreditar naquela hipótese. A maneira como ele olhara para ela na noite anterior, quase em adoração, não podia ter sido destinada também a outras mulheres. Entretanto, Ivy não o conhecia profundamente, e isso a incomodava. Leonardo era muito obtuso quando falava do seu passado. Não tinha grandes laços com a família, não tinha planos a curto prazo, e era desapegado de tradições. E pelo pouco que conversaram, Ivy tinha quase certeza de que ele não tivera amor suficiente ao longo da vida. Sua mãe vivia constantemente doente e ele fora criado por uma tia mal-humorada. O pai já havia falecido, e os avós não se importavam muito com ele. Não tinha irmãos nem irmãs. E era só disso que Ivy tinha conhecimento.

Leonardo, no entanto, sabia quase tudo sobre ela. Ivy lhe contara seus planos, seus sonhos, seus hobbies, suas realizações... Também contara tudo sobre sua famíla, sobre as confusões do passado entre Amanda e a mãe, sobre a carreira do irmão, sobre a avó falecida... Não havia nada que ela tivesse ocultado de Leo. Sentira-se livre com ele. Como se tivesse encontrado um amigo no qual ela podia confiar. Pelo menos foi assim que se sentiu quando estava protetoramente envolvida nos braços dele. Já estava com o coração mais leve quando Janine bateu à porta do quarto. Ivy pediu que ela entrasse.

– Ainda está muito zangada? – a mãe perguntou.

Ivy girou a cadeira para que ficasse de frente para ela. Seu rabo de cavalo ricocheteou em seu rosto.

– O que você acha?

Janine entrou e fechou a porta do quarto. Em seguida, sentou-se na cama, que ficava de frente para a escrivaninha. Ficou olhando para a filha. Com aquele vestido de alcinha com estampas de *Smile*, Ivy ainda parecia ser a sua menininha.

– Seu pai também tem razão de estar chateado. Você descumpriu nosso acordo.

Impotente, Ivy deixou os braços penderem no colo.

– Eu sei, mãe. Não estou dizendo que o pai não tenha razão. Apenas que ele está sendo injusto nas consequências diante do que fiz. Eu não sou mais criança – repetiu pela décima vez.

– Então, não fique agindo como uma. Batendo portas e gritando pela casa.

Ivy suspirou e olhou para ela com uma cara pidona.

– Ele vai mesmo me deixar de castigo?

Janine ficou calada por um segundo.

– Não. Não desta vez. Conversei com ele e, devido ao seu bom histórico, vamos te dar outra chance. Mas você terá que ir lá na sala e pedir perdão ao seu pai, pelo seu desaforo.

Vibrando de alegria, Ivy deu um pulo da cadeira e sentou-se no colo de Janine, agarrado-lhe o pescoço.

– Ai, mãezinha, muito obrigada! – Ela beijou sua bochecha. – Nem sei como te agradecer... Estou tão feliz hoje que não queria que nada estragasse o meu dia.

Janine tirou uma mecha de cabelos do rosto sorridente da filha.

– E posso saber o motivo de tanta alegria? Ah, não, deixe-me adivinhar, tem a ver com esse rosto pausado da tela...

Corando, Ivy mirou o computador. Tinha uma foto de Leonardo surfando de perto, no tubo da onda.

– Ele não é lindo? – ela comentou. – É o sonho de qualquer mulher...

Janine não poderia dizer o contrário. Portanto, olhou para a filha e meditou bem antes de falar.

– Lembra-se de quando você fez nove anos e Adam trouxe um vaso com lindas flores cor-de-rosa para você?

Imediatamente, Ivy sorriu à lembrança.

– Aquelas que a senhora jogou fora e me fez chorar por uma semana?

– Essas mesmas. Você sabe por que eu fiz aquilo?

– Você disse que eram perigosas para crianças.

– E eram. O nome daquela flor era espirradeira. Uma planta que tende a agradar muito as pessoas à primeira vista, por ser brilhante e bonita. Porém, é extremamente venenosa quando ingerida. Pode até causar um ataque cardíaco. E você sempre teve mania de comer flores do meu jardim quando era criança.

– É verdade – Ivy deu risada, depois fechou o semblante –, mas por que está me lembrando isso?

– Para mostrar como uma coisa bonita pode ser perigosa. Não se iluda pela beleza, querida. Procure saber o que as pessoas carregam por dentro.

Percebendo a analogia, Ivy balançou a cabeça para a mãe.

– Não entendo por que estão todos tão preocupados. Leonardo é uma pessoa maravilhosa. Conversamos a noite toda e, sinceramente, não consegui enxergar nada nele que me deixasse apreensiva.

– Não estou pedindo que você deixe de vê-lo, somente que vá com calma. Afinal, em breve ele irá embora para a cidade dele, não é?

Era verdade. E para Ivy a ideia era apavorante.

– Pode deixar, mãe. Não vou me iludir. Mas algo me diz que Leonardo não está na minha vida de passagem.

De novo, Janine sentiu um aperto no coração, mas não quis expressar.

– Eu só quero que você seja feliz – disse docemente.

– Eu sei. – Comovida, Ivy beijou a testa da mãe e se levantou. – E é exatamente o que quero ser. Agora, deixa eu ir lá fora me entender com meu pai. Leonardo vai passar daqui a duas horas para me levar pra almoçar.

– Mas você não ia levar Tavinho ao Paintball?

Desgostosa consigo mesma, Ivy fez uma careta.

– Droga! Tinha me esquecido disso... Eu o levo amanhã. – Ela calçou os chinelos, resolvendo o problema, na sua concepção. – Agora deixa eu ir, mãe. Quero estar divina quando Leonardo chegar, e preciso que Amanda me maquie. – Dito isso, Ivy se levantou e cruzou a porta do quarto, animada, enquanto Janine pressionava os dedos contra os olhos e se perguntava por que pressentia uma grande tempestade.

***

Ivy passou os dias seguintes desesperada para passar cada segundo com Leonardo, que resolveu ignorar sua fisioterapia do joelho e estender sua viagem por duas semanas. Ele estava contente com o rumo que as coisas estavam tomando. Fizeram juntos todos os passeios turísticos de São Lourenço, incluindo as cidades dos arredores. Andaram de pedalinho, fizeram trilhas, foram ao kart e Leonardo andou a cavalo pela primeira vez na garupa de Ivy, que fazia tudo o que podia para agradá-lo. Até pouco tempo, ela não compreendia o que era estar completamente sob o controle de outra pessoa, e desejar estar. Porém, com Leonardo era diferente. Ela sabia que estava na palma da sua mão, mas não se importava com isso. Confiava nele. Bastava Leonardo aparecer em seu portão para Ivy sair correndo e se lançar alegremente em seus braços. Adorava quando ele sussurrava palavras doces em seu ouvido, com aquele lindo sotaque cadenciado. Ivy, no entanto, nunca o chamava para entrar, pois não queria consternar Leonardo com a implicância da sua família. Tirando Amanda, Aléxia e as crianças, nenhum dos outros familiares estavam satisfeitos com o envolvimento dos dois. Ivy praticamente não passara as férias com eles, tão preocupada estava em ficar cada minuto ao lado de Leo. Mas aquela implicância gratuita dos pais e irmãos não era relevante para ela, embora a deixasse chateada. Ficou satisfeitíssima, contudo, quando Leonardo concordou em ir ao culto com ela em uma manhã de domingo e ela pôde mostrar à família o quão bom rapaz ele era. Sentiu como se fosse uma confirmação de que Leonardo era mesmo o homem da sua vida. E em nenhum momento, enquanto estiveram juntos, ele tentara seduzi-la para fazerem amor. E Ivy também lhe era grata por isso.

Certa tarde, dois dias antes de Leonardo partir, estavam no Parque das Águas. Ivy estava sentada à margem do lago e Leonardo, deitado na grama, com a cabeça em seu colo e os joelhos flexionados. Estavam de mãos dadas e Leonardo acariciava o dorso da mão dela com o polegar, olhando pensativamente para seus olhos. Sabiam que ele partiria em breve e isso estava abrindo um buraco no peito de Ivy. De repente, Leonardo levantou-se e segurou a nuca dela. Seu perfume voou até ela.

– Tenho uma coisa para te dizer – disse ele com ar de tristeza.

– Com certeza não é nada que eu já não tenha dito a mim mesma – disse Ivy da mesma forma.

– Não posso deixar de te ver – afirmou Leo, olhando em seus olhos.

As implicações daquela frase permaneceram entre eles enquanto Ivy pocessava a informação.

– O que vamos fazer? – ela perguntou, deixando o desespero interno vazar para sua voz.

– Preciso falar com seus pais. – Paralisada por um momento, Ivy mordeu os lábios. – Se vamos namorar a distância, quero que seja com o consentimento deles – completou.

Sem acreditar, Ivy sentiu o coração inflar de emoção.

– Vamos namorar a distância? – indagou, toda boba. Leonardo fez uma leve careta.

– Achou que ia se livrar de mim assim? – Ele estalou os dedos, achando graça.

– Não... – Ivy gaguejou, mas foram as lágrimas emocionadas que lhe subiram aos olhos que deixaram Leonardo assustado. A ternura era uma emoção desconhecida para ele, mas vinha com facilidade toda vez que estava perto de Ivy. E isso era um grande problema. – É que nunca conversamos sobre o futuro. Então eu pensei...

Interrompendo-a, Leonardo segurou o rosto dela com as mãos e beijou uma lágrima que caía.

– Nunca mais quero me afastar de você. Você me enfeitiçou com seu jeitinho de menina, guria. Mudou todos os meus planos.

Felicíssima ao ouvir isso, Ivy riu num soluço.

– Pensei que você não fizesse planos. – Ela enxugou o rosto.

– E não fazia, até conhecer você. Você interrompeu os meus planos de não fazer planos... – Ele deu um sorrisinho. – Quero fazer planos com você.

Ivy não podia estar mais contente.

– Vou falar com meu pai esta noite. Amanhã você almoça com a gente.

Leonardo puxou-a para o seu colo.

– Preciso ir com um colete à prova de balas? – ele brincou.

– Não precisa – Ivy deu-lhe um estalinho na boca. – Se alguém atirar em você, eu me jogo na sua frente.

Capítulo 11

Exceto Amanda, ninguém da família de Ivy ficou muito feliz com a oficialização daquela relação, mas decidiram encarar o almoço numa boa, já que Leonardo iria embora no dia seguinte. Ivy estava em cólicas com o evento, torcendo para que tudo desse certo e para que seus pais finalmente simpatizassem com o seu namorado. *Como alguém podia não gostar dele?* – meditava ressentida. Bem, pelo menos Amanda parecia gostar, pois fora a única que ficara afoita com a novidade. Inclusive, ajudou Ivy a fazer um *cheesecake* para impressionar o gatinho.

Adam e Rafael estavam na sala assistindo à corrida de Fórmula 1 na tevê quando Leonardo chegou. Aléxia abriu a porta e, embora estivesse torcendo o nariz para o rapaz desde que Rafael e Paulo haviam brigado devido à estripulia de Ivy, o recebeu com exímia educação, convidando-o a sentar-se também no sofá. Rafael, que já havia expurgado da mente o incidente da festa, cumprimentou Leonardo normalmente estendendo a mão. Adam somente espiou o rosto dele de esguelha e fez um impercepitível aceno com a cabeça. Cerimoniosamente, Leonardo retribuiu a mesura.

Amanda e Ivy estavam na cozinha ajudando Janine e as crianças haviam saído com Paulo, subornadas por balas, para ajudar a comprar e a carregar as bebidas.

Quando Ivy soube que Leonardo havia chegado, voou para sala para recebê-lo, animadíssima. E ele mal teve tempo de notá-la quando ela se jogou com entusiasmo em seu colo e beijou-o afoitamente no rosto.

– Oi – ela disse, com um sorriso que era pura felicidade.

Passando os braços em volta dela, Leonardo deu um meio sorriso.

– Oi. – Gentilmente, ele puxou e beijou sua mão, olhando-a fixamente nos olhos, e depois sugou-lhe vagarosamente o dedo mindinho. A sensação que começou na mão de Ivy reverberou por todo o corpo, e ela se deu conta de que esse tipo de reação estava aflorando nos últimos dias com uma regularidade alarmante.

– Vou precisar de uma cerveja. – Adam coçou o peito e se levantou do sofá, ultrajado com a cena.

Rafael puxou Ivy do colo do namorado para colocá-la sentada no sofá, mas Leonardo manteve a mão dela dentro da sua.

– Não força a barra. – Rafael apontou para Adam.

– Tudo bem. – Ivy enrubesceu e olhou outra vez para Leo. – Está com sede?

Leonardo umedeceu o lábio superior, como se dissesse: *Depende de quê.*

– Uma água, por favor – disse ele por fim, com um sorriso maroto.

Ansiosa por agradá-lo, Ivy levantou-se para servi-lo no mesmo minuto em que o pai e as crianças chegaram carregando as sacolas repletas de refrigerantes e sucos.

– Oi. – Ofegante com as sacolas, Lili veio cumprimentar Leonardo. Em seguida, aproximou-se do seu ouvido com um ar conspirador: – Eu sabia que vocês iam acabar namorando – disse ela com um sorrisinho cúmplice.

Achando engraçado, Leonardo deu uma piscadinha camarada para ela. Depois, tirou as sacolas das suas mãos.

– Deixa eu te ajudar com isso aqui.

Leonardo carregou as sacolas até a cozinha, onde Ivy observava se o batom em seus lábios ainda estava perfeito, olhando o seu reflexo em uma colher de metal. Ao vê-lo entrar no aposento, ela tacou rapidamente a colher na pia, fazendo o ruído de atrito com outros talheres estalar pela cozinha. Pegando uma lata na geladeira, Adam revirou os olhos ao ouvir o barulho dos talheres. Não endendia como as mulheres podiam ser tão ridículas quando estavam apaixonadas.

Fingindo que nada estava acontecendo, Ivy sorriu para o namorado. Não conseguia evitar de sorrir toda vez que o via. Por pouco não estava com câimbra nas bochechas. Ele estava lindo vestindo uma calça cargo bege cheia de bolsos e uma camisa básica preta. Para ela, tudo nele ficava bonito. A sensação de estar perto de Leonardo era quase divina. Uma serenidade consoladora. Ela estremecia só de pensar que no dia seguinte ele iria embora. O pensamento era insuportável.

Leonardo colocou as sacolas com bebidas em cima da mesa e depois ajudou Paulo a colocar as dele também. Lembrando-se do que veio fazer, Ivy foi até a geladeira e serviu a prometida água a Leonardo. Em seguida, Amanda resolveu enxotar todos da cozinha.

– Arrumem alguma coisa para fazer – ela disse. – Não gosto de plateia na cozinha.

– Comprou comida pronta? – Ivy zoou. – Por que não pediu para Rafael cozinhar?

– Estou de férias! – Rafael gritou lá da sala.

– Acho que Ivy deve ficar na cozinha. – Adam se meteu. – Está na hora de ela aprender a cozinhar.

Ivy fez careta para ele.

– Sua mulher nunca aprendeu. Por que eu haveria de aprender?

– Deixe de ser engraçadinha. – Amanda apertou os olhos para a irmã. – Você me viu preparar tudo aqui desde cedo. Por que não leva Leonardo pra conhecer... – E parou de falar, ao ver Adam fechar a cara para ela e balançar a cabeça discretamente, advertindo-a.

– Quer conhecer o resto da casa? – Ivy perguntou para Leo, fazendo a pergunta derradeira.

Irritado, Adam olhou para Amanda apertando os lábios numa linha fina, depois lambeu o lábio superior e ergueu uma sobrancelha, como se dissesse: "Satisfeita agora?".

Indiferente, Leonardo assentiu com a cabeça para Ivy e um pequeno sorriso malicioso surgiu em seus lábios. Ambos passaram por Paulo na porta da cozinha, que também não havia gostado nada da ideia de Ivy e Leonardo passearem pelos cômodos sozinhos, e desapareceram no corredor.

– Essa menina anda muito saidinha – resmungou ele para Janine.

– Ela só está sendo educada... – defendeu Amanda.

– Pois eu vou lá atrás deles. – Adam se enfureceu, largando com força sua lata na pia. – Só mesmo essa cabeça oca da Amanda para sugerir uma barbaridade dessas. É por isso que Deus não nos deu uma filha mulher...

Se ficou ressentida com o comentário, Amanda não demonstrou.

– Que barbaridade? – ela exclamou. – Qual o problema de o menino conhecer a casa? Acha que eles vão dar uma rapidinha no banheiro, por acaso?

– Nós já fizemos isso. – Adam rebateu impensadamente, depois olhou de soslaio para o pai, envergonhado. – Mas vocês não estavam em casa – justificou, mentindo.

Amanda ruborizou completamente e se virou para a pia.

– Mas nós já somos casados, Adam, é diferente. E eu confio plenamente na minha irmã. E, se quer saber, também confio nele. Até agora Leonardo foi um perfeito cavalheiro com Ivy.

– Acho que Amanda tem razão – comentou Janine, até então quieta, para surpresa de todos. – Vocês sabem que também não fui muito com a cara dele de primeira, mas precisamos confiar na educação que demos à nossa menina.

– Por mim, ela ficava longe de tudo que usasse calças. – Paulo se uniu a Adam. – Vai lá – disse para o filho. – Finge que vai ao banheiro e fica de olho neles.

Imediatamente, Adam saiu da cozinha, ignorando o praguejo inconformado de Amanda.

***

– Então, esse é o meu quarto... – Ivy mostrava para Leo, e ele abriu um enorme sorriso assim que entrou. Achou o cômodo tremendamente simples e acolhedor, como o resto da casa. O mobiliário geral não era exatamente projetado para harmonizar entre si. Parecia mais com objetos ganhos ou adquiridos ao longo da vida e que, juntos, emprestavam àquele ambiente uma característica esteticamente disfuncional de lar. Mas não foi isso que chamou a sua atenção, e Ivy não entendeu aquele sorriso até que seguiu o olhar dele e mirou a tela do próprio computador.

– Bela foto – ele comentou –, mas eu tenho melhores.

Ivy desejou de todo o coração que o aparelho estivesse desligado, e não com a tela congelada na foto de Leo. Não vendo saída, ela resolveu ignorar seu constrangimento e entrar na brincadeira, dizendo:

– Eu gosto dessa, mas não vejo a hora de substituí-la. – Ao ouvir isso, Leonardo fechou o sorriso lentamente e olhou para ela. – Por uma foto *nossa*, bobinho.

Instintivamente, ele relaxou e passou o braço possessivamente pelo seu corpo, descansando a mão na cintura de Ivy.

– Então vamos fazer isso agora mesmo. – E sacou o celular, apontando a câmera para os dois. – Com beijo ou sem beijo?

– Que pergunta idiota... – Ela agarrou os cabelos dele e puxou sua boca de encontro à sua. Leonardo bateu a foto dos dois se beijando e depois, desligando-se, afastou-se de Ivy.

– Então, é por aqui que vamos nos falar agora... – Ele apontou o computador.

Ivy sentiu o coração sangrar um pouquinho.

– Pois é... – Ela sentou-se na cama, com um ar infeliz. – Leo? – Ela olhou para os próprios dedos.

– Quê? – Com certa inveja, as mãos enfiadas nos bolsos, ele analisava um quadro cheio de fotos de família.

– Eu... ahn... Quando você vai voltar?

Leonardo parou de examinar o quadro e deu um sorriso ligeiro ao se virar para ela.

– Eu ainda nem fui.

Ivy riu de nervoso.

– Eu sei, mas... prometemos que vamos nos falar sempre que possível, contudo você não disse nada sobre vir me visitar.

– Eu...

– Tenho certeza de que aqueles pirralhos esconderam aqui... – Tavinho entrou de supetão no quarto da tia, para procurar algo embaixo da cama. Segundos depois, os gêmeos apareceram na porta também.

– Tá frio! Tá frio! – gritavam animados.

– Me devolve logo a porcaria da minha chuteira! – Tavinho berrou furioso.

– O que está acontecendo aqui? – Adam, enfim, achou o motivo que precisava para invadir o recinto.

– Esses idiotas esconderam meu tênis – Tavinho acusou os irmãos.

Adam olhou de cara feia para os filhos.

– É mentira! – alegou Cauê, numa voz chorosa.

– O chulé dele é tão forte que os sapatos fugiram. – Nicolas caiu na gargalhada.

O pai estreitou os olhos para eles.

– Pois, se os sapatos não voltarem em um minuto, vou colocar vocês dois de castigo.

– Ótimo. – Tavinho se levantou. – Estou cansado de procurar essa bosta. Vou esperar lá na sala.

– Nada disso. – Resolvendo usar o filho de vigia, Adam olhou o casal de pombinhos. – Fica aqui e procura mais um pouco.

Ivy deu um suspiro irritado.

– Não se preocupe, Adam, já estamos voltando pra sala.

A contragosto, Adam olhou ameaçadoramente para Leo e colocou os filhos para fora do quarto. Ivy se virou para o namorado e sorriu, distraindo-se com eficiência da frustração que sentira com a interrupção, enquanto passava a foto do celular de Leo para seu computador, por *bluetooth*.

– Desculpe essa minha família.

– São normais – disse Leonardo, sucinto.

– Normais? São um bando de loucos! – Ivy sorriu. – Mas eu amo todos eles. Até mesmo o emburrado do Adam. Por incrível que pareça, é meu irmão preferido.

– Ele é muito protetor com você, não é mesmo?

– Com todo mundo. Aliás, aqui é assim, tudo parece ser sentido em conjunto. Quando um sofre, todo mundo sofre.

Leonardo pigarreou, evitando os olhos dela.

– Isso é bom. Mas acho que eles não gostam muito de mim.

Preocupada que ele tivesse notado, Ivy o puxou para sentar-se ao seu lado.

– Eles só estão com ciúmes de mim, Leo. Eu nunca trouxe um namorado aqui em casa. Mas eles vão ter que te aceitar. Eu amo a minha família, mas, por mais que respeite meus pais, não posso permitir que definam meus relacionamentos. Eu tenho orado por nós, e já sei a resposta. Tenho certeza de que foi Deus Quem te trouxe pra minha vida.

A confiança tão facilmente concedida, tão pura e explícia nos olhos de Ivy fez um mal-estar súbito se espalhar pelo peito de Leo.

– Eu sei – ele afagou carinhosamente a mão dela –, mas não acho que vai ser fácil. Tirando Amanda, todo mundo aqui me olha meio virado.

Comovida, Ivy segurou o queixo dele, passando o polegar pela sua cicatriz.

– Eu sei, e isso me machuca. Só que eles não percebem isso ainda. Vamos dar tempo ao tempo.

Leonardo ficou calado por um instante, pensativo, ajeitando os cabelos dela atrás da orelha.

– Tenho medo de que eles te influenciem depois que eu for embora. Que te afastem... Se pelo menos a sua mãe me aprovasse.

– Então vamos voltar para lá e mostrar o cara maravilhoso que só eu conheço.

Voltaram de mãos dadas para a sala, como se quiserem fortalecer-se mutuamente. A mesa já estava posta e todos já estavam sentados. Foguete ficara do lado de fora da casa, latindo, inconformado. Amanda era a única que estava em pé, observando uma prova que, ao procurar os sapatos do filho, havia achado escondida nas coisas de Tavinho. Ele havia tirado 2 em redação e, aparentemente, estava tomando uma bronca daquelas. Ereta como um general, Amanda olhava o papel com reprovação e fazia perguntas que faziam Tavinho se sentir intimidado e estúpido. Ela não conseguia compreender aquela nota após ter ficado tardes e tardes estudando com ele.

Tendo sido vítima das mesmas cobranças durante a infância, Leonardo se compadeceu do menino, e resolveu intervir.

– Parabéns – disse ele para Tavinho, chamando a atenção de todos.

Um silêncio cavernoso se instaurou. Em geral, ninguém interrompia Amanda em uma crise de raiva.

– Como disse? – ela perguntou.

Com um olhar firme, Leonardo se aproximou do menino. Nada o irritava mais do que ver uma criança atacada em sua autoestima.

– Dei parabéns para ele. Afinal, pelo que você disse, ele acertou duas questões.

Incrédula, Amanda mirava seu rosto, assim como Ivy.

– Está parabenizando Tavinho por ter tirado essa droga de nota?

– Droga de nota? Sob o ponto de vista de quem? – Leonardo a indagou, insolente.

Como era de seu feitio, Amanda abaixou a prova e se enfureceu imediatamente. Odiava ser confrontada, ainda mais quando o assunto era a educação de seus filhos. Mas o modo como Leonardo estava olhando para ela, com aqueles olhos verdes autoritários, fez alguma coisa revirar em seu estômago. Ficou inexplicavelmente intimidada. Prevendo a tormenta, Adam se levantou da cadeira.

– Desculpe-me, Leonardo, mas acho que cabe a mim decidir qual é a melhor nota para o meu filho – Amanda disse com rispidez. – Ele já tem sete anos e mal consegue ler.

– E isso te frustra, não é?

– Eu...

– Só acho que você deve reforçar o positivo, ao invés do negativo – ele a interrompeu. – Valorizar o sucesso, e não o fracasso.

Ao ouvir isso, os olhos de Tavinho se encheram de lágrimas. Então, ele olhou para o pai, confuso. Não sabia o que devia fazer. Ao mesmo tempo que estava incomodado pela mãe insistir no fato de ele ser burro, finalmente ouvia alguém lhe defender.

Já a cabeça de Ivy girava com aquela conversa. O que Leonardo estava pretendendo? Ser expulso da sua casa? Contudo, ao meditar no que ele dissera, acabou concordando com ele. Amanda era mesmo muito dura com Tavinho.

– Vamos deixar esse assunto para depois do almoço – Adam interferiu, incomodado com o desconcerto do filho, e culpando Leonardo por isso. – Sente-se aqui do meu lado, Tavinho. Vamos comer.

– Isso – reforçou Rafael. – Vamos ver se a minha cunhada finalmente aprendeu a cozinhar. – Tentou melhorar o clima.

Encarando Leonardo, Amanda dobrou a prova e guardou-a no bolso de trás da calça. Em seguida, revoltada por dentro, foi sentar-se de frente para o marido. *Desde quando nota 2 era um sucesso?*, perguntou-se com raiva.

Leonardo e Ivy se sentaram também e todos oraram juntos antes de comer. Exceto Leo, que ficou de olhos abertos e viu um dos gêmeos – ele não sabia qual – jogar uma azeitona nos cabelos de Lili.

O almoço começou a transcorrer em um silêncio nada habitual naquela família. Foram servidos uma grande salada, dois tabuleiros de lasanha e um prato com pastéis de angu. Aléxia e Rafael se entreolharam, pois também já tinham conversado entre si sobre o problema de Tavinho e desconfiavam que ele tinha algum distúrbio de aprendizagem, mas nunca comentaram nada para não ofender a família. Ivy, por sua vez, quanto mais remoía o assunto, mais concordava com Leo. E Adam estava entretido em observar com reprovação a grande tatuagem que Leonardo tinha no antebraço quando esticou o prato para Janine lhe servir a lasanha.

– Você devia ler pra ele em voz alta – Leonardo retomou o assunto com Amanda, causando tensão em todos na mesa. – Usar a aprendizagem multissensorial. Isso ajuda no som e no reconhecimento das palavras.

Inflando as narinas, Amanda deu um suspiro e deixou o garfo cair no prato. Depois, cruzou os dedos para apoiar o queixo.

– Em que você é formado, Leonardo? É psicólogo? Algum tipo de educador?

Calmamente, Leonardo também pousou o talher.

– Não fiz nenhuma faculdade, se é isso que quer saber.

Ao ouvir isso, Paulo e Janine se entreolharam, com censura no olhar.

– E o que você faz da vida? – Adam recuou na cadeira.

Leonardo olhou para ele e sorriu ligeiramente ao dizer:

– Pego onda.

– Como? – Paulo perguntou.

– Sou surfista.

Houve um breve silêncio na mesa, com ecos de reprovação.

– Mas isso não devia ser só um hobby? Afinal, você já deve ter quase trinta anos...

– Tenho vinte e seis.

Revoltada com o rumo da conversa, Ivy achou melhor acrescentar:

– Leonardo foi campeão mundial duas vezes. Ele é uma atleta, não um desocupado.

Os olhos dos meninos brilharam. Um campeão estava sentado à mesa com eles? Isso era quase como ser um super-herói!

– E você tem outros planos para o futuro? – Paulo perguntou a Leonardo, ignorando a filha. – Pretende fazer mais alguma coisa da vida?

– Não costumo fazer planos. Gosto de viver um dia de cada vez.

– Como Jesus disse na Bíblia – disse Lili com alegria, indiferente à tensão óbvia que estava no ar. Leonardo sorriu para ela.

– Exatamente.

– Jesus foi o primeiro surfista. Só que Ele andou pelas águas sem precisar de prancha – disse Tavinho, olhando timidamente para Leo, querendo ajudar. – E meu pai sempre diz que Ele é *o cara*...

Leonardo também sorriu para o menino, percebendo a sua boa intenção. Mas nem as personalidades vivazes das crianças conseguiram dissolver o clima inamistoso.

– Mesmo assim, não acho que isso seja uma profissão – Adam comentou enquanto cortava a lasanha no prato. – Eu podia ser campeão de xadrez e nem por isso deixaria de trabalhar.

Lentamente, a raiva começou a crescer dentro do peito de Ivy, subindo pela garganta. Estavam atacando seu namorado solenemente. E, se a família continuasse a tratá-lo daquela maneira, ela corria o sério risco de perdê-lo. E simplesmente não poderia perdê-lo.

– Você mora com seus pais? – Janine perguntou.

Parando de sorrir, Leonardo voltou os olhos para ela e, por um segundo, Janine pôde ver algo sombrio perpassar os olhos dele.

– Meus pais já morreram. – Os olhos de todos na mesa se enterneceram. – Eu moro sozinho. – Ele ainda ficou olhando para Janine.

– Sinto muito – Paulo disse, em nome de todos. – E o que você costuma fazer quando não está competindo?

– Treino. Treino muito. – Leonardo mirou a lasanha intocada em seu prato. – Mas, no momento, por conta de um problema no joelho, estou fazendo fisioterapia.

– Você tem irmãos?

– Mas o que é isso? – Ivy revoltou-se, batendo na mesa. – Será possível que esse interrogatório nunca vai acabar? Por que não mandou ele preencher uma ficha assim que entrou aqui?

Chocado com a explosão, Paulo voltou os olhos sérios para ela.

– Só estamos conversando.

– Uma ova! – ela protestou. – Leonardo nem conseguiu dar nenhuma garfada ainda, de tantas perguntas...

– Ivy, acalme-se – advertiu Janine.

– Só acho um absurdo essa invasão de privacidade.

– Mas eu achei que ele já estava à vontade – Adam decidiu se meter. – Afinal, agora há pouco ele estava se metendo na vida do meu filho.

– Quer saber? Chega! – Ivy se levantou. – Trouxe ele aqui para desfrutar de um almoço agradável, mas parece que vai ser impossível.

Leonardo também se levantou.

– Ivy, fica calma. Está tudo bem... – fingiu resignação.

– Não, Leo. Não vou ficar submetendo você a isso.

– Ivy, sente-se – seu pai ordenou.

A filha ergueu mais o queixo, em sinal de insolência. As crianças estavam visivelmente excitadas com a coragem da tia.

– Vou levar Leonardo ao portão. Depois conversamos, pai.

– Acho melhor eu ir embora – avisou Leo para todos. – Obrigado pelo almoço – disse ele para Janine, embora não tivesse comido nada.

Janine somente concordou com a cabeça e tapou o rosto, para que suas emoções se acomodassem. Lili foi a única que se levantou para dar um beijo de despedida no rosto de Leonardo, e Rafael a apertar sua mão. Quando cruzaram a porta da sala para o jardim, Ivy já estava chorando.

– Ivy, não fique assim... – Leonardo tocou sua face. Suas mãos eram suaves como pele de coelho sobre o seu rosto. – Você mesma me disse para a gente dar tempo a eles.

Ivy fungou e enxugou os olhos.

– Eu sei, mas não imaginava que fosse ser tão horrível, Leo. A minha família hoje foi... desprezível.

Leonardo segurou e beijou suas mãos.

– Eles só estão zelando por você.

– Estão é se metendo na minha vida. Maltratando uma pessoa que eu amo...

Ao ouvir isso, Leonardo ficou olhando para ela. Um homem era capaz de pensar em um bocado de coisas no espaço de tempo de um engolir de saliva. Em seguida, com certo desconforto, ele abraçou Ivy e apertou-a contra o seu peito. Era a primeira vez que ela dizia que o amava. Mas, para a sua sorte, ele já havia estabelecido camadas, inteligentemente aplicadas, para manter o foco em seu objetivo central.

– Tudo vai dar certo, guria. Confie em mim. Ninguém vai me afastar de você. Agora volta lá e conversa com seu pai. Não quero ver você se indispondo com a sua família.

Ivy parou e mirou os olhos de Leo. Achou incrível que, a despeito das circunstâncias, ele ainda se preocupasse com a sua família. A admiração que sentia por ele só crescia.

– Eu vou voltar, mas só porque ainda quero dizer umas boas verdades pra eles.

– Eu te vejo mais tarde?– ele perguntou.

Em meio às lágrimas, Ivy sorriu.

– Assim que eu resolver isso aqui eu passo lá no hotel. Hoje quero passar cada minuto com você... – Ela levou uma mão à boca. – Ainda não acredito que você vai embora amanhã... – Ameaçou voltar a chorar.

Com carinho, Leonardo encostou seus lábios nos olhos dela, para secar suas lágrimas

– Parte de mim vai comigo, Ivy, mas meu coração vai ficar aqui com você. – E quando ela o agarrou como se fosse a sua tábua de salvação, Leonardo sabia que não havia mais nada a temer. As coisas transcorreriam exatamente como ele queria.

Capítulo 12

Janine abaixou a xícara com o café que acabara de preparar quando Ivy entrou na sala. Imaginava o que estava por vir e ficou preparada para intervir a qualquer momento. Paulo logo se levantou e gritou:

– Precisamos conversar, agora!

– Não vamos chover no molhado, pai. Eu não vou terminar com o Leo porque ele é surfista, porque é um forasteiro, porque vocês não foram com a cara dele, ou porque ele disse umas boas verdades na cara da Amanda.

– Ei! – Amanda se levantou. – Você está do lado dele? Aquele cara é um abusado!

– Ele só falou o que você não queria ouvir, só isso. Todo mundo sabe que Tavinho é inteligente, só precisa de uma ajuda específica.

– Eu não estou acreditando. – Amanda olhou para Adam, que, ofendido, também falou:

– Não pode colocar aquele cara na frente da sua família. Você mal o conhece...

– Não estou colocando ele na frente de ninguém – Ivy disparou. – Queria que ele somasse aqui. Que fosse aceito pela minha família. Gostaria que alguém aqui me desse algum crédito quando eu digo que ele é uma boa pessoa. Mas vocês só fizeram de tudo para que ele se sentisse um fracasso.

– O cara nem trabalha – Amanda resolveu não deixar barato. – O que ele vai fazer quando não puder mais competir? Viver de brisa?

– Ele herdou muitos imóveis da mãe e isso gera uma boa remuneração. Tem dinheiro suficiente para viver. Não foi assim que você viveu depois que a vovó morreu?

Ao tocar no nome da avó, Ivy mexeu em uma ferida exposta.

– Mas eu nunca me conformei com isso. – Amanda agora tinha os olhos úmidos. – Sempre quis trabalhar, desde que ela morreu.

– Mas *ele trabalha* – Ivy continuou defendendo Leo, sentindo o coração apertar ao ver uma lágrima descer pelo rosto da irmã, mas sabendo que precisava ser firme. – No último prêmio ele ganhou cem mil dólares. Eu vi na internet...

– Não quero mais falar sobre isso. – Paulo deu um passo à frente. – Desde que conheceu esse cara, você só tem negligenciado a nossa família. Mal ficou com a gente nas férias. E agora deu para me enfrentar... Eu nem sei mais quem você é.

– Ainda sou sua filha, pai, mas cresci! Não posso ser tratada como criança. Estou cansada de ser achatada por vocês!

– Achatada? – Adam se adiantou, inconformado. – Sempre fizemos tudo por você, sua ingrata. Sempre atendemos a todas as suas vontades. Você teve de tudo.

Ivy virou-se de costas, não por discordar dele, mas porque não suportava um confronto frente a frente com Adam.

– Não tive liberdade. Vocês sempre me controlaram. Eu só ganhava tudo quando correspondia às suas ordens.

– Mas assim é a vida, filha, tem regras e recompensas. – Janine tentou acalmá-la, tocando seu ombro, pois não estava gostando do rumo das coisas.

– Eu quero viver minha vida, mãe. Só isso. Deixa eu sofrer as consequências das minhas escolhas. Se eu errar, paciência. Todo mundo aqui já errou um dia. – Ela deixou várias flechadas flutuarem pela sala com aquela frase.

Adam sentiu uma dor de cabeça se insinuando por trás dos seus olhos quando percebeu que aquela conversa poderia piorar.

– É por isso mesmo que tentamos te poupar – ele disse. – Você devia agradecer por ter a nossa orientação. Somos mais velhos, temos mais experiência. Enxergamos coisas que você não consegue ver... Esse tal de Leo não tem futuro nenhum. Não podemos permitir que você fique com ele.

Ao ouvir isso, Ivy se virou para o irmão, rígida. Nunca pensara em ir contra a vontade dos pais, muito menos enfrentar Adam declaramente. Mas que se danasse, era sua vida.

– E o que vocês pretendem fazer? Trancar-me no meu quarto? Não poderão passar o resto da vida controlando meu itinerário... E, quando eu estou na rua, posso dar um jeito de ver quem eu quiser. Você não é tão poderoso nem onipresente. Você não é Deus para ter o controle de tudo, Adam. E também não é o meu pai. Devia se preocupar mais em observar e ajudar a deficiência do seu filho, que você e Amanda insistem em negligenciar, torcendo para que o problema simplesmente desapareça.

As mãos de Adam se fecharam em punhos ao lado do corpo ao ouvir aquilo da irmã. Pela primeira vez em sua vida, desejou esbofeteá-la. E isso o chocou. Como Lili já estava chorando baixinho, Aléxia tirou as crianças da sala e levou-as para o quarto dos avós.

– Não seja tão baixa, Ivy. Não é me atacando que vai fazer com que eu pare de me preocupar com você. Vamos querer saber onde você está o tempo todo a partir de agora. E se eu te vir com aquele cara de novo, eu juro que parto ele no meio.

Com um sorriso debochado, Ivy cruzou os braços. O que sentia por Leonardo estava lhe dando uma força que nunca tivera para enfrentar a família, mesmo que isso doesse. Rafael observava tudo calado, analisando a irmã de perfil. Estava na cara que ela não ia recuar, mantinha-se decidida.

– Sempre resolvendo tudo na força, né, maninho? Mas tudo bem – ela disse. – A partir de hoje, vou te dar satisfação de cada passo meu. Sou uma ótima mentirosa quando quero.

Oscilando entre a raiva e o choque, Paulo a pegou pelo braço.

– Como pode se gabar de uma coisa dessas? Eu... Agora você passou de todos os limites, mocinha. Escute bem o que vou te dizer. – Paulo a virou de frente para ele, o desgosto cortando-o como uma faca. Nunca pensara que sua filhinha um dia fosse contestar suas ordens daquela maneira. Janine deu um passo até eles, maldizendo-se por ter concordado com aquele almoço. – Enquanto morar na minha a casa e viver do meu dinheiro, vai fazer o que eu mando. Pensei que a criação que eu e sua mãe demos a você fosse o suficiente para que você nos respeitasse, mas pelo visto não foi. Nem por temor a Deus você está nos respeitando. Acha que isso está certo? É isso que a Bíblia diz?

– A Bíblia diz muita coisa – Ivy rebateu –, como não incitar a ira dos filhos nem julgar os outros como vocês fizeram com o Leo. E pare de jogar seu dinheiro na minha cara. Posso viver muito bem sem você!

Foi a gota d'água. Ela estava usando a Bíblia para defender aquele safado. Desafiando o pai... Adam saiu de perto de Amanda e tirou Paulo da frente de Ivy.

– Deixa, pai, agora eu vou cuidar dela como se deve. Vamos ver se alguns minutos sozinha põe seus parafusos no lugar. – E, num movimento brusco, conduziu-a pelo braço aos gritos até o fim do corredor. Em seguida, jogou-a na própria cama e pegou a chave da porta, trancando-a no quarto.

Histérica, Ivy se levantou e começou a socar a porta. Aquilo era um absurdo! O fim do mundo! Nenhuma de suas amigas jamais devia ter passado por um constrangimento tão grande na vida. Ficou socando e gritando até começar a soluçar e perder as forças, sentando-se no chão. Estava desesperada. Não podia passar a última noite de Leo na cidade presa naquele aposento. Olhou para janela, amaldiçoando quem recentemente havia colocado aquela maldita grade. Nem a consultaram para fazer isso. Não tinha domínio sobre nada. Nada na sua vida era seu. O ambiente que sempre lhe trouxera abrigo e conforto agora parecia ser a sua prisão.

Sentindo-se a mais infeliz das mulheres, arrastou-se para a cama e deitou-se de lado, deixando que as lágrimas abundassem. Levada pelo desespero e pela pena de si mesma, fechou os olhos. Queria enroscar-se na cama e dormir até morrer. Tentando se acalmar, pegou o celular e ligou para Leo. Precisava informá-lo sobre o que havia acontecido. Soluçava incansavelmente enquanto discava, mas, quando a ligação completou, ele não atendeu. O telefone tocou, tocou e tocou... Ivy começou a ficar aflita. Como consolo, olhou a foto deles no passeio de balão. Não sabia que estava caminhando para isso, mas fora lá que se apaixonara por Leo. Fora lá, perto das nuvens, que começara a amá-lo.

Depois de duas horas tentando ligar, Ivy começou a ser sondada pelos piores pensamentos. Será que depois daquilo tudo Leonardo decidira ir embora mais cedo? Será que resolvera ser melhor os dois não se verem mais? Será que não tivera coragem de se despedir?

O que deveria fazer? Meditou já em pânico. Agora que sabia que era capaz de amar um homem até que doesse, como conseguiria voltar ao vazio da sua existência, que sempre fora tão familiar, mas que agora parecia sufocá-la?

Ivy foi definhando ao longo da tarde, consultando a internet de um em um segundo para ver se chegava uma nova mensagem, mas nada. Às sete horas da noite, já tinha chorado tanto que simplesmente respirar fazia o seu peito doer. Também estava com dor de cabeça e os olhos inchados. Ouvira a mãe e o pai discutindo. Janine queria abrir a porta para conversar com a filha, mas seu pai não deixou. Lili passou um bilhetinho de apoio por debaixo da porta, que Ivy não se deu ao trabalho de pegar. Não queria ver ninguém. Eles tinham arruinado a sua vida, na sua opinião. Às oito horas da noite, no auge da entrega e do desespero, finalmente Ivy resolveu orar. Pediu a Deus para que não tirasse Leonardo da sua vida, que tocasse o coração de seus pais em relação a ele. Lembrou-se de um versículo do Salmo de David (142:6):

Atende o meu clamor, porque estou muito abatido. Livra-me dos meus perseguidores, porque são mais fortes que eu. Tira a minha alma da prisão...

Às dez horas da noite, a porta do seu quarto foi aberta por Amanda, que também estava com os olhos inchados. Estava com os gêmeos enrolados na toalha e precisava pegar roupas para eles. Ivy nem tentou fugir, sabia que não conseguiria. Não se espantaria se Adam passasse a noite dormindo diante da sua porta como um cachorro. Ela estava sem forças para lutar, precisava confiar na vontade de Deus.

Amanda não disse nada. Somente entrou e abriu uma gaveta para pegar as roupas dos filhos. Nicolas sentou-se na cama e Cauê deitou-se de costas para a tia. Ivy deu um leve sorriso e passou o braço pelo corpinho dele, depois beijou sua cabeça por trás. Arrependeu-se imediatamente de não ter lido o bilhete de Lili. Adorava aquelas crianças. Eles não tinham culpa de nada. Quando Amanda pegou tudo que precisava e levou as crianças para fora do quarto, Aléxia entrou. Ela também não disse nada, só sentou-se na beirada da cama e olhou para Ivy com complacência. Ivy imediatamente veio chorar em seu colo, enquanto Aléxia acariciava a sua cabeça. Depois de desabafar, Ivy se sentou e encarou a cunhada.

– Acha que eu estou errada?

Aléxia ponderou sobre o que ia dizer.

– Acho que você foi muito dura com eles.

Ivy baixou a cabeça.

– Eu sei. – E isso massacrava o seu coração. – Mas o que eu podia fazer? Estou cansada disso, Aléxia. E agora... – Contorceu o rosto mais uma vez. – Agora Leonardo não me atende no telefone...

Comovida, Aléxia puxou-a para um abraço e alisou suas costas.

– Ele vai atender. Também deve estar tenso com tudo isso. Dê um tempo a ele.

– Mas ele vai embora amanhã, e nem poderemos nos despedir...

– Tudo vai dar certo, Ivy. As coisas são como devem ser. Confie em Deus. Se Leonardo não gostasse de você, não teria vindo até aqui. Ele vai te esperar... Eu também era superprotegida pelo meu pai, e detestava. Mas acho que nunca disse as coisas que você disse aqui hoje para a sua família.

Ivy secou os olhos.

– Eu estou muito mal com tudo isso, Aléxia, acredite em mim. Já até pedi perdão a Deus por tudo que eu disse. Mas não posso aceitar todo esse controle pra sempre. Preciso me impor.

– Mas pode fazer isso sem magoar as pessoas. Amanda passou a tarde toda chorando.

Ivy enxugou os olhos.

– Mas eu não a ofendi, apenas falei o que ela e Adam precisavam ouvir. Tavinho precisa de ajuda.

– Eu concordo, mas você não devia ter usado isso para feri-los. Não devia ter falado daquela maneira. Tavinho também está se sentindo culpado. Acha que foi o estopim dessa briga. Não suportou ver a mãe chorando no quarto. Ficou dizendo para Amanda que iria estudar, que iria melhorar sua notas... Daí, ela chorou mais ainda...

Ao ouvir isso, Ivy desejou desaparecer. Nunca em sua vida desejara magoar o sobrinho, fazê-lo sofrer... Como pudera tê-lo usado nos seus ataques...

– Aléxia, chame Tavinho aqui, por favor. Preciso esclarescer tudo isso e me desculpar com ele primeiro. Amanhã eu falo com os outros.

A cunhada concordou com a cabeça, beijou o rosto de Ivy e saiu para chamar o menino. Quando Tavinho chegou, Ivy aconchegou-o nos braços e explicou o quanto o amava, o quanto o achava inteligente, mas disse que cada pessoa era diferente, e que aprendíamos de forma diferente. O menino fingiu compreender para que tudo voltasse o normal. Por dentro, sentia-se um lixo. Não bastasse os xingamentos que ouvia na escola, agora trazia brigas para dentro da própria casa por causa da sua burrice. Precisava se esforçar mais, mesmo que as letras parecessem dançar na sua frente enquanto tentava ler. Às vezes segurava a cabeça, pensando que estava balançando. Mas ele ia conseguir, tinha que conseguir...

Dormiram abraçados naquela noite, Ivy e Tavinho. No meio da madrugada, Cauê apareceu e se deitou no meio deles, então Ivy puxou a cama de baixo para se deitar, deixando os meninos na sua. Mal tinha acabado de deitar e deu um salto quando ouviu o seu smartphone tocar. Zonza de sono, encarou o celular por alguns segundos até ver que era Leo. Subitamente afobada, pulou para cima do aparelho.

– Leo? – sussurou ela, agoniada.

– Abre a janela – ele disse.

Ivy olhou para trás e o viu acenando através da janela de vidro. Um alívio se espalhou por todas as suas veias e seu coração aqueceu. Mas, antes de abri-la, olhou em dúvida para Tavinho e Cauê. Não queria que vissem o que pretendia fazer. Mas também não podia deixar de estar com Leonardo naquela noite. Tentara fazer tudo do jeito certo, de modo transparente, mas sua família a havia impedido de estar com ele logo no último dia. Olhou de novo para o homem devastadoramente lindo por trás da janela. Quando estava com Leo, perdia a cabeça. Nada de pensar no amanhã, ela decidiu. Nada de razão. Só conseguia sentir aquela necessidade latente por ele, pura e simples, como respirar.

Ivy foi até a janela e, sem pensar, abriu-a e apoiou as duas mãos no parapeito. Leonardo veio até ela e, segurando o seu rosto, beijou sua boca apaixonadamente no espaço entre as grades. O gosto dele foi como um bálsamo que acalmou um ferimento no peito de Ivy.

– O que aconteceu? – ele perguntou. – Fiquei te esperando a tarde toda.

– Meu irmão me prendeu no quarto, foi ridículo... Mas eu te liguei várias vezes para avisar, por que você não atendeu? Fiquei desesperada!

Exatamente como ele imaginava...

– Quando fui embora daqui eu estava com a cabeça na lua com tudo o que aconteceu. Fui tomar um café e deixei meu telefone em cima da mesa da cafeteria, que logo descarregou. Só quando cheguei ao hotel me dei conta de que estava sem ele. Daí até eu achar... mas isso não importa. Fiquei de plantão em frente à sua casa até todo mundo apagar as luzes. Você consegue vir aqui fora?

– Não sei. Deve ter alguém dormindo na sala.

– Tenta sair pela cozinha.

– Não dá. Mesmo assim, tenho que passar pela sala.

– Ivy – ele segurou nos seus ombros, olhando-a nos olhos –, eu vou embora amanhã... Aliás – olhou o relógio –, em algumas horas...

– Eu sei. – Ivy não podia imaginar-se mais infeliz.

Leonardo olhou para baixo, no lado esquerdo da janela.

– Você tem essa chave?

Ivy piscou.

– Chave? Que chave?

– Tem um cadeado nesta grade, ela é retrátil.

Ivy espiou do lado de fora, não tinha se dado conta disso.

– Tive uma ideia melhor – ela disse. – Vou sair pela janela do banheiro.

Sem querer, Leonardo soltou uma risada baixinho.

– Sério?

– Dá pra parar de rir? – Ivy ralhou com ele. – Meu ego já sofreu ataques suficientes por hoje.

– Tudo bem. Eu vou dar a volta pra te pegar. – E Leonardo desapareceu de sua vista.

Ivy saiu de fininho do quarto e foi em direção ao banheiro. Pelo menos não devia ser proibido fazer xixi, meditou, diante da sua patética situação. Ficou olhando para a pequena janela, ponderando consigo mesma se devia fazer aquilo. Mas não tinha outra solução. Precisava desperdir-se direito de Leo. Era momento de se entregar àquela aventura. Sendo assim, delegou todo receio para o fundo de sua mente e resolveu pular a janela, como um pássaro livre. Passava o último pé para fora quando Nicolas entrou no banheiro, a tempo de vê-la fugir.

Capítulo 13

A ÁGUA QUENTE QUE ESCORRIA PELO SEU CORPO não parecia querer acordá-lo. Eram sete horas da manhã, e Leonardo voltaria para casa à tarde. Ele havia acordado cedo para tomar um banho e depois passar na casa de Ivy antes de ir. Se tudo corresse como pretendia, talvez adiasse a viagem. Na madrugada anterior, pôde sentir o desespero de Ivy só de pensar na possibilidade de perdê-lo, e Leonardo incentivou seu temor. Fez juras de amor, mas deixou claro que seria muito difícil manter um relacionamento como esse, sem a aprovação dos pais dela, a distância. *O medo é uma algema eficiente,* ele pensou.

Ivy chorou mais ainda.

Satisfeito com o rumo das coisas, Leonardo olhou para si mesmo através do pequeno espelho que havia dentro do boxe. Sua mala já estava preparada em cima da cama, a passagem comprada, mas isso não seria um problema. Estava disposto a perder o dinheiro se precisasse de tempo para conseguir o que queria de Ivy. Lamentava somente que estivesse muito tempo sem fazer fisioterapia, pois o joelho estava dando umas fisgadas nos últimos dias. Nada que abalasse seu ânimo.

Quando veio para São Lourenço, meditou ele ao desligar o chuveiro, não imaginava que sua viagem fosse dar uma reviravolta tão louca. Mas tudo estava saindo muito melhor do que ele imaginava. Nem em seus maiores sonhos poderia bolar um plano mais perfeito do que aquele. O destino o conduzira até ali, para que fizesse justiça. Devia isso a si mesmo e às pessoas que amava. Fazia isso em memória deles.

Uma parte de Leonardo lamentava ter de envolver uma pessoa inocente nisso, mas não havia espaço para piedade em seu coração. Só ele sabia o que havia suportado por toda uma vida. Só ele sabia o que lhe fora arrancado. Ele sofrera, mas ela também iria sofrer.

Assim que colocou o primeiro pé para fora do boxe, a campanhia do quarto tocou. Leonardo estreitou os olhos e olhou o relógio, ainda era cedo, e ele não havia pedido nada no quarto. Devia ser Ivy, ele supôs satisfeito. Ela devia ter dado um jeito de escapar para ficar mais tempo com ele. Leonardo sorriu para o espelho, ela era danada. Planejando atender assim mesmo, enrolou uma toalha na cintura, pegou a toalha de rosto para enxugar os cabelos e andou em direção à porta. Antes de abri-la, colocou a pequena toalha no ombro e abriu um sorriso encantador. Porém, antes de cumprimentar a visita, Leonardo só teve tempo de fazer um "O" com a boca antes de ser atingido com um soco no olho, que o fez cair para trás.

– Que porra é essa? – perguntou ao cair.

Sem responder, Adam pegou-o pelos cabelos e jogou Leonardo na cama, como se fosse um fantoche. Em seguida, fechou a porta calmamente, pegou uma cadeira que viu disponível e sentou-se com uma perna de cada lado, de frente para o encosto.

– Isso – apontou para o olho de Leo – é uma amostra grátis do que vai acontecer se você pisar na minha rua de novo. Aliás, no meu bairro. Se eu te vir a cem quilômetros de Ivy, arranco a sua cabeça. Entendeu, playboyzinho?

– Eu posso saber o porquê de tudo isso? – Leonardo perguntou, com a mão no olho.

– Você sabe muito bem. Meu filho viu Ivy fugindo ontem de madrugada com a sua ajuda. Ela nunca fez isso. E também nunca havia sido tão agressiva com nosso pai.

– Ela foi agressiva e eu que apanho? – O sorriso de Leonardo foi cínico e zombeteiro.

– Quer outro olho roxo para ficar combinando?

– Não, não... – Leonardo se sentou melhor, pressionando o punho contra a têmpora afetada. – Já estou satisfeito com esse. – E pior que estava mesmo. – Desculpe seu filho ter visto a fuga. Um descuido da nossa parte.

Adam inclinou-se ainda mais para a frente.

– Não quero você na minha casa. Não quero você na minha rua. E não quero você na minha cidade.

– Não sabia que você era o prefeito. – Leonardo esboçou outro sorriso arrogante. Adam crispou-se com o comentário. Ele era como uma banana de dinamite pronta a explodir a qualquer momento. – Não tenho medo de você, Adam. Mas também não vou cair nessa armadilha infantil. Eu jamais levantaria a mão para o irmão preferido de Ivy. E, se você fosse inteligente, não teria me dado esse soco.

Adam sentiu o estômago gelar quando percebeu que Leonardo tinha razão. Não havia meditado por esse prisma. Se havia vindo provocar Leonardo, pelo visto perdera a viagem.

– A que horas você vai embora? – Adam perguntou ao se levantar e chutar a cadeira de lado, com frustração.

– Às duas horas da tarde.

– Ótimo. Até lá, fique longe de Ivy, ou vai voltar com uma costela quebrada pra casa.

Leonardo apontou para o quadro de Adam.

– Ninguém imagina que as mãos do artista podem ser tão pesadas.

– Até agora quem te socou foi só o artista. Apareça na minha casa e vai ver o mecânico da oficina te dar uma surra. – Dito isso, Adam virou-se de costas e saiu batendo a porta com força.

Respirando fundo, Leonardo se levantou para olhar no espelho o olho que latejava tremendamente. E concluiu, satisfeito, que o hematoma que provocara escureceria em poucos minutos. Prosseguiu com os planos matinais e vestiu a roupa que havia separado para a viagem. Em seguida, colocou os óculos escuros e desceu para tomar um café. Resistiu à tentação de pedir um pouco de gelo para colocar sobre o olho que doía. Quanto mais escuro ficasse, melhor. Acabou de comer e já ia ligar para Ivy quando alguém chegou por trás e tapou os seus olhos. O perfume da sua pele era inconfundível.

– Bom dia, meu amor – sussurrou Ivy em seu ouvido.

Sorrindo, Leonardo puxou sua mão até que Ivy se sentasse no seu colo, mas, quando ela retirou os óculos do rosto dele após beijá-lo, levou as duas mãos a boca para sufocar um grito de espanto.

– Leonardo, pelo amor de Deus, o que foi isso?

Leonardo ficou fitando Ivy por um momento, impassível, não revelando nada.

– Foi a despedida do seu irmão – disse ele, por fim.

Perplexa, Ivy ficou parada olhando para ele, depois colocou-se em pé.

– Que irmão?

– Adam?

– Eu não acredito... – Ela levou as duas mãos à própria cabeça. – E quando foi isso?

– Meia hora atrás. Ele foi até o meu quarto e, quando eu abri a porta para atendê-lo, levei um gancho de direita. Ele bate bem.

Ivy não podia acreditar.

– Vocês dois brigaram?

– Eu não revidei. Entendi que Adam estava nervoso. Seu sobrinho te viu fugindo ontem e contou para ele.

Ivy colocou a bolsa na mesa, com uma expressão compadecida.

– E depois eles dizem *que eu* é quem passou dos limites! Isso não vai ficar assim. – Ela ficou furiosa. – Eu vou agora mesmo lá em casa e...

– Ivy. – Leonardo a segurou. – Sente-se aqui. Precisamos conversar.

No mesmo instante, Ivy sentiu cada mililitro do seu sangue gelar.

– Conversar sobre o quê?

– Sobre nós.

Anestesiada, Ivy sentou-se diante de Leo, com os olhos arregalados, como se fosse receber uma notícia de morte. Leonardo colocou a xícara entre eles de lado e cruzou os braços por cima da mesa.

– Não vai dar pra ser assim. – Foi a primeira frase dele. – Eu quero, você quer, mas simplesmente não dá.

Os olhos de Ivy umedeceram imediatamente.

– O que está querendo dizer?

– Que vai ser impossível prosseguirmos com isso. – Ele apontou para os dois.

– Leo, não... – Ela começou e se sentir perdida, sem poder evitar o vazio imediato que percorreu seu corpo todo e quase a desestruturou.

Leonardo fez uma cara arrasada.

– Sua família nunca vai me aprovar.

– E o que eu posso fazer? – Ela protestou, entrando em pânico. – Minha família é maluca. Se eu pudesse sacudir o meu pai até que ele entendesse que sei o que quero pra mim, eu faria isso. Mas sei que não iria adiantar.

– E como vamos namorar a distância assim? – Leonardo apontou o próprio olho. – E se toda vez que vier eu for perseguido pela sua família? Adam ameaçou quebrar minha costela se eu não sair da cidade.

Ivy apertou as mãos dele.

– Adam é um idiota, Leo. Um idiota completo. Nunca mais falo com ele pelo que fez com você... – Ela nunca havia sentido tanta raiva do irmão.

– Ivy – Leonardo segurou-a nos seus punhos com ternura –, eu não quero isso. Não quero vê-la brigando com eles, vivendo infeliz...

– Vou ficar muito mais infeliz se perder você.

Era exatamente o que Leonardo queria ouvir. Preparado para lançar a isca, ele ainda ficou calado por alguns segundos.

– Também não sei como farei pra ficar sem você.

– Então não vá. Precisamos de mais tempo – ela implorou.

– Sinto muito, linda, mas já fiquei tempo demais. Preciso retomar minha vida, minha fisoterapia, meus treinos...

Ivy ficou sem chão. Ela sabia que não poderia prender Leonardo em sua cidade para sempre. Então, apoiou os cotovelos na mesa, tapou os olhos e começou a chorar. Leonardo ficou incomodado quando seu coração condoeu-se. Ele levantou o queixo dela com a mão, numa carícia inesperada, e pediu enfim:

– Venha comigo.

Ivy paralisou com aquela proposta. Pensou não ter ouvido direito. O que Leonardo queria dizer? Queria que fugisse com ele?

– Você já é maior de idade – ele continuou, disposto a ir até as últimas consequências para executar o seu plano. – Já pode até se casar, se quiser. Escuta – ele se levantou, colocou-a em pé e a segurou pelos seus ombros –, sei que nos conhecemos há pouco tempo, eu mesmo achei isso tudo uma loucura quando pensei nisso ontem à noite, mas não quero mais me afastar de você. Eu nunca senti isso por ninguém, e tenho quase certeza de que nunca mais voltarei a sentir. Se não me casar com você, não vou me casar com mais ninguém...

A palavra casamento causou uma tontura em Ivy e ela precisou se sentar. Sua cabeça girava aceleradamente. É certo que não conseguia mais se imaginar longe de Leo, mas daí a casar! Só se conheciam havia algumas semanas... Portanto, não conseguiu compreender a si mesma quando seu lábios sorriram ao pensar na proposta.

– Casar? – Seus olhos brilharam para ele, enquanto Ivy era invadida por uma alegria que a deixou atônita. – Tem certeza de que é isso que você quer?

Abaixando-se, Leonardo apoiou sua testa na dela. As mãos que apertavam seus ombros afrouxaram e ele as deslizou suavemente pelos seus braços.

– Sei disso desde o primeiro dia em que te beijei naquela fazenda, quando você me disse que só daria chance a um homem com o qual pretendesse se casar. E depois que ficamos juntos... Não sei explicar, Ivy. Eu não planejei sentir isso... Mas acho que era o destino. Eu precisava encontrar você. E depois daquele dia em que fomos juntos à sua igreja, eu percebi quanta coisa você tinha para me dar. Se você tivesse aparecido antes na minha vida, eu não estaria preparado. Se tivesse demorado um pouco mais, talvez eu não tivesse notado. Acho que Deus já havia planejado o nosso encontro exatamente nesse momento. – Ele sabia que aquele argumento iria tocá-la. – Você já transformou muita coisa dentro de mim, mesmo sem perceber. Você tem me ganhado nos detalhes. No modo como me olha. No modo como confiou em mim, sem receios... A sua pureza me encantou. Por isso, mesmo que o futuro seja cheio de incertezas, mesmo que possa estar achando que esse meu pedido egoísta, eu vou te pedir. Porque, ainda que não aceite, pelo menos eu vou saber que tentei. Mas, se você for embora comigo agora, eu juro que vou fazer de tudo para sermos felizes. Sei que parece precipitado. Sei que é um risco. Para mim e para você. Mas eu pulo nesse abismo se você me der a mão.

Foi a cartada final. Extremamente comovida, Ivy ficou meditando nas suas palavras. Também acreditava de todo o coração que fora Deus Quem colocara Leonardo em seu caminho. Por isso, se levantou com firmeza e segurou o rosto dele, mergulhada em seus olhos cor de esmeralda, e beijou a pele próxima de onde Adam batera.

– Você está certo – disse ela com brandura. – Eu já sou maior de idade e posso decidir o que fazer da minha vida. Mas não vou fugir. Vou sair pela porta da frente para me casar com você. Eu te amo, Leo. Amo como nunca amei niguém na minha vida. Quero construir um futuro com você, não importa o que os outros digam. A palavra de Deus diz que o amor lança fora todo o medo. Então, eu vou. Eu vou embora com você para Florianópolis.

– A partir de hoje eu vou ser a sua família – Leo disse.

– E eu a sua – ela respondeu.

Capítulo 14

Paulo estava sentado no sofá da sala mirando pensativamente a fulmegante xícara de café que equilibrava no joelho, na qual não dera um gole sequer. Desde que soubera que Ivy escapulira de madrugada, e que não estava em casa assim que amanheceu, sentiu como se tivesse perdido o chão. Nunca imaginou que a filha chegaria àquele nível de rebeldia. Nenhum de seus filhos jamais fizera isso. Nem mesmo Rafael. Por mais que tivesse aprontado na adolescência, nunca enfrentara o pai daquela maneira tão desacarada. Sempre se arrependeu, sempre pediu desculpas e procurou respeitar as punições e castigos. Paulo estava desolado.

Janine, que já chorara tanto no banheiro e estava explodindo de dor de cabeça, procurava agora consolar o marido. Trazê-lo à razão para que pudessem resolver aquela situação sem mortos e feridos. Rafael também estava na sala, fingindo ver televisão e fazendo comentários esporádicos sobre as notícias do jornal para tentar, sem sucesso, atrair a atenção do pai. Amanda havia saído de casa por causa do clima pesado, levando as crianças para passear. Aléxia cuidava do almoço e Foguete, alheio a tudo, estava na cozinha com ela. O mais nervoso de todos era Adam, que estava sentado olhando para a porta e balançando nervosamente um dos joelhos. E quando Ivy passou por ela de mãos dadas com Leo, ele foi o primeiro a se levantar. Ivy parou na frente do namorado.

– Se quiser bater nele, vai ter que bater em mim primeiro – começou ela, em tom de exasperação.

Adam deu um passo para a frente, encarando-a como se fosse um inseto, e avisou:

– Ele tem um segundo para sair desta casa, senão eu...

– Você não vai fazer nada – disse Janine se aproximando. – Esta é minha casa, Adam. Não quero brigas aqui.

– Mas esse cara...

– Se não quiser ficar perto de Leonardo, vai dar uma volta. Precisamos conversar com a sua irmã em paz.

Leonardo olhou para Adam e, mesmo com um dos olhos inchados, Adam percebeu a sua satisfação.

– Pois eu vou ficar aqui. Quero saber no que vai dar essa conversa. – Adam se sentou. – Sugiro que não saia da frente dele – aconselhou à irmã.

Ivy ignorou o comentário e olhou para o pai.

– Podemos conversar civilizadamente?

Paulo não respondeu, apenas manteve uma expressão impassível e olhou o espaço vago na poltrona da frente. Ivy colocou sua bolsa na mesinha de centro e se sentou de frente para ele, enquanto Leonardo ficou parado em pé ao seu lado, como um soldado.

A caminhada até a casa havia reforçado ainda mais a determinação de Ivy. Repetia-se loucamente que casamentos rápidos às vezes duravam muito mais do que os que eram fruto de um noivado duradouro. Além do que, não podia suportar a ideia de passar mais um dia sequer sem estar com Leonardo, e a melhor solução para isso, a solução correta, era se casar. Por incrível que pareça, estava até animada perante a ideia. A única nuvem no horizonte era como contar isso aos seus pais. Mas ela lembrou-se do que Leonardo lhe dissera antes de entrarem na casa: não tem como fazer um omelete sem quebrar os ovos. Aléxia apareceu na porta da cozinha, enxugando as mãos. Ivy foi direta.

– Vamos nos casar.

O silêncio com que foi recebida aquela frase refletiu o choque de todos.

– O QUÊ? – berrou sua mãe de repente, até então a serenidade em pessoa. – Ficou maluca?

Ivy olhou para ela e manteve o tom calmo.

– Gostaria de fazer isso com a aprovação de vocês, mãe, por isso estamos aqui.

Adam se sentia caindo de um precipício.

– Ivy – disse ele –, por tudo que é mais sagrado, não vê que esse idiota não é bom o suficiente para você?

Ivy deu uma risada impulsiva e virou o rosto para o irmão.

– Para você, ninguém nunca será – rebateu ressentida.

– Pois você não tem a minha aprovação – disse Janine, com uma paciência de santa, na opinião de Adam. – Casamento é uma instituição muito séria, estabelecida por Deus. Você precisa orar para saber se Deus aprova essa união.

– Você só precisa orar quando ainda não sabe a resposta, mãe. Eu já sei.

– Como pode saber? Vocês mal se conhecem...

– Puta que pariu! – Adam explodiu e saiu batendo a porta da sala.

Ivy se voltou para Paulo, que permanecia calado e com os olhos fixos nela. Adorava o pai e o irmão, mas às vezes tinha vontade de bater a cabeça dos dois.

– Pai, não me deixe ir embora sem a sua bênção. Se você concordar, eu me caso aqui mesmo. Só vou embora depois que me casar.

Paulo continuou em silêncio por um momento.

– E se eu não concordar? – perguntou num murmúrio.

Ivy enterneceu os olhos para ele.

– Não quero mais ficar longe de Leo, pai. Essa é a minha escolha.

Paulo a analisou por alguns segundos, pois sabia reconhecer uma batalha perdida, e disse:

– Pois então pode ir.

Um sorriso esperançoso iluminou o rosto de Ivy.

– Vai permitir que a gente se case?

– Não. – Paulo colocou a xícara na mesinha de centro e se inclinou para a frente, apoiando os cotovelos nos joelhos para olhá-la direto nos olhos. – Estou respeitando sua escolha. Independentemente do que eu diga, você já escolheu esse estranho. Não está me dando opção. Então vá embora com ele. Mas, assim que sair por essa porta, saiba que nunca mais poderá pisar aqui.

Foi como se ele tivesse dado um soco no estômago dela. Suas pernas ficaram entorpecidas, observando os olhos do pai.

– Está me expulsando de casa? – perguntou ela, com voz fraca.

– Já disse que não. Mas se quiser viver aqui, vai ser sob as minhas regras. E não me parece que é isso que você quer.

– Pai, não faça isso – se meteu Rafael, saindo da posição de Suíça, sempre neutro. – Vamos chegar a um acordo. Estamos todos chocados com a notícia.

– Isso mesmo – reforçou Aléxia. – Acho melhor cada um pensar sobre o que foi dito e nos encontrarmos de novo amanhã. Nada como uma boa noite de sono...

– Não preciso pensar em mais nada. – Paulo se levantou. – Se Ivy não quer respeitar minhas normas, que saia daqui. Eu não aprovo esse casamento, assim como não aprovo o namoro. Como poderia aprovar uma relação que transformou minha filha nessa rebelde? Você já se acha adulta? – Ele olhou para Ivy. – Então, espero que saiba como ganhar a vida. Não quero que leve nem um grampo de cabelo desta casa. Saia com a roupa do corpo.

– Paulo, não... – Janine rompeu em lágrimas.

– Está decidido – ele foi firme. – E se eu souber que você ajudou Ivy de alguma forma, nós dois teremos grandes problemas.

– Mas ela é nossa filha...

– Mas parece que não se lembra disso. Ela não está se rebelando só contra mim, Janine, mas também contra você, contra toda esta família, contra Deus!

Janine levou as mãos ao rosto e começou a soluçar, sem saber o que fazer. Sabia que o marido estava certo quanto ao que dissera, mas ele não precisava ser tão rígido... A pobre Ivy não sabia o que estava fazendo...

E embora estivesse sangrando por dentro, Ivy levantou o queixo e pegou a bolsa de novo, como uma declaração da sua vontade.

– Sinto muito que tenha que ser assim, pai. Realmente sinto. Tenho certeza de que muito em breve o senhor vai se arrepender por me tratar desse jeito. Eu conheço o seu coração. E quero que saiba que eu lhe perdoo. Não levo mágoas comigo.

– Mas deixa muitas aqui. – Paulo se virou e sumiu no corredor quando foi para o quarto. Rafael o seguiu para tentar reverter a situação.

Aléxia se aproximou e tocou o ombro de Ivy.

– Podemos conversar na cozinha?

Ivy olhou para Leo, que indicou com a cabeça para que ela fosse. E assim que as duas saíram, ele ficou encarando Janine por longo tempo, até que ela percebeu.

– O que está olhando? – ela perguntou. – Está satisfeito com o estrago que fez?

Leonardo examinou atentamente o seu rosto. Nem quando ganhou seus troféus sentiu-se tão vitorioso como naquele instante.

– Só estou apreciando bem o momento – ele disse.

Estranhando a resposta, Janine estreitou os olhos.

– Quem é você, afinal?

Pensativo, Leonardo inclinou a cabeça de lado.

– Você pode pensar em mim como *o troco*. Ou como justiça terrena. Como preferir...

– Mas o que...

– Não, Aléxia, você não vai me convencer a fazer isso. – Determinada, Ivy já retornava da cozinha. – Nada vai mudar até amanhã. E Leonardo não pode mais esperar. Tem tratamentos a fazer... Vou entrar em contato com você, deixar meus contatos. Quando meu pai se acalmar, poderá me procurar.

– Ele não vai fazer isso – Janine avisou. – Seu pai está muito magoado. Pense bem no que está fazendo, minha filha. Você pode estar arruinando a sua vida...

– Estou apenas começando, mãe. Ao lado do homem que eu amo.

– Mas será que ele te ama da mesma forma?

Com doçura, Ivy deu um sorriso fraco e envolveu a mãe num abraço. Estava acostumada com a preocupação excessiva de Janine, mas já era hora de seguir a própria vida.

– Vou cuidar dela, dona Janine, fique tranquila... – Leonardo forçou uma expressão amigável quando pegou Ivy pela mão e carregou-a até a porta. Com o coração apertado, Ivy olhou para trás antes de sair.

– Vou ficar bem, mãe. Fica tranquila. Eu estou feliz.

Janine enxugou as lágrimas dos olhos. Não havia mais nada a fazer.

– Para onde quer que você vá, minha filha, deixe Cristo ser o seu refúgio.

Ivy assentiu, então eles partiram.

Capítulo 15

Ivy sentia os músculos tensos enquanto permanecia sentada no carro ao lado de Leo. Estavam indo de táxi até o aeroporto em Juiz de Fora, a duzentos e quarenta quilômetros de São Lourenço, o que, na opinião de Ivy, custaria uma fortuna. Mas Leonardo não gostava de andar de ônibus, e ela achou que era melhor irem de carro mesmo, pois assim não precisaria viajar ouvindo os ruídos dos outros viajantes. Sua mente estava girando com tantas informações e seu estômago revirava quando pensava no que estava fazendo. Estava sendo atacada por um misto de emoções conflitantes. Triste por ter tido de enfrentar a sua família, mas feliz por estar ao lado do homem que amava. Seu futuro parecia um lindo quadro branco, pronto para ser pintado com as cores do amor.

Quando, enfim, chegaram ao saguão de embarque, conseguiram passagem somente para oito horas da noite e por isso tiveram que procurar um lugar para fazer hora. Foram para uma lanchonete. Ivy ainda continuava introspectiva, com a coluna rígida, pés alinhados, como uma criança que estava esperando para ser chamada na sala do diretor. Suas mãos estavam cerradas sobre o colo. Leonardo a mirava através dos óculos escuros, que colocara para disfarçar o olho machucado, enquanto girava o canudo em seu copo de suco, pensando em como dissolver aquela tensão. Ivy não podia desistir.

– Está arrependida? – ele perguntou.

Assustando-se, Ivy ergueu os olhos para Leo.

– É claro que não.

Leonardo se inclinou para a frente e tocou no queixo dela.

– Então por que está com essa carinha?

Ivy pigarreou, sem coragem de falar a verdade.

– Estou pensando o que fazer com a faculdade. Não posso estudar em Ouro Preto morando em Florianópolis.

– Transferimos a faculdade para lá.

– Precisarei pedir para Aléxia pegar alguns documentos pra mim. E não sei se é tão fácil pedir tranferência entre universidades públicas.

– Se precisar, eu pago uma faculdade particular para você.

Ainda com um ar preocupado, Ivy olhou novamente para as mãos em seu colo.

– Tem certeza de que é só isso? – Leonardo indagou.

Ivy mordeu os lábios, sem conseguir olhar diretamente para ele.

– Só estou um pouco... nervosa... Afinal, são muitas mudanças. – Mas não era só isso que a afligia.

– Tudo vai dar certo, gatinha, confie em mim.

– Eu confio, mas...

Leonardo percebeu que um leve rubor tomou o seu rosto.

– Mas o quê? – ele insitiu.

– Quando chegarmos lá nós vamos... dormir... juntos?

Leonardo soltou uma risada de menino, repleta de alívio.

– É isso que está preocupando você?

Ivy não podia estar mais embaraçada. Sentia-se exposta e infantil. Leonardo segurou o seu rosto e a forçou a olhar para ele.

– Não vamos dormir juntos até que estejamos casados. Sei como isso é importante para você – ele disse, fazendo Ivy expelir ares aliviados dos seus pulmões. Ela pegou a mão dele em sua face e a beijou.

– Obrigada – ela disse. – Não estou preparada para isso. Quero fazer tudo dentro da vontade de Deus.

– E assim será. – Ele sorriu, depois olhou em volta por um segundo. – Vem comigo. – Ele se levantou. – Vamos dar uma volta.

– Jura? – Ivy permaneceu na cadeira. – Foi tão difícil achar uma mesa livre.

– O que vamos fazer é muito mais importante. Vamos usar nosso tempo aqui de forma produtiva.

Como Ivy ficou fascinada com o sorriso de quem ia aprontar de Leo, levantou-se e caminhou com ele sem saber o rumo. Só o fato de segurar a mão dele já fazia Ivy se sentir relaxada e segura. Quase teve uma parada cardíaca, no entanto, quando Leonardo parou em frente a uma refinada joalheria.

– Leo, o que você vai fazer?

Leonardo tirou os óculos de sol.

– Não podemos nos casar sem ficarmos noivos – ele piscou.

– Mas aqui? No meio do aeroporto? – O coração de Ivy começou a ficar disparado.

– E importa o lugar? – Leonardo ficou olhando para ela.

Ivy mirou a joalheria e depois o rosto de Leo. Até com um olho roxo seu namorado era mais que bonito. Não era por ele que ela estava relutante. Na verdade, gostaria muito de ter sua família no dia do seu noivado, sempre sonhara com esse momento, mas precisava se acostumar com a ideia de que talvez ainda levasse algum tempo até Leonardo ser aceito por sua família, se é que ele um dia seria. *Pelo menos*, pensou ela, tentando se consolar, *Deus está em todo lugar e poderá nos abençoar neste momento.*

– Não, não importa o lugar – decidiu ela, feliz.

Ambos foram atendidos por uma vendedora franzina, de voz fina, que vestia um terninho azul-marinho. Usava no pescoço um lenço dourado que acentuava ainda mais a sua pele pálida. Os cabelos castanhos estavam esticados para trás em um coque. Sutentava no rosto um sorriso falsamente simpático e, assim que reparou nas roupas de marca e no relógio de Leo, logo fez Ivy ficar à vontade para experimentar dezenas de alianças com diamantes.

Mas logo se arrependeu, pois Ivy quis olhar a loja inteira.

E quando, por fim, escolheu o anel que mais lhe agradava, ficou completamente chocada ao descobrir o preço da joia. Contudo, Leonardo não pestanejou, disse que só se casaria uma vez e sacou o cartão de crédito para pagar, pedindo duas do mesmo tipo. Ficou um pouco embaraçado quando Ivy insistiu em orar com ele ali mesmo antes de trocarem as alianças. Ela tinha essa estranha mania de orar em público, e isso o incomodava, mas ele cedeu. Tão feliz estava com a venda que até a vendedora participou da oração, embora fosse cética. Durante a troca, Leonardo mirou o rosto de Ivy com veneração, como se estivesse emocionado, e ela nunca se sentiu tão especial em toda a sua vida. Ambos saíram da loja noivos e com Ivy completamente desprovida de preocupações.

Quando foi chegando perto da hora do voo, foi a vez de Leonardo ficar circunspecto. Estava sentado, da sala de embarque, mirando a pista de voo, distante como uma ilha. Ivy apoiava-se nele, encostando a cabeça em seu ombro, e imaginou que o noivo devia estar receoso, pois tinha medo de altura, o que também era verdade. Mas o fato é que Leonardo estava pensando no quanto ele era louco em levar aquele plano até a última consequência. Ia se casar, pelo amor de Deus! Também não compreendia por que uma parte dele estava secretamente satisfeita com aquilo. Estava acostumado à solidão, a ter a casa só para ele. Tentou convencer a si mesmo que era o doce sabor da vingança que deixava aquela sensação de bem-estar no seu estômago.

Mas por que, então, não se sentia completamente à vontade em pensar no que pretendia fazer?

Para reforçar sua determinação, lembrou-se de sua mãe, convalescendo no leito de morte, quando lhe contou toda a verdade sobre a sua história e lhe fez o pedido que estava indelevelmente gravado em seu cérebro. Leonardo devia isso a si mesmo. Ele pensou em quantos anos teve a presença dela roubada por causa dos remédios que tomava para depressão. Como sentia falta dela... No entanto, nos poucos minutos em que ficava com ele, sua mãe era amorosa. Fazia carinho, beijava seus cabelos e dizia o quanto o amava. Mas tudo geralmente terminava com a mãe olhando firmemente em seus olhos, pedindo desculpas e dizendo que precisava ficar sozinha. Dera a Leonardo tudo de material que ele poderia desejar, mas não atenção. Nunca fora a nenhuma reunião do colégio, nunca fora a uma festa de mães, nunca acompanhou um campeonato do filho... Nunca tinha condições. Leonardo tentava compreendê-la. Pelo menos, ela nunca o criticou por conta das suas notas, como a megera da tia, que viera do Rio de Janeiro para criá-lo em troca de um bom honorário, costumava fazer. Também nunca o chamou de estúpido, como o eco dos meninos da escola, e, certa vez, até mesmo um dos professores. Nunca o criticou por entrar em diversas brigas para defender-se quando os colegas tentavam lhe colocar uma orelha de burro, ou o apelidavam de rolha de poço, por estar sempre um pouco acima do peso. Aprendeu a odiar a hora do recreio. Leonardo não tinha amigos. Mas suportou tudo em silêncio, pois não podia aborrecer mais a mãe. Ele poderia escrever um livro com as coisas que sua mãe não sabia a seu respeito. Talvez por isso ela tenha demorado tanto a saber que ele foi expulso da escola do sexto ano. Nunca mais voltou à escola. Odiava-a. E estava cansado de seu fracasso quando finalmente descobriu algo em que ele era realmente bom: a escolinha de surf. A tia o colocara na aula somente para ver-se livre dele durante a manhã. E assim, sem querer, finalmente fez uma coisa boa por ele.

Leonardo arrumou um treinador e começou a se destacar entre os outros alunos. Era ousado e irreverente nas suas manobras. Fora isso, tinha recursos financeiros, o que o permitia comprar tudo de que precisava para treinar e também facilitava que frequentasse as melhores praias dos arredores. Certa vez, chegou até a alugar um helicóptero para levá-los a treinar numa ilha.

Em pouco tempo, também começou a correr, transformando o menino roliço e desajeitado em um rapaz alto e elegante. Mas continuava aquela figura melancólica e sozinha, porém focada nos treinos e determinada a vencer.

Aos dezessete anos, ganhou o primeiro campeonato estadual e conseguiu atrair, pela primeira vez, uma menina para os fundos da sua casa. Um mês depois, perdeu a virgindade com sua professora de inglês. Ganhou confiança, fez uma tatuagem e gozou do verão mais maravilhoso da sua vida.

Nos anos que se seguiram, Leonardo transformou-se em um rapaz vitorioso, persuasivo e de boa estampa. Praticou pesca submarina, esquiou em Aspen e saltou de paraquedas com seu treinador. Aprendeu a usufruir bem do dinheiro de que sempre dispunha. Praticou surf nas melhores costas do mundo de forma perigosamente irresponsável, o que lhe rendeu uma cicatriz embaixo do queixo. Não tinha medo de morrer.

Cresceu até atingir um metro e setenta e oito de altura e quebrou o nariz em uma briga de bar na costa do México. A mulher do cara valia a pena. Foi uma noite memorável.

Continuou não dando atenção aos colegas – para eles, Leonardo ainda era um cara sério e taciturno –, mas interessou-se muito pelas suas amigas. Para aquelas com quem Leonardo dormia, ele parecia encantador e irresistivelmente atrente, mas de uma forma meio sombria. Era fleumático, incansável e inconstante. Morava em São Francisco quando sua mãe fora internada por intoxicação pela última vez. Foi quando voltou para o Brasil, para despedir-se dela e ouvir o pedido que mudaria o curso da sua vida.

Ivy o despertou dos seus devaneios.

– Estão chamando o nosso voo – ela avisou.

Leonardo se levantou e começou a ficar meio tonto. Iria voar. Mas não queria demonstrar seu desconforto na frente de Ivy. De forma decidida, segurou a mão dela com firmeza e seguiu para o portão de embarque, determinado a cumprir o que considerava ser a sua missão. Ivy reparou que eles foram chamados a embarcar antes dos outros passageiros. Quando se sentaram em seus acentos, na parte da frente da aeronave, Ivy na poltrona da janela e ele no corredor, Leonardo fechou os olhos para tentar relaxar. Ivy estava tremendamente excitada alisando a enorme poltrona de couro bege amplamente reclinável.

– Nossa, quanto luxo... Só andei de avião uma vez, quando Rafael me levou para a Disney. Mas não foi na primeira classe. – Ela olhava extasiada para o sistema de vídeo do seu assento, tomadas individuais para laptop e edredom especial oferecido para os clientes.

– Gostaria de estar tão animado. – Leonardo ainda estava de olhos fechados.

Ivy olhou para Leo, com um sorriso compadecido.

– Desculpe, esqueci que você não gosta de altura. Quer que eu peça alguma coisa para você?

– Não, obrigado.

– Aposto que eles servem champanhe aqui. – Ivy deu uma risadinha e pegou a revista que ficava à disposição dos passageiros. – Nem acredito que conseguimos este voo em cima da hora. Afinal, muita gente deve estar voltando de férias. Quando eu fui pra Disney, era mês de julho também. Tinha uma excursão de adolescentes viajando concosco e não conseguimos dormir nem um segundo sequer. – Ela riu. – Acho que Lili devia ter uns dois anos. Mas numa poltrona destas com certeza eu conseguiria dormir. Você já foi à Disney?

– Não.

– É lindo! – Ela suspirou, largando a revista de lado e pegando o cardápio que continha pratos refinadíssimos com sabores mediterrâneos. – Nunca vou me esquecer da primeira fez que vi a mulher vestida de Pequena Sereia. Eu já tinha quase catorze anos, mas fiquei encantada... – Como Leonardo não disse nada, Ivy continuou, porque precisava conversar para distrair a cabeça; o bem material mais precioso que tinha agora era a calça jeans de marca que estava vestindo. – Será que eles cobram pelo lanche? Ouvi dizer que tem uma companhia aérea que cobra o lanche dos passageiros. Você não acha isso um absurdo?

– Você fala bastante, não?

Ivy parou e ficou instantaneamente vermelha. Ela realmente falava demais e tinha consciência de que não era nenhuma intelectual. Talvez os assuntos dela o estivessem aborrecendo. Ou talvez ele só estivesse nervoso por causa do voo. Ao seu silêncio, Leonardo abriu os olhos e se virou para ela.

– Desculpe – ele disse. – É que estou precisando descansar. E meu olho ainda está latejando um pouco.

Com um leve sorriso, Ivy tentou suprimir sua mágoa e começou a olhar através da janela.

Decolaram em poucos minutos. O nariz do avião se levantou e Ivy sentiu um frio do estômago. Leonardo somente apertou o botão eletrônico para deitar a poltrona, pediu uma taça de champanhe *crude* e tentou cochilar durante o voo. Porém, não conseguiu, visto que em poucos minutos Ivy retomou o seu falatório incessante numa tentativa frustrada de acalmá-lo. Suportou-a em silêncio. Por sorte, não pegaram nenhum turbulência durante o trajeto. Ivy aproveitou tudo que a primeira classe tinha a oferecer. Pediu um par de chinelos, um travesseiro, leu as publicações, pediu um sanduíche de salmão, um coquetel de frutas sem álcool, e ainda ganhou uma nécessaire cheia de cosméticos de cortesia da empresa aérea. Sentia-se como se tivesse ido ao shopping center.

Quando enfim começaram a sobrevoar Santa Catarina, depois de uma breve escala no Rio de Janeiro, Leonardo viu o rosto de Ivy se iluminar aos ver as luzes da cidade de Florianópolis abaixo deles. Ela sustentava uma expressão completamente maravilhada, como se fosse começar a viver a melhor etapa da sua vida. Não tinha a menor ideia do destino que caminhava, inexorável, ao seu encontro. E quando sorriu para Leo, ele sentiu uma pontada aguda no coração diante de tanta inocência. Então, olhou para a frente e simplesmente pediu outro drinque.

Capítulo 16

Leonardo acordou com a mãe de todas as ressacas. Estava em sua casa, sozinho, e finalmente chegara o grande dia. Ivy havia dormido em uma pousada no último mês – que ficava a poucos metros da sua casa – e ele, após jantar com ela todas as noites, vinha sempre para sua residência para dormir. Não concordava com aquilo. Achava uma grande bobagem os dois dormirem separados a tão poucos dias do casamento. Porém, precisava respeitar a vontade da noiva, para que Ivy não desistisse. Isso, sim, seria uma tragédia a essa altura do campeonato, visto aonde ele já havia chegado.

Dormiria com ela depois, ele decidiu, pensando em como escolhera mal o vinho que tomara na noite anterior, quando resolveu ir a um bar, sozinho, comemorar sua despedida de solteiro e brindar a si mesmo e a sua engenhosidade. Sua cabeça parecia que ia explodir!

De todo modo, pensou Leonardo, ao cambalear para fora da cama e se deparar com um porta-retrato que Ivy havia comprado na véspera, contendo a foto deles no passeio de balão, estava sendo bom para ele se adaptar à ideia de ter uma mulher morando permanentemnete na sua casa. Ivy estava chegando de mansinho, comprando peças de decoração, mudando móveis de lugar, trazendo algumas de suas peças de roupas... Seria estranho, ele admitiu, e absolutamente assustador, ter uma mulher durante vinte e quatro horas morando com ele.

Leonardo só tinha se apaixonado uma vez. Mas foi um namoro louco, cheio de paixão e ciúmes por parte dela, com brigas enérgicas seguidas de um sexo louco. Mas Carolina nunca morara com ele. Leonardo não permitiu. No máximo, ela dormia de um dia para o outro, mas logo ele arrumava algum motivo para brigar e conseguir três dias consecutivos livre dela para pegar onda.

Mas Ivy não poderia mais ir embora. Não tinha para onde ir.

Pensando nisso, Leonardo foi andando até a varanda e, sentindo uma leve fisgada no joelho lesionado, abriu as cortinas que o separavam da linda vista da praia do Santinho, um dos lugares mais privilegiados de Florianópolis para surfar. Havia constantemente ondas perfeitas e tubulares, de um a oito pés, independentemente da estação do momento. Embora também gostasse muito da praia de Moçambique, considerada um refúgio para surfistas que fogem do *crowd,* como ele, a praia do Santinho era o *seu* santuário.

Convidados por esse gesto, os parcos raios de sol da manhã invadiram o quarto e acariciaram o rosto de Leonardo, assim como seu peito desnudo. A brisa que soparava da água salgada lhe proporcionou um alívio instantâneo. Ele fechou os olhos, respirando o ar marinho estimulante. Adorava aquele lugar. Adorava a quietude da sua rua, a proximidade da costa e o barulho das gaivotas ao longe... Mas andava tão ocupado com Ivy que tinha pouco tempo para praticar seu esporte. Se pudesse, moraria no mar, como um peixe solitário, cujo o único prazer seria sentir o movimento das ondas.

Mas, pelo visto, Ivy também gostara de lá. Ele se lembrou do olhar deslumbrado dela ao conhecer a casa de dois andares, cor de goiaba, de janelas brancas pintadas por ele mesmo. O segundo andar tinha uma grande varanda com uma porta de vidro, que pegava de lado a lado na frente da casa e que dava vista para o oceano. A fachada era indubitavelmente de uma casa de praia, com tudo muito colorido, porém sofisticadamente decorada. Havia uma coluna de tijolos aparente indicando a saída de uma lareira. Ivy passou minutos somente mirando o grande gramado na frente.

Em seguida, fascinada, ela abriu um enorme sorriso quando entrou e viu a enorme parede de vidro da sala, que dava para a piscina e permitia a luz do dia passar. Deslizou a mão pela mesa quadrada, de madeira, para oito pessoas, imaginando uma enorme família, e elogiou o piso de cimento queimado e os quadros com figuras indígenas pendurados nas paredes dos corredores.

Por achar que faltava ali um toque feminino, passou uma semana fazendo compras em companhia de Leo. Como seu casamento seria simples, somente no cartório, Ivy concluiu que eles não ganhariam presentes, por isso fez questão de comprar coisas novas, para simbolizar aquele começo. Leonardo deu carta branca para que a noiva se sentisse em sua casa, e a primeira aquisição dela foi uma manta azul para o sofá em L, marrom, de três lugares, que tinha uma grande escultura em forma humana em madeira do lado.

Leonardo não discutiu, corroborou com todas as suas vontades. Precisava manter Ivy ocupada e com a mente longe da sua família. Sendo assim, sempre que ela começava a ficar pensativa demais, ele incentivava o consumo. E como Ivy deslumbrou-se com a mega Smart TV que estava presa a uma parede de tijolos da sala, Leonardo acabou comprando outra para o futuro quarto do casal.

Para o outro canto da sala, onde ficava a lareira, Ivy comprou uma escultura de bronze, em formato de prancha, para decorar. Somente torceu o nariz para o minibar com dois banquinhos altos que ficava perto de uma pequena janela, pois não gostava de bebidas alcoólicas dentro de casa (mas desse item Leonardo não abriu mão). Convenceu-a de que era um exímio colecionador de vinhos, embora não bebesse com tanta frequência.

Ivy também amou a churrasqueira na varanda, bem como uma rede pendurada na cor verde-limão. Amou o deque de madeira em volta da piscina e a mesa ali montada com um vasto guarda-sol amarelo. Comentou algo sobre ali faltar um cachorro... E com certeza, pensou Leonardo, abrindo os olhos de novo, ela adoraria aquela vista espetacular pela manhã, pelo menos no início de tudo.

Respirando fundo uma última vez, Leonardo virou-se e foi andando para a suíte da casa, lamentando não poder cair na água salgada naquela manhã. Seu terno estava impecavelmente pendurado dentro do closet, colocado por Maria Antonieta, sua auxilar para serviços domésticos. Leonardo não combinava com terno, preferia sua boa e velha roupa de neoprene, mas estava disposto a fazer tudo conforme Ivy idealizara. Por isso, foi se arrumar.

Tirou a cueca samba-canção que vestia, tomou um banho, fez a barba e penteou os cabelos arrumados para trás. Passou vinte minutos no YouTube tentando aprender a dar um nó na gravata recém-comprada, mas não conseguiu. Irritado, lançou-a longe. Iria ter que se virar sem a maldita. Colocou a blusa social branca para dentro da calça, deixou soltos os dois primeiros botões da camisa e vestiu o terno. Finalizou com seu perfume preferido. Já estava de bom tamanho. Não se sentia compelido a ganhar o troféu de noivo do ano.

Quando abriu a primeira gaveta da cômoda para pegar a caixinha com as alianças, avistou a velha foto do pai e parou o que fazia para pegá-la. De tempos em tempos, a examinava. Estava amarelada, mas era a única foto que tinha dele. Leonardo meditou em como sua vida teria sido diferente se ele não tivesse morrido. Será que estaria se casando naquele momento? Provavelmente não.

Mas não adiantava lamentar o passado, Leonardo concluiu, guardando a foto embaixo das cuecas, talvez somente fazer-lhe justiça. E era isso que ele faria naquele dia.

A poucos passos dali, Ivy alisava o vestido branco, colado no corpo, com decote quadrado, que jazia até os joelhos. Ficou grata pela cinta que estava usando, que mantinha todas as suas protuberâncias indesejadas sob controle. Não era bem um vestido de noiva, mas era delicado e servia perfeitamente para o momento. Ninguém que a visse ali, com os cabelos amarrados num coque no alto da cabeça – que ameaçava se desfazer –, devidamente maquiada, poderia imaginar a turbulência de emoções que se passava em seu íntimo.

Estava extremamente feliz porque ia se casar com o homem que amava, mas toda vez que se lembrava da sua família, as lágrimas despontavam mais uma vez, ameaçando borrar o rímel. A única pessoa com quem Ivy tivera contato fora com Aléxia, mas, mesmo assim, só se falaram duas vezes. O resto da família ainda estava muito magoado com ela e, por imposição de Paulo, ninguém mais entrou em contato.

Ivy pensou no pai. Teve uma súbita lembrança de ser jogada por ele no ar, gritando num prazer apavorado, e sorrindo quando era apanhada novamente por suas mãos protetoras. Amava-o profundamente. Como gostaria que ele estivesse ao seu lado para levá-la ao altar. Por que ele tinha que ser tão intransigente? O amor que sentia por ela não fora suficiente para que pudesse ter cedido a fim de mantê-la por perto? Mesmo contrariado? Nunca em sua vida ela pensara em se casar sem a sua presença. Não foi assim que ela sonhara o seu casamento. Mas se todos da sua família achavam que poderiam viver bem sem ela, então ela também poderia. Ou então, iria ter que se adaptar.

Desapontada, Ivy passou os dedos embaixo dos olhos para secar a umidade e sentou-se na poltrona que ficava perto da janela. Espiou a rua para ver se Leonardo já estava chegando, mas não o avistou. Porque estava ansiosa, abriu um pacote de biscoitos recheados de cima do frigobar e começou a comer, sem preocupar-se em tirar o batom que já tinha passado nos lábios. Acordara tão ansiosa que não tinha tomado café da manhã, por isso, agora estava morrendo de fome. Seu casamento no civil seria às onze horas da manhã e a qualquer momento Leonardo apareceria para apanhá-la. Será que ele estava tão nervoso quanto ela?

Ivy ponderou o quanto sua decisão havia sido arriscada. Conhecia Leonardo somente havia cerca de um mês quando decidira casar-se com ele. Porém, meditou ela, comendo mais um biscoito, toda vez que olhava naqueles olhos, de um verde profundo, e para aquele rosto extremamente poético, Ivy perdia-se neles. Leonardo tinha o tipo de olhar que atingia em cheio as entranhas de uma mulher, emanava um misto de sedução e carência. E como alguém poderia resistir a um sotaque tão fabuloso como o dele?

Estava completamente apaixonada. Cegamente apaixonada. E só Deus sabia o esforço que ela fizera para não deixar o noivo dormir em seu quarto por nenhuma noite desde que chegara em Florianópolis. Ivy esperava sinceramente que seu sacrifício fosse recompensado com um casamento extremamente feliz. Pelo menos, ela tinha certeza de que Leonardo também a amava com igual dedicação. Ele lhe propôs casamento; comprara-lhe um estoque de roupas, sapatos e bolsas novas; fazia todas as suas vontades e ainda suportara bravamente a abstinência sexual...

Ai, Jesus!, pensou ela, continuando a comer, finalmente o jejum dele acabaria naquela noite. Ela já havia comprado várias lingeries maravilhosas para aquele momento, que favoreciam extremamente o seu biotipo. Mas, por mais que soubesse tudo sobre sexo na teoria, não tinha ideia de como iria fazê-lo na prática. Contava com a experiência de Leonardo para conduzi-la durante o processo, embora preferisse mil vezes que aquele fosse um momento inusitado para ambos. Como seria melhor se os dois descobrissem o prazer do sexo juntos... Mas ela não podia mudar o passado do noivo, portanto, tiraria proveito da sua habilidade na cama.

Ivy visitara diversos sites no último mês, que falavam sobre o assunto. Rindo sozinha, chegou até a assistir a algumas aulas em vídeo de *pole dance*. Queria aprender a seduzir. Porém, chegou à conclusão de que aquilo era uma arte que viria com o tempo e, possivelmente, com a prática.

E Ivy ansiava por praticar muito com Leo.

Só esperava que ele fosse paciente e que sua primeira vez não doesse muito.

Pensava nisso quando ouviu a campanhia tocar. Sentindo-se instantaneamente melhor, aprumou-se e foi até a porta, num átimo. E, ao abri-la, ofereceu um sorriso largo ao ver o futuro marido segurando um exótico buquê redondo e pequeno, de pimentas vermelhas, e especulou quão generosa era a dádiva que Deus pusera no seu caminho. Leonardo estava lindo. E seu sorriso em resposta ao dela foi adorável. Ele pegou uma de suas mãos e beijou as juntas dos dedos.

– Preparada para se tornar a senhora Belford?

– Mais do que nunca! – Ivy pegou o buquê e afastou-se a fim de dar espaço para Leonardo entrar. – Um buquê de *chilli*? Que original...

– Para já ir apimentando a nossa relação. Gostou?

– Eu adorei. É excitante, provocante e, sobretudo, quente. – Ivy sorriu, mas depois fez uma expressão preocupada. – Não dá azar o noivo ver a noiva antes do casamento?

Leonardo sorriu e aproximou-se do rosto dela.

– Não se preocupe. No nosso caso, a sorte já foi lançada. – E, pegando-a desprevenida, ele lambeu um pedacinho de biscoito que estava no canto direito da boca dela. Ivy estremeceu. – Podemos ir?

– Só um minuto. Ainda falta uma coisa. – Com as pernas fracas, Ivy colocou o buquê na cama e abriu a bolsa para pegar um par de brincos que tinha comprado especialmente para aquela ocasião. Esfregava a orelha antes de colocar o primeiro brinco quando viu por cima do ombro que Leonardo reunia as suas coisas na mala.

– O que está fazendo?

– Guardando tudo. Já fechei sua conta. A partir de agora você vai para a nossa casa. – Ivy não podia exprimir a felicidade que sentiu ao ouvir Leonardo falar *nossa casa*. – Mandei a empregada deixar tudo arrumado. E também pedi que providenciasse o jantar.

Ivy mordeu o lábio inferior enquanto colocava o outro brinco.

– Essa tal de Maria... ela é... nova? Cozinha muito bem? Nunca a vi quando fui lá...

Dobrando uma blusa, Leonardo deu um sorriso discreto.

– Adoro esse seu lado ciumento.

– Não é ciume. – Ivy mentiu, pondo as mãos na cintura. – Só acho que, como futura dona daquela casa, eu já deveria tê-la conhecido.

– Maria só vem duas vezes por semana, e calhou de não ser nos dias em que você foi lá.

– Você não respondeu à minha pergunta. – Ivy foi taxativa. Leonardo girou os olhos para o teto.

– Ela tem sessenta anos. Poderia ser locutora de jogo de futebol, de tanto que fala. E tem mãos de fada para a cozinha. Roubei-a de um restaurante que funcionava aqui perto. Tenho certeza de que Maria preparou um cardápio espetacular para hoje à noite. – Ele parou de falar quando reparou que Ivy começou a torcer as mãos. – O que foi?

– Nada, é que... Nós pensamos em tanta coisa que acabamos nos esquecendo da nossa lua de mel. Podíamos ter organizado uma pequena viagem...

Sem conseguir disfarçar, Leonardo fechou o semblante e olhou novamente para as coisas que arrumava na mala.

– Teremos tempo suficiente para isso. No momento, estou treinando de novo e não posso interromper a fisioterapia.

Ivy calou-se ao perceber que o tom de voz dele tinha mudado. *Talvez*, meditou insegura, *estou sendo exigente demais*. Não queria dar a Leo a impressão de que queria sugar os benefícios financeiros que ele tinha, como uma aspirador de pó implacável.

– Você está certo. Já gastamos muito neste mês. O mais importante é que agora seremos um do outro. Como é da vontade de Deus.

Leonardo ofereceu um sorriso rápido e foi para o banheiro recolher o resto das coisas.

– Deixa que eu faço isso. – Ivy apareceu ao seu lado e espiou o seu rosto. Depois, pegou o batom rosa-nude que ainda estava no balcão e inclinou-se para a frente a fim de fazer um retoque. – Estive pensando... – disse ela, pretendendo soar descontraída –, que tal oferecermos um jantar no próximo final de semana para comemorar nosso casamento? Você poderia chamar seus amigos mais íntimos... Ainda não conheci nenhum deles.

Leonardo parou atrás dela e olhou para Ivy através do espelho.

– Meus amigos mais próximos moram na Califórnia. E nem eram de Florianólis, eram a maioria do litoral de São Paulo ou do Rio. Além do que – ele murmurou na altura do seu pescoço –, não sei se quero ninguém nem tão cedo interrompendo o que vamos começar a fazer. – Ele mordeu a orelha dela e deu um sorriso malicioso. Relaxando, Ivy devolveu o sorriso.

– E vamos fazer isso o tempo todo? – ela brincou, passando o batom.

– Preciso compensar os últimos trinta dias. Prepare-se. Estou com todo o gás. – Ele tentou soar ameaçador.

– Que bom. – Ivy fechou o batom, parecendo resolvida. – Quem sabe assim não concebemos logo o nosso primeiro rebento. Quero ter pelo menos uns quatro. Portanto, quanto antes começarmos, melhor. Olha! – Ela se virou de frente para ele e sorriu, divertida. – Você ficou tão branco quanto um fantasma. Será que vai desistir?

– Claro que não. – Leonardo tentou disfarçar o aperto no estômago. – Só que ainda não havíamos conversado sobre isso. Acho que devíamos esperar mais um pouco...

Ivy cruzou os braços.

– Posso esperar. Desde que você concorde comigo. Serão quatro. Sempre gostei de família grande. É pegar ou largar.

– E se eu não aceitar? – Ele pegou-a pela cintura.

– Aí sou eu quem vai desistir.

Apertando os olhos, Leonardo deixou a cabeça cair de lado enquanto olhava nos olhos dela. Podia reconhecer uma mulher vunerável na sua mão a cinco metros de distância. E no escuro.

– Você não vai, não.

A boca atraente de Ivy comprimiu-se numa expressão teimosa e ela cutucou-o no peito com o dedo indicador.

– Como pode saber? O que você sabe sobre a força dos meus sonhos?

– O suficiente para conluir que não viajaria até aqui para se casar comigo se não estivesse disposta a tudo. Inclusive, abrir mão de ter filhos. Mas não se preocupe, eu quero ter filhos, mas na hora certa. Até lá, vamos ficar somente no treinamento. Podemos começar agora, se você desejar. Eu adoraria arrancar esse seu vestido...

Astuta, Ivy afastou-se dele – pensando na cinta horrorosa que estava usando –, pegou a alça da mala e levou-a até a porta do quarto.

– Nada disso, espertinho. Só poderá tocar neste corpinho depois que colocar uma aliança no meu dedo. Depois disso, serei toda sua. Poderá fazer comigo o que quiser. – Ela abriu a porta que dava para o corredor.

Leonardo colocou as mãos nos bolsos da calça e sorriu.

– É exatamente isso que pretendo – disse ele ao passar por ela.

Capítulo 17

PARA IVY, AQUELE FOI UM MOMENTO MÁGICO. Pouco lhe importava que o cartório era pequeno e nada tinha de romântico. No instante em que seu casamento foi celebrado, ela sabia que sua vida mudaria para melhor. O coro de aleluia ressoava em sua cabeça. E embora fosse nova e ainda inexperiente em muitas coisas, estava disposta a se esforçar para ser a melhor esposa do mundo. Sempre ouvira na igreja que uma pessoa não devia se casar para ser feliz, e sim para fazer o outro feliz. Esse era o segredo de uma casamento duradouro.

Ame o próximo como a ti mesmo, as palavras ecoaram na sua cabeça.

Ela mirou profundamente o rosto de Leonardo ao trocar as alianças e seus olhos eram como uma promessa do que se passava na sua mente. Ele, por sua vez, estava introspectivo. Olhava para Ivy sem esboçar nenhuma emoção. Ela imaginou que por dentro ele estivesse tão extasiado quanto ela, mas os homens eram mais controlados. Ela, no entanto, não pôde evitar que as lágrimas viessem aos olhos quando o juiz os declarou marido e mulher. Aquilo tinha um peso enorme para Ivy. Embora preferisse ter sua cerimônia celebrada por uma autoridade eclesiástica, sabia que Deus estava em todo lugar, e que a lei dos homens era válida no reino Dele. Sendo assim, permitiu que uma lágrima deslizasse por sua face ao abraçar o marido quando a cerimônia acabou. Quis orar com ele ali mesmo, mas Leonardo alegou que havia outros casais esperando e que eles podiam fazer isso em casa.

Quando chegaram, Ivy reparou na mesa do almoço que estava posta. Havia uma enorme travessa com camarões VG, salada verde e risoto de frutos do mar. Uma garrafa de champanhe rosé estava num balde com gelo, a pedido de Leo. Mas Maria não estava mais lá.

As pernas de Ivy pareciam frágeis como vidro quando entrou pela sala, arrastando sua mala de rodinhas. Ansiara tanto por aquele momento, mas agora não sabia o que deveria fazer. Como manteria o andamendo daquela casa? Do que seria responsável? Será que supriria as expectativas de seu marido?

Leonardo viera o caminho todo completamente calado no táxi. Aliás, Ivy não compreendia por que, com todo aquele dinheiro, Leonardo não tinha um carro. Mas ele dizia que, por conta do tempo que morou no exterior, desacostumara-se a dirigir. Preferia que fizessem isso para ele.

Ao atravessar a sala com um ar altivo, Leonardo foi direto para a garrafa de champanhe. Pelo caminho, tirou o paletó e jogou-o displicentemente no sofá da sala. Ivy seguiu atrás dele, mordendo a língua para evitar adverti-lo de não deixar suas roupas jogadas em qualquer aposento. Não tencionava ficar andando pela casa atrás das coisas do marido para guardá-las. Não fora criada assim. Sua mãe, Janine, sempre fizera com que todos guardassem as suas coisas, e conseguiu com eficiência eliminar as roupas que eram jogadas no chão quando começou a recolhê-las e colocá-las na lata de lixo. Tudo o que era jogado no chão era levado pelos lixeiros. Essa era sua regra. Com isso, todos os moradores da casa foram disciplinados por ela a guardar seus pertences, inclusive Rafael, que era bastante bagunçeiro quando morava por lá.

Ao lembrar-se deles, um sentimento de tristeza apoderou-se do peito de Ivy de novo. Por Deus! Nunca imaginara que sentiria falta das broncas da mãe. Muito menos das suas neuroses... Mas obrigou-se a empurrar os pensamentos para fora. Não podia estragar a sua lua de mel, fosse onde fosse, com estados depressivos.

Além do que, decidiu, observando Leonardo abrir o champanhe, falaria com o marido sobre suas regras de boa convivência depois. Primeiro, precisaria conhecê-lo de perto. Analisar quais maus hábitos dele ela poderia suportar e quais teria de negociar. Não queria inaugurar o casamento parecendo uma chata e, queira ou não, ela ainda sentia aquela casa como mais dele do que dela.

Graças a Deus, todavia, existia a tal de Maria, que poderia ajudá-la nas tarefas domésticas até que Ivy se adaptasse. E, afinal, ela teria suas próprias atividades, pois a faculdade exigia muito do seu tempo para os trabalhos de casa.

Foi então que lhe ocorreu, não sem algum desconforto, que, em meio a todas aquelas mudanças, ela não havia visitado nenhuma universidade. Tudo bem que concordasse com Leo sobre o trancamento do seu curso de Jornalismo naquele semestre. Aléxia já até havia enviado para Ivy todos os documentos por ela solicitados. Porém, depois que Ivy soube da briga que a cunhada teve com seu pai para fazer isso, parou de ligar. Não queria causar discórdia na sua família, muito menos constrangimentos à doce e querida esposa de seu irmão. Entretanto, Ivy precisava conhecer alguns campus da cidade e decidir para qual deles iria fazer transferência.

O estouro da rolha de champagne arrancou o assunto dos seus pensamentos. Leonardo serviu uma taça para ele e outra para ela. Foi quando Ivy rompeu aquele estranho silêncio.

– Eu... não bebo.

– Pelo amor de Deus! – Leonardo exasperou-se de leve. – Não irá para o inferno se beber só um golinho. Afinal, Jesus transformou a água em vinho no dia de um casamento, não foi?

Ivy deu um sorriso fraco e resolveu abrir uma exceção para agradar o marido, brindando com ele.

Enquanto davam o primeiro gole, Leonardo manteve os olhos fixos nela. E quando colocou a sua taça na mesa, um brilho divertido alcançou os seus olhos enquanto ele, de boca fechada, deslizou a língua pelos dentes superiores e puxou a sua cadeira para se sentar.

Ivy acomodou-se à sua frente.

– Isso tudo parece ótimo.

Leonardo não olhou em seu rosto.

– Que bom que gostou.

– Ainda não oramos desde que chegamos em casa.

Ele deu um breve suspiro.

– Você precisa parar com essa mania.

– Que mania?

– De orar em público, como queria fazer lá no cartório. Isso me embaraça.

Ivy se sentiu constrangida.

– Desculpe. Não pensei que você se sentisse assim. É que lá na minha família nós...

Interrompendo-a, Leonardo segurou sua mão sobre a mesa e encarou-a.

– A sua família agora sou *eu*. Não tente trazer as regras de lá para cá. Teremos as nossas próprias regras aqui. – Porque o irritava, Leonardo pôs de lado a compaixão que sentiu quando viu o desapontamento no rosto de Ivy e soltou sua mão. – Vamos comer. A comida já deve até estar fria.

– Quer que eu esquente o seu prato para você?

Leonardo ergueu os olhos para ela, surpreso pela oferta gentil.

– Não, obrigado.

Abafando o ressentimento, Ivy desdobrou o guardanapo de pano e o colocou meticulosamente em seu colo. Em seguida, tentou melhorar o clima entre eles.

– O que vamos fazer depois do almoço?

– Vou ter que sair.

Ivy paralisou e olhou para Leo, num movimento brusco.

– Sair pra onde?

– Tenho treino hoje à tarde.

– Mas logo hoje?

– Preciso treinar todo dia. – Com muita naturalidade, ele serviu-se de um camarão. – Tem um grande campeonato chegando no mês que vem. Preciso estar preparado.

– Mas hoje é a nossa...

– Eu sei. Trataremos desse assunto mais tarde.

Trataremos desse assunto mais tarde? Ivy chocou-se. Pelo visto, ele não estava tão ansioso por aquele momento. Pensando nisso, ela começou a servir o seu prato, com uma cara emburrada. Enquanto dava outro gole na taça, Leonardo achou melhor amaciá-la um pouquinho.

– Vai ser bom para você arrumar suas coisas e ficar à vontade para fazer o que precisa fazer. Ambientar-se na casa sozinha. Poderá tomar um banho, conhecer melhor o lugar, descansar... – Ele inclinou-se para a frente e acariciou o seu queixo, com um meio sorriso. – Quero que esteja bem relaxada hoje à noite.

Toda vez que Leonardo sorria daquela maneira, cheio de desejo e intimidade, seus olhos pareciam incrivelmente verdes. Ivy sentiu o peito aquecer e beijou sua mão com carinho.

– Tem razão, será melhor para mim. Só espero que não chegue muito tarde.

– Não chegarei.

Ambos fizeram a refeição em silêncio, com Ivy tecendo um ou dois comentários sobre os pratos estarem deliciosos.

Quando acabaram, Ivy levantou-se e começou a recolher os pratos e Leonardo subiu para se trocar. Ela surpreendeu-se novamente com a beleza da cozinha. Havia diversos aparelhos fantásticos no balcão de mármore preto, a maioria parecia nunca ter sido usada, e todos os copos estavam dispostos de forma meticulosa, de acordo com o tamanho, em um armário de vidro. O chão era de porcelanato escuro e os armários de cima da pia eram de um amarelo vibrante. Parecia uma cozinha de catálogo. Ivy nunca imaginara viver num lugar tão lindo.

Quando ela terminou de lavar a louça, Leonardo desceu as escadas com a roupa de neoprene no corpo. A vestimenta era preta, com uma faixa verde-limão de cada lado, e parecia ter sido pintada no corpo. Delineava os músculos de Leonardo com perfeição. Ele pegou sua prancha pendurada na sala e olhou para Ivy na cozinha, que forçou o sorriso, enquanto enxugava as mãos em um pano de prato. Leonardo deu a impressão de que iria até ela, mas depois mudou de ideia e saiu pela porta da sala, se despedindo com um abafado "já volto".

Mas não voltou logo. Ivy passou a tarde sozinha, arrumando e rearrumando seu closet. A agitação que sentia pela ansiedade em relação à sua primeira noite de amor foi se esvaindo conforme as horas passavam. Ela tomou um banho, passou uma infinidade de cremes e trocou de lingerie pelo menos umas seis vezes. Ficou ziguezagueando pelo piso de tábua corrida do quarto do casal. Examinou a cama baixa em estilo indonésia, o grande tapete de fibra que ficava por baixo, os dois criados-mudos, o iPad que Leonardo lhe dera repousado sobre um deles, a parede bege e a cortina que cobria a porta de vidro que dava para a varanda.

Havia uma enorme faixa grossa na parede, atrás da cama, com fotos em preto e branco de Leonardo surfando em algum lugar do Havaí. Ivy ficou observando o quanto ele parecia imponente em algumas delas.

O teto rebaixado tinha luzes indiretas, o que deixava um clima romântico, e havia um closet ligado ao quarto, bem como uma suíte. Leonardo havia quebrado dois quartos para fazer um só, portanto, era gigante. Porém, ao lado desse, havia outro quarto menor. Ivy imaginou que seria do primeiro filho deles. Também havia um pequeno banheiro no corredor.

A suíte que dava para o seu quarto era do tamanho do aposento do lado. Ivy maravilhou-se com os ladrilhos coloridos no chão, com a ampla banheira de hidromassagem, a glória do chuveiro de seis saídas e com as toalhas grossas e grandes como cobertores. Também adorou a pia com duas cubas quadradas. Já havia colocado todos os seus perfumes e cremes ali. Do outro lado, arrumou os produtos de Leo. Por curiosidade, cheirou a espuma de barbear que ele usava e reconheceu o seu cheiro. A saudade bateu. Por que ele não voltava logo?

Por fim, para ocupar a cabeça, Ivy resolveu ler a Bíblia, mas sua cabeça não conseguiu se concentrar na leitura. Mais frustrada a cada minuto, ela passou a mão nos cabelos e fechou o volume. Ficou olhando o sol se pôr através da janela, imaginando por que Leonardo estava tão esquisito desde que haviam se casado. Será que estava com medo do compromisso que havia assumido? Ivy recusava-se a acreditar nisso. Fora ele o tempo todo que insistira naquela loucura. Devia ser outra coisa, e ela daria uma mão para descobrir o que era.

Às sete horas da noite, Ivy ouviu o barulho da porta de vidro da sala se abrir. Cada terminal nervoso no seu corpo ficou instanteamente em alerta, mas ela resolveu não descer. Não queria parecer uma cadelinha excitada com a chegada do dono. Esperou Leonardo subir para ver o que ela estava fazendo. Ela estava vestindo uma linda camisola de seda, azul-marinho, que trançava nas costas e valorizava seus seios. Por baixo desta, vestia uma lingerie igualmente deslumbrante. E os cabelos estavam presos em um rabo de cavalo desarrumado. Sabia que estava bonita, embora os nervos estivessem à flor da pele. Queria mostrar a ele o que havia perdido naquela tarde, na esperança de aguçar o apetite de Leo.

Leonardo ainda demorou cinco intermináveis minutos para subir, deixando Ivy bastante irritada. O descaso dele com a sua presença já estava passando dos limites. Por isso, quando Leo passou pela porta, ela não olhou imediatamente para ele. Ainda tinha autocontrole suficiente para isso. Fingiu estar entretida na leitura da Bíblia até que ele lhe perguntou, com uma calma de enfurecer:

– Conseguiu encontrar tudo que precisava?

Ivy desviou os olhos do livro e, marcando a página, colocou-o de lado. Novamente, Leonardo não veio cumprimentá-la com um beijo, como sempre fazia.

– Está tudo sob controle. Como foi o seu treino? – ela perguntou, fingindo não estar esquentando dos pés à cabeça quando Leonardo começou a tirar a roupa de neoprene na sua frente.

– O mar hoje estava *flat*, quase não deu para treinar. – Ele pegou a vestimenta que havia tirado e pendurou-a no boxe, ficando somente de sunga. Ivy experimentou um ímpeto de admiração e orgulho. E teve o impulso extravagante de agarrá-lo assim mesmo, todo salgado e com os cabelos molhados. – Vou tomar um banho e pedir alguma coisa para a gente comer.

– Ainda sobrou comida do almoço – ela o lembrou.

– Que seja. – Ele sumiu para dentro do closet e depois voltou com uma roupa pendurada no ombro. Em seguida, parou e encarou Ivy por um momento. – Você está muito bonita.

O comentário, embora sincero, parecia frio. Como se ele estivesse elogiando uma peça de arte. Nada com que estivesse envolvido.

– Obrigada – ela disse.

Ele fechou a porta do banheiro, deixando bem claro que queria privacidade. Ivy começou a ficar deprimida. Será que estava fazendo alguma coisa de errado? Repassou o dia deles na sua cabeça, examinado tudo o que aconteceu entre eles, as palavras que ela dissera... Algo devia ter lhe escapado. Leonardo não ia mudar daquela maneira do nada.

Como acreditava que a base de um relacionamento era a sinceridade, Ivy decidiu que conversaria com ele. Iria sondar o que aconteceu. Não poderia passar sua lua de mel nesse clima estranho.

Meia hora depois, Leonardo saiu do banheiro, sem olhar para ela. Foi direto mexer em alguma coisa dentro do closet. Ele vestia uma calça esportiva preta, uma camisa branca e um par de chinelos. Quando apareceu novamente no quarto, deu indícios de que ia descer.

– Leo? – Ivy o chamou, antes que ele alcançasse a porta. – O que está acontecendo?

Seria mais difícil do que ele imaginara, ele constatou, ao olhar para ela.

– Nada. Por quê?

– Você está diferente. Deveria estar feliz com o nosso casamento, mas está tão distante...

– É impressão sua. Esse é o meu jeito.

– Não, não é. Ou pelo menos não era até vinte e quatro horas atrás.

Leonardo analisou-a por um instante.

– Estou nervoso com os treinos – ele disfarçou. – Passei um tempo fora das competições por causa do meu joelho. Às vezes, ainda dói. Não sei se vou conseguir...

Ao ouvir isso, Ivy sentiu-se imediatamente egoísta. Leonardo estava com um problema particular, que devia afetá-lo muito a ponto de ele não conseguir relaxar nem na própria lua de mel. Compadecida, ela levantou-se e caminhou até ele. Deveria apoiá-lo em tudo dali para frente. Por isso, segurou o rosto de Leo e falou:

– Você é um campeão e sempre será. Tenho certeza de não vai ser esse joelho que vai apagar o seu brilho. Vou orar por você.

Os olhos de Leonardo se enterneceram por um momento, atingidos por uma suavidade imperceptível, mas, depois, ele os desviou.

– A vida nem sempre é ensolarada como você imagina, Ivy. Preciso treinar duro; fora o joelho, a idade já está pesando. Não tenho mais a mobilidade que tinha quando era adolescente.

Ivy abriu um diminuto sorriso, as covinhas surgindo-lhe na face.

– Pois eu aposto que você ainda tem muita mobilidade – insinuou ela, supreendendo a si mesma.

Leonardo olhou para ela e sorriu. Era difícil resistir.

– Vou beber algo lá embaixo e já subo.

– Eu vou com você.

– Por favor – ele a segurou pelo braço –, fique aqui. Preciso desse tempo para mim.

As sobrancelhas de Ivy se uniram.

– Não estou entendendo – a sua voz saiu irritadiça de novo. – Hoje era um dia para nós dois ficarmos juntos...

– E vamos ficar. Só me dê meia hora. Quero me preparar pra você.

Então era isso. Ivy ficou encantada ao constatar que seu marido também estava nervoso. Ó, Deus! Não era só ela que estava ansiosa por aquele momento. Talvez Leonardo também estivesse com medo de decepcioná-la... *Como se isso fosse possível*, ela pensou. Tudo o que ela mais queria na vida era senti-lo dentro de si, ser uma só carne com ele. Paciente, Ivy assentiu com a cabeça e em seguida Leonardo desceu.

Ao chegar à sala, ele se sentou no sofá e esfregou o rosto nas mãos. Não imaginava que fosse ser tão sofrido levar aquele plano adiante. Odiava a si mesmo por uma parte dentro dele o estar condenando. Gostaria de calá-la. Mas ela não parava de gritar em sua cabeça: "Não faça isso!".

Porém, ele ainda não havia terminado. Nem longe disso. Não podia permitir que seus sentimentos ou a consciência o atrapalhassem. Já chegara muito longe para isso. Longe demais. E aquilo só estava começando, ele decidiu, envenenado pelo ódio.

Quando ergueu a cabeça de novo, olhou para o bar. Talvez um pouco de bebida lhe desse coragem para o que ia fazer. Não pensou duas vezes, foi até lá e encheu um copo de um whisky que havia guardado. Raramente o bebia, somente quando queria esquecer-se de tudo. Mas, naquele momento, precisava de uma dose para tomar coragem. Ele serviu a bebida num copo com gelo e tomou uma dose generosa.

Quinze minutos depois, já havia ingerido três copos. O efeito do álcool começava a atingir o seu cérebro. Primeiro, veio uma leve tonteira, depois a prazeirosa sensação de jogar para fora o que lhe restava de juízo.

Bêbado, fez da estátua de madeira ao lado do sofá seu melhor amigo e começou a desabafar suas mágoas com ela.

Quando percebeu que não dava mais para enrolar, colocou o copo vazio de lado e abriu a carteira, que estava na mesinha de centro, para olhar para a foto da mãe. Foi o que bastou que ele tomar forças. Logo depois, Leonardo levantou-se e cambaleou para as escadas.

Capítulo 18

Ivy estava na porta que dava para a varanda, virada de costas para a entrada do quarto, olhando para o mar oculto nas sombras. Parecia perdida em pensamentos. Leonardo torturou-se por alguns instantes, parando na porta, observando-a com atenção. Seu rabo de cavalo estava jogado para a frente do ombro e ele ficou reparando na camisola dela por trás. A seda azul-escura contrastava divinamente com a pele branca, e várias alças finas se cruzavam nas costas, formando um V, que acabava pouco abaixo da cintura.

Sem dúvida, Ivy era a mulher mais linda que Leonardo já tivera na vida. Parecia até egoísmo possuir algo tão belo só para si. A sua beleza e a sua pureza eram atordoantes. *Mas não posso me prender nesses detalhes*, Leonardo disse a si mesmo. Ela era só um meio para um fim.

Quando ele pigarrou, Ivy olhou para trás, sorrindo afetivamente. Leonardo não consegui corresponder àquele sorriso paciente e sincero. Apenas entrou no quarto, apagou algumas das luzes e acomodou-se lentamente em uma poltrona de couro preto. Quando ela fez menção de se aproximar, ele ergueu uma das mãos, para detê-la.

– Fique aí. Quero olhar para você.

Ivy enrubesceu imediatamente, mas achou aquilo extremamente sensual. Ficou grata por Leonardo ter diminuído as luzes, pois ela ainda era um pouco insegura quanto ao formato de seu corpo.

Passando uma mão nos lábios, Leonardo ficou olhando para ela, com um desejo evidente.

– Tire a camisola – pediu ele com a voz rouca. – Devagar...

O rosto de Ivy, que já estava corado, ficou em chamas. Mas ela não hesitou. Seus movimentos pareciam extremamente rígidos enquanto ela abaixava as alças da camisola, uma a uma, olhando fixamente para o marido.

Ela não parece a mulher confiante e descontraída que sempre foi comigo, Leonardo pensou. No sexo, Ivy devia ser uma pedra bruta, pronta para ser lapidada. Um banquete adorável e particular. Possuía nos olhos um brilho claro de ansiedade, quase infantil, e os braços ficaram cruzados em defesa na frente do corpo quando a camisola caiu.

Leonardo respirou fundo. Depois, calmamente, apoiou as duas mãos nos braços da poltrona para se levantar. Sem tirar os olhos dela, aproximou-se devagar, enquanto tirava a própria camisa pela cabeça, bagunçando os cabelos. Sua expressão era indecifrável. E Ivy não tinha a menor ideia se ele aprovava ou não o que estava vendo. Quando chegou perto dela, Leonardo não a tocou. Somente olhou-a de cima a baixo e começou a circular ao seu redor, com passos lentos, delicados no piso.

Ivy estava cada vez mais constrangida com aquela situação, sentindo-se um pedaço de carne sendo analisado (se seria ou não consumido), mas havia algo de excitante naquilo. O desejo que ele estava provocando nela era intenso demais, pungente demais, para que pudesse ser abafado pela timidez. Ela permitiu que Leonardo a analisasse com calma, enquanto ela esquentava por dentro. Ele ainda nem a havia tocado e Ivy já se sentia como se fosse explodir.

Quando ele se pôs em sua frente outra vez, com o peito nu, aproximou-se só o suficiente para retirar o seu sutiã e jogá-lo chão. Em seguida, Leonardo soltou os cabelos dela e deixou os fios dourados e pesados escorregarem pelo ombro. Ivy não se aguentava de vontade de tocá-lo. Depois, sem conseguir mais se aguentar, ele segurou os dois lados da cabeça dela e puxou-a para um beijo nada suave, mas faminto. Ivy nem se incomodou com os resquícios do gosto de álcool que ainda estavam na boca dele. Somente suspirou de alívio diante do evidente desejo dele por ela. E a forma repentina como Leonardo a beijou criou uma chama que percorreu todo o seu corpo como uma carga explosiva.

As palmas de suas mãos começaram a viajar pelos músculos do tronco dele, enquanto ela se esquecia completamente do mundo à sua volta. Ivy puxava-o para si, como se ele nunca estivesse perto o suficiente, amando o contato dos seus seios contra aquele corpo que ela agora podia chamar de seu. Leonardo a estava levando ao precipício. Seu desejo por ele era intolerável.

No entanto, Ivy ofegou de susto quando Leonardo arrancou a sua calcinha, arrebentando-a, e, impaciente, empurrou-a com brutalidade para a cama. Depois, lançou-se sobre ela. A urgência dele era inegável. Mas, embora Ivy estivesse com a mesma euforia, gostaria de fazer aquilo tudo com calma. Apreciar cada momento.

Mas Leonardo nem deu tempo para ela hesitar. Arrancou a própria calça rapidamente e, afastando seus joelhos, arremeteu contra ela. Ivy sentiu muita dor e um gemido alto escapou dos seus lábios. Momentaneamente, ele ficou paralisado, e ela pensou notar um breve olhar mortificado em seus olhos...

Mas, em seguida, Leonardo continuou. Implacável, bruto, inegavelmente indiferente à sua dor. Mesmo a mulher mais insensível do mundo perceberia como ele havia mudado. Não olhava para ela. Seu corpo estava ali, mas não podia se dizer o mesmo da sua mente. Não houve muitas carícias entre eles, somente o domínio de Leo. Ivy somente fechou os olhos e mordeu os lábios enquanto ele continuava, imaginando que a primeira vez devesse ser assim mesmo. Talvez, ela pensou, tentando se convencer, o desejo que ele estava sentindo por ela fosse tão forte que o impedisse de ser mais carinhoso.

Assim que acabou, sem dizer uma única palavra, Leonardo chutou o lençol e se levantou para ir ao banheiro, trancando-o.

Para assimilar o choque, Ivy sentou-se vagarosamente na cama, ainda dolorida. Era como se tivesse sido sacudida por uma tempestade e de repente tudo estivesse girando. O que fora aquilo?

Apática, ela reparou que o lençol abaixo de si tinha uma pequena marca de sangue. Depois, olhou para a porta da suíte, perplexa, e ficou mirando o nada. Não acreditava no que havia acontecido. Leonardo a tomara de maneira voraz e grosseira para, em seguida, isolar-se em seu mundinho de novo? Aquilo só podia ser um pesadelo.

Sem que Ivy pudesse impedir, sentiu as lágrimas de decepção virem aos olhos, indescritivelmente magoada. Seus sonhos e esperanças sobre a sua lua de mel haviam acabado de virar pó. Não era possível que Leonardo tivesse feito aquilo com ela. Não daquele jeito.

Não o *seu* Leonardo.

Ele sempre fora tão atencioso, tão delicado... Como podia ter se transformado em um sujeito tão rude? Não parecia ser a mesma pessoa...

Ivy deitou-se novamente na cama, letárgica, quase dormente. Sentia-se como uma náufraga que estava sucumbindo a uma violenta ressaca. Só queria fechar os olhos e nunca mais acordar. A dor que estava sentindo no corpo não podia se comparar à que se apossava agora do seu coração.

Quando Leonardo foi para a cama uma hora depois, Ivy já estava dormindo, ou fingia dormir. Estava coberta, deitada, virada para o outro lado, abraçando o próprio corpo em formato de concha. Leonardo deitou-se ao seu lado, taciturno, separado dela por um limite tolerável para ambos. Ivy fez um ligeiro movimento de recuo. Os dois precisavam de espaço depois do que aconteceu entre eles. Porém, Leonardo sabia que não conseguiria dormir. Tudo havia saído conforme o planejado, mas ele não conseguia entender por que não se sentia feliz com aquilo. Na verdade, sentia-se um monstro. Embora não fosse um crime um marido deitar-se com a sua mulher, ele sabia que Ivy não merecia ter sido tratada daquela maneira.

Mas a vida era assim, ele repetiu a si mesmo. Nem sempre era justa. Uns acabavam pagando pelo erro de outros. Não foi assim que acontecera com ele? Ainda assim, seu coração condoeu-se por ela quando ouviu Ivy assoar o nariz baixinho. Leonardo sabia que ela estava chorando, e uma parte dele queria consolá-la. Entretanto, ele não a tocou. Somente olhou para o teto e passou a noite fitando a penumbra, enojado de si.

Capítulo 19

Com a bolsa comprimida contra o peito, Maria atravessou o portão da casa para trabalhar e se deparou com um par de pés de pato vermelhos largados pelo gramado. Com um balançar de cabeça e um suspiro, aproximou-se para pegá-los, a despeito da dificuldade que tinha para se abaixar devido à idade e aos seus setenta e um quilos.

Setenta e três, se a verdade fosse dita.

Estava cansada de puxar a orelha de Leo para que não deixasse seus equipamentos de mergulho em qualquer lugar, mas parecia que estava advertindo a parede.

Adorava o rapaz, que estava mais para sobrinho do que para patrão. *Talvez mais para filho*, pensou com um sorriso, já que os seus de verdade moravam tão longe que Maria não conseguia mimá-los. Adotou Leonardo no seu coração assim que o viu, talvez por ser muito parecido com seu filho mais velho, Eduardo, que era da Marinha e hoje morava na cidade de Santos com a família, bem como seu filho caçula.

Mas Leonardo era mais introspectivo, e embora aceitasse de bom grado as bordoadas que Maria lhe dava, tinha dificuldade de exprimir o que sentia. Então, Maria teve de aprender a lidar com ele. Era uma perita em arrancar as verdades e trazer o bom-senso aos mais novos. Não foi à toa que escolheu o ministério de orientação para os jovens casados na igreja. E, por sua experiência, ela sabia que havia algo obscuro no passado de Leonardo, algo sobre o qual ele evitava falar.

Talvez, por isso mesmo, ele fosse tão inconstante. Seus relacionamentos nunca duravam o suficiente para gerar intimidade com as parcerias.

Ele descartava-as antes. Mesmo a tal de Carolina, com a qual Maria nuca fora muito com a cara, não durou mais de três meses.

Desde que o conhecera, Maria orava para que Deus alcançasse o coração daquele menino. Sim, Leonardo ainda era um menino. Largava as coisas pela casa, não gostava de falar de negócios e não queria ter compromisso. Era um adolescente de vinte e seis anos.

Mas ele a ouvia. Sempre que Maria ralhava com ele, Leonardo a espiava de canto de olho, prestando atenção. Ela sabia que ele tinha carinho por ela. Não a deixava pegar nada pesado e brigava com ela se tentasse limpar por fora as janelas do segundo pavimento. Vira e mexe, Maria dava um ataque ameaçando ir embora se ele não parasse de deixar as coisas largadas, mas aí Leonardo aparecia com um ramalhete de flores e lhe prometia um aumento.

Ou então uma viagem para Cancún.

Além disso, nas duas únicas vezes em que ela fora visitar os filhos em Santos, Leonardo fez questão de pagar as passagens. Também sempre lhe trazia presentes nas viagens para competições que ele fazia. Dizia que ela era a única mulher fixa em sua vida. E, assim, amaciava o seu coração, fazendo-a adorá-lo ainda mais.

É um bom de um adulador, esse filho da mãe, pensou Maria, comprimindo os lábios ao achar mais dois pares de sapatos dele largados na sala. De que adiantava não deixar ela subir escadas, mas fazê-la abaixar-se o tempo todo para pegar as suas coisas?

Maria colocou sua bolsa sobre a mesa e foi lavar as mãos no lavabo. Chegando lá, observou através dos olhos azuis que a pele branca da face estava rosada pelo esforço feito na caminhada. Os cabelos ruivos e curtos estavam grudados na testa, pelo suor. Molhou-os para trás, reparando que precisava pintar a raiz. Morava a quatro quadras dali e, por causa do sobrepeso, tomou a decisão de começar a vir caminhando. Esperava perder pelo menos um quilo e meio naquele mês.

E, por Deus! Só ela sabia como na sua idade aquilo já seria um milagre!

Ao chegar à cozinha, já colocava o avental quando olhou para a pia e seu queixo caiu. Toda a louça do dia anterior havia sido lavada.

Leonardo só podia estar com febre.

Ou então... Maria olhou para as paredes em volta, ela devia ter entrado na casa errada.

Compreendeu tudo, no entanto, quando olhou para a mesa e avistou uma bandeja de prata, sinal de que deveria subir para servir o café na cama a alguém. A garota da vez ainda devia estar dormindo no quarto dele. Se bem o conhecia, Leonardo já tinha ido pegar onda e esperava que Maria servisse o café à bela princesa para, em seguida, despachá-la começando uma boa faxina no cômodo. Maria suspirou. Aquilo já estava ficando cansativo.

Meia hora depois, Maria abriu a porta do quarto com a malfadada bandeja nas mãos. Avistou um cabelo loiro espalhado por cima dos cobertores, que pareciam derreter sobre os lençóis. Caminhou de fininho, colocou a bandeja do outro lado da cama e foi abrir as cortinas. Era sempre assim que acordava as *Belas Adormecidas* de Leo. Entretanto, quando se virou e olhou para Ivy, ficou parada por três segundos se recuperando do choque.

– Bom dia, você deve ser a Maria. – Ivy, que já estava acordada, sentou-se na cama.

Intrigada, Maria tentou se lembrar de onde a conhecia. Um sonho! Sim, tinha quase certeza de que sonhara com aquele rosto. Em seguida, reparou imediatamente na vermelhidão de seus olhos e, por compaixão, abriu o sorriso.

– Sim, sou eu, e você é a...

– Ivy. – Ela preferiu não falar que era a esposa de Leo.

Maria saiu do transe sobre aquele rosto e aprumou-se.

– Trouxe um café da manhã para você. Não sabia do que gostava, portanto, trouxe chá e café.

– Muito obrigada. Não estou com fome. Onde está Leonardo?

– Deve ter ido surfar. – Maria reparou na aliança de Ivy e decidiu ter uma conversinha com Leonardo mais tarde. Sair com uma mulher casada já era demais.

– Ótimo. – Reestabelecida, Ivy se enrolou no lençol e levantou-se da cama, ignorando o cheirinho convidativo do café e dos ovos fritos.

– Tem certeza de que não quer comer nada?

– Não. Preciso me arrumar para sair.

O marido deve estar lhe esperando, não é, Jezabel?

– Você mora perto daqui? – Sem querer parecer enxerida, Maria começou a arrumar a cama para disfarçar a curiosidade que sentia sobre a figura daquela garota que, em sua opinião, parecia muito nova para ser casada e já ter um amante. *Que mundo maluco...*

Ivy se virou para ela.

– Eu morava aqui. Até ontem.

A empregada fez uma expressão de estranheza, enquanto afofava os travesseiros.

Então não é casada. É louca. Valha-me Deus! Aonde Leonardo vai parar...

Ivy foi direto para dentro do closet. Passara a noite inteira chorando e remoendo o que aconteceu, mas chegara à conclusão de que lágrimas não iriam consertar sua vida. Havia feito uma grande burrada. Casara-se com um estranho e por isso fora praticamente violentada.

Bem feito para ela.

Colocaria a mesma roupa que veio para Florianópolis no corpo, pegaria seus documentos e ligaria para Nicole pedindo dinheiro para a passagem de volta. Não admitiria ser tratada de novo daquela maneira grosseira. Com certeza, a amiga a ajudaria enquanto não se reconciliasse com os pais. Pediria para ficar na casa dela por um tempo.

E, é claro, pediria o divórcio.

Leonardo nem ao menos se dignara a estar com ela no café da manhã, meditou Ivy, com um ressentimento latente. Se ele esperava que ia chegar em casa e que ela iria agir como se nada demais tivesse acontecido entre eles, ficaria desapontado. Ela iria embora o mais rápido possível.

Porém, surpreendentemente, Ivy queria vê-lo. Queria olhar bem dentro dos olhos dele e fazê-lo perceber o asco que sentia dele depois do que fizera. Ao mesmo tempo, tinha medo. Medo de encará-lo e perceber que ele ainda era mais vital para ela do que imaginava. Ivy havia abafado a dor em seu peito, substituindo-a por raiva. Mas por quanto tempo aquilo iria durar?

Odiando vigorosamente todos os homens e seus desejos carnais, Ivy ligou o chuveiro. Queria deixar a água escorrer em seu corpo até que levasse as lembranças da noite passada. Não precisava ser tão experiente para saber que o que fizeram não foi amor. Não fora nem mesmo sexo. Fora algo violento, asqueroso e mortificante. Nunca mais esqueceria a maldita experiência.

Mas Leonardo ela poderia esquecer.

Ou, pelo menos, torcia para isso.

Assim que o banho acabou, Ivy vestiu uma calça jeans, colocou sua blusa e juntou suas poucas coisas que tinha na bolsa. Quando desceu as escadas, Maria já estava lá embaixo e, assim que a viu, puxou uma cadeira para Ivy se sentar à mesa da sala.

– Fiz uma vitamina para você – a voz dela foi enfática. – Não vou permitir que saia de barriga vazia, e muito menos com essa cara abatida.

Surpreendendo a si mesma, Ivy ficou tentada a ceder. Seria bom conversar com alguém. Chegar perto da normalidade.

– Por que a senhora se deu ao trabalho? Eu já ia mesmo sair...

– Nada disso. – Dividida entre "era louca" ou "era casada", Maria veio até ela e a puxou pelos ombros, a fim de desvendar o mistério. – E não foi trabalho nenhum. Aliás, você me poupou bastante trabalho lavando a louça de ontem. Sim, eu sei que foi você – ela disse quando Ivy fez um "O" com a boca. – Leonardo não sabe nem onde fica a esponja.

Respirando fundo, Ivy pegou a vitamina. Afinal, não lhe faria mal nenhum.

– Acho que vou mesmo precisar abastecer o corpo. Só Deus sabe quando comerei novamente...

Maria puxou uma cadeira ao seu lado para se sentar.

– Como assim? Não me diga que uma garota linda como você é menina de rua? – Maria tentou animá-la. Estava mais do que acostumada a consolar as garotas de Leo.

Ivy sorriu, grata pela deliciosa vitamina.

– No momento, acho que sim.

A empregada fechou o semblante.

– Não tem mesmo para onde ir? – *Talvez ela tenha mesmo fugido do sanatório*, Maria apavorou-se. Será que Leonardo não tinha juízo?

– Eu morava em São Lourenço, mas larguei tudo para vir para cá me casar com o Leo. Meus pais agora não me querem de volta... E aqui eu não fico mais.

Casar com o Leo?

Instintivamente, Maria tomou o copo das mãos de Ivy e deu um gole na vitamina para assimilar a notícia.

– Você me disse que se casou com o Leo? – Isso explicava a aliança no dedo de Ivy.

– Nos casamos ontem. Mas, pelo visto, não deu muito certo.

– E aquele bastardinho nem me convidou? – A fúria de Maria atacou cada poro do seu corpo.

– Foi uma cerimônia simples, só no cartório.

– Não interessa. Aquele degenerado vai ouvir poucas e boas de mim... – Recuperou a compostura. – Mas agora me diga – Maria voltou sua atenção para Ivy –, por que quer ir embora dessa maneira? Não acha que é cedo demais para desistir?

Pegando o copo da vitamina compartilhada de volta, Ivy deu um longo gole para pensar na resposta que ia dar. Não queria expôr as suas intimidades mais sórdidas para alguém que, embora muito simpática, acabara de conhecer.

– Não nos conhecíamos profundamente. Eu me enganei com o Leo. Ele não é quem eu pensava.

Maria deu uma risada impulsiva.

– Bem-vinda ao clube, querida. A gente não conhece ninguém até se casar. Também foi assim quando me casei com o meu falecido, que Deus o tenha. Não tinha a menor ideia de que ele roncava e de que era viciado em pôquer. Fora isso, tinha uma mania horrorosa de tomar banho dia sim, dia não. Mas tudo isso foi superado. Mas é por isso que eu sempre digo que é tão importante conhecer ao máximo o seu pretendente antes de decidir viver para sempre com ele. Só que hoje em dia os jovens só querem saber de ficar se agarrando e, se o sexo for bom, logo querem se casar... Mas, ao primeiro problema na vida a dois, querem logo sair correndo como um tatu de Kichute.

Levemente ofendida, Ivy fez questão de acrescentar:

– Mas eu nunca pensei assim. Leonardo me respeitou o tempo todo durante o namoro. Eu me guardei para ele. Eu estava tão certa de que tudo iria ser diferente entre nós... Nosso futuro juntos parecia simplesmente maravilhoso...

Maria deu um muxoxo e pegou a vitamina de volta.

– Se as garotas parassem de pensar que o romantismo é o que move o mundo, talvez escolhessem seus parceiros com mais atenção. De todo modo, não acho que Leonardo seja uma caso perdido. Ele é um menino difícil, eu sei, mas, se prestar atenção, vai ver que ele tem muito a lhe oferecer, só não sabe como dar...

– Não sei se conseguirei fazer isso. – *Não depois do que aconteceu,* pensou Ivy envergonhada.

– Vou orar por vocês. – Maria bebeu o resto do líquido e se levantou. – Esperei tanto tempo para Leonardo se arrumar com alguém que não estou dispensando o milagre. Casamento é coisa séria, menina, um compromisso para sempre, a despeito dos dias maus. Não podem se separar na primeira divergência. Espero sinceramente que você fique e que seja minha nova patroa. Vai ser bom ter mais uma voz feminia azucrinando o ouvido do meu Peter Pan...

Ivy percebeu claramente que a afinidade entre Leo e Maria deveria transcender à de patrão-empregada. Maria falava dele com muito carinho, o mesmo sentimento que Ivy nutria por ele vinte e quatro horas atrás. Ela referia-se a ele como Peter Pan, o menino que nunca cresceu. Talvez fosse esse mesmo o problema de Leo. Porque não conseguia enfrentar os problemas de adulto, isolava-se. O mar era o seu refúgio, sua fortaleza. Mas nada justificava seu comportamento indisculpável com Ivy.

Pensando nisso, ela levantou-se, agradeceu a bebida e partiu para a praia. E assim que cruzou o portão, ligou para Nicole e deu um suspiro de alívio quando ouviu a voz da amiga gritar:

– NÃO ACREDITOOOOO! Te mandei mil mensagens pelo Facebook, sua ingrata. Cadê as fotos do casamento?

Ivy teve vontade de chorar ao ouvir aquele grito estridente e familiar. E se deu conta, pela primeira vez, que fazia tempos que não entrava em suas redes sociais. Talvez porque soubesse que Leo condenasse a exposição de sua vida nas redes acabou as deixando de lado para agradá-lo. *Que patético...*

– Só tiramos uma foto – respondeu, para disfarçar a voz embargada, sem mencionar que já havia apagado a foto do seu celular, de raiva. Ela ouviu um estalo da boca da amiga.

– É bem a sua cara. Nem no dia do casamento você consegue ser extravagante. Você se casou com um cara rico, amiga. Espero sinceramente que saiba tirar proveito disso. Aliás, onde você está? Não, deixe-me advinhar, você finalmente foi conhecer a Grécia, vivia falando de lá... Ou, então, foi para Bali ou um desses lugares de praia exóticos onde ele possa pegar onda também... Seja onde estiver, não esquece de trazer um presente para mim. Você podia trazer aquele meu perfume quando passar pelo *Free Shop*?

Ivy enxugou a primeira lágrima.

– Não fomos a lugar nenhum. Ficamos aqui mesmo em Florianópolis.

– Sério? – a voz da amiga surgiu desanimada. – Bem, até que não é tão ruim. Pelas fotos da casa que você me passou no primeiro dia, o lugar é um luxo. O mais importante é o que vocês fizeram aí. Quero saber tudo sobre a sua primeira noite, lugares, posições; não perderei um detalhe sequer. Sai da cadeira, Júlio, vou ficar no telefone por algum tempo...

Ivy fez uma cara de desgosto e trocou o telefone de ouvido.

– Júlio está aí com você? Você não tinha descoberto que o cara tinha uma namorada no sul?

– Pois é... – Nicole baixou a voz. – Mas eles terminaram e Júlio veio até mim, para dizer que estava apaixonado e que queria morar comigo. Acredita nisso? – Ela deu uma risadinha. – Não foi só você quem casou. Estou morando com ele há duas semanas. Alugamos uma quitinete perto do campus. Meus pais ainda não sabem, mas não estou nem aí. Estou maravilhada com a vida de casada, fazemos sexo cerca de três vezes por dia. Acho que isso pode dar certo...

Seu mundo, já ameaçado, ruiu-se de vez. A disposição de ânimo de Ivy piorou radicalmente com aquela notícia. Ela lembrou-se das palavras de Maria. Sexo não podia ser a única base de uma relação. Entretanto, sentiu uma pontada de inveja da amiga. Gostaria de ter tido prazer quando fez aquilo. Mas se Nicole estava feliz, não ia ser ela a jogar água fria. Não era mesquinha a esse ponto. Ivy viu sua última gota de esperança ir pelo ralo. Não podia ser tão egoísta e atrapalhar o bom momento da amiga só porque suas escolhas a levaram até ali. Teria de achar outra solução. Por isso, disse:

– Bem, se é assim, desejo toda a sorte do mundo a vocês.

– Own... Eu também, amiga, desejo que você seja a mulher mais feliz deste mundo. Que divida esse topo comigo. Quando é que vocês vêm nos visitar? As aulas já começaram e não podemos sair daqui. Aliás, já procurou uma faculdade por aí?

– Ainda não, Nicole. Olha, tenho que desligar. Ligo para você mais para a frente, quando estiver em casa de novo. Dei uma saidinha e estou gastando crédito no celular. – *Que acabaria a qualquer momento*, Ivy se lembrou.

– Tudo bem. Manda um beijão para o Leo. E veja se capricha nos meus sobrinhos. Amo você.

– Também amo você. – Ivy desligou o telefone e encostou-se num carro próximo, sentindo os olhos esquentarem ainda mais pelas lágrimas de saudade e frustração. Agora estava mesmo perdida.

Bem, ela pensaria nisso depois. Primeiro precisava se deparar com Leo. Precisava disso. Precisava vê-lo para exorcizá-lo de dentro de si. Enxugou os olhos, respirou fundo e retomou o trajeto, repetindo a si mesma todos os motivos pelos quais ela deveria deixá-lo. Não importava o que acontecesse com ela, nunca mais passaria por aquilo de novo. Nunca mais seria tocada daquela maneira. Preferia dormir na rua, decidiu.

Todavia, suas pernas fraquejaram quando encontrou Leonardo sozinho, sentado na areia, olhando para o oceano. Sua prancha estava fincada a seu lado. Ivy observou sua silhueta de costas e, de súbito, foi atingida pelo inesperado sentimento de pena.

A praia estava vazia e o céu acizentado indicava que iria chover. Leonardo estava completamente isolado. Seus cabelos estavam secos e por isso Ivy teve dúvidas se ele havia caído do mar. Parecia uma escultura de areia, tão parado ele estava. Ivy concluiu que o oceano parecia ser o seu único amigo. O único em quem Leo confiava. Não era à toa que ela não havia conhecido ninguém de seus círculos sociais.

Leonardo era só.

Não era somente o fato de estar sozinho na areia. Ele estava só. E, pelo que Ivy sabia, esteve sozinho por muito tempo. Talvez pela vida inteira. Será que havia se acostumado tanto com a solidão, a ponto de afastar aqueles que o amavam?

Por que diabos, então, ele quis tanto trazer Ivy para casar-se? Será que já havia se arrependido e não sabia como lhe dizer?

Bem, ela facilitaria as coisas para ele.

Ivy foi andando em sua direção, sem se preocupar com os resquícios de areia que entravam no seu tênis. Seu estômago se apertava a cada passo que dava até ele. Odiou-se por uma parte dela ainda ver naquele homem o noivo abençoado que foi para ela um dia. O namorado carinhoso. A companhia divertida... E quando ela finalmente chegou ao seu lado, Leonardo não a olhou, embora tenha sentido a sua presença.

Trincando os dentes, Ivy puxou sua bolsa para a frente e sentou-se ao seu lado, de pernas cruzadas. O silêncio com que fora recebida reforçou ainda mais a sua raiva.

– O que foi que eu fiz para você? – Ivy quis saber. – Deve ter sido uma coisa terrível para você me tratar desse jeito.

Leonardo passou a mão pela areia.

– Você dramatiza demais.

– Não me venha com essa – Ivy se enfureceu, irritada com a maneira despreocupada com que Leonardo voltou à posição inicial, apoiando os cotovelos nos joelhos. – Não me trate como idiota me dizendo que nada mudou. Você virou um ordinário desde que nós nos casamos. Mal fala comigo, vive fugindo para o mar, fora o tratamento escabroso que recebi ontem à noite na cama...

– Desculpe – disse ele, muito mais arrependido do que lhe era confortável. – Eu devia ter sido mais delicado com você. Se te serve de consolo, também não preguei os olhos depois do que fiz.

Ivy sentiu as lágrimas virem aos olhos. Não sabia se queria chorar por ele ter pedido desculpas ou por ter ficado frustrada com a frieza com que as palavras saíram. O ar indiferente dele a atordoava. Leonardo não olhava para ela, embora ele estivesse encarando o seu rosto.

– Eu não entendo... – ela começou a dizer, com lágrimas sentimentais apertando-lhe a garganta, contra a sua vontade. – Antes de eu me casar com você era a pessoa mais feliz deste mundo. Você estava sempre se esforçando para me alegrar. Sempre sendo amoroso e gentil... Por que isso teve que acabar logo agora? Eu queria tanto que tudo fosse diferente...

Pela primeira vez, Leonardo mirou o seu rosto e ela reconheceu o homem que amava em seus olhos mortificados.

– Eu também, mais do que você imagina.

Dito isso, ele simplesmente se levantou e estendeu a mão para ela.

– Vamos para casa.

Ignorando a sua mão, Ivy colocou-se em pé.

– Eu não vou com você. Estou indo embora.

Uma leve surpresa atravessou o semblante de Leo.

– Essa não é uma opção. Você agora é minha mulher.

– Mas não sou sua prisioneira. O que pensou? Que iria me violentar daquele jeito e que eu deixaria passar batido?

Leonardo apertou os lábios e estreitou os olhos. Em seguida, falou:

– Fui bruto, confesso. Mas, se bem me lembro, você não foi violentada, já que se ofereceu de bom grado e em nenhum momento pediu para que eu parasse.

Ivy se ressentiu quando percebeu que, nesse ponto, Leonardo tinha razão. Nem podia se sentir insultada. Na hora do ato, seu amor por ele havia sido maior do que o amor que sentia por si mesma, prejudicando-a.

– Se eu tivesse pedido, você teria parado?

Leonardo ficou calado por um instante.

– Isso nós dois nunca iremos saber. De todo modo, eu não vou mais encostar em você. Não precisa se preocupar. Só quero que volte pra casa comigo.

Por um momento, ela pôde somente fitá-lo, aturdida.

– Ah, que ótimo! – Ivy sorriu com sarcásmo, erguendo as mãos ao lado do corpo. – Está me oferecendo um casamento sem sexo? E, pelo visto, também sem amor... Não vou ficar esperando você aparecer em casa sempre que lhe der na telha, Leo. Se for assim, aconselho que fique com a sua estátua.

– Não vou discutir isso com você – disse ele controlado, pegando a prancha, como um homem no comando.

Ivy suspirou e cruzou os braços.

– Por acaso pensa mesmo que pode mandar em mim?

Como que perdendo a paciência, Leonardo encostou a prancha no chão para aproximar-se de Ivy e dizer:

– Você não vai, porque não tem para onde ir. E, mesmo que tivesse, nós dois sabemos que não é isso que você quer. Eu estou gravado na sua pele, Ivy, como uma espécie de tatuagem. E você, infelizmente, está na minha. Eu cometi um grande erro, mas esse erro não apaga todas as coisas boas que fiz. Então, pare com esse faniquito e venha logo para casa comigo. Não quero que você pegue um resfriado, e estou atrasado para a fisioterapia. – Leonardo recolheu a prancha de novo, afastou-se e foi andando na frente dela, enquanto Ivy ficou parada na areia, recebendo as primeiras gotas de chuva no rosto e percebendo que Leonardo tinha toda a razão.

Assim que sair por essa porta, saiba que nunca mais poderá pisar aqui, as palavras de seu pai ainda ecoavam na sua cabeça. Ela sabia que nem Adam nem Rafael a receberiam, para não contrariar a vontade do pai. Estavam todos magoados com ela. Seus avós já haviam morrido e, além de Nicole, ela não tinha mais ninguém no mundo a quem recorrer. Não tinha dinheiro, não conhecia o lugar onde estava e, para sua vergonha, não tinha certeza se já havia desistido de Leo.

Pela primeira vez, Ivy ficou arrependida de ter enfrentando os pais. Não tinha sido criada daquela maneira. Sempre conheceu e respeitou os princípios bíblicos sobre a obediência. E sempre esteve segura por isso. Mas a rebeldia, agora Ivy sabia, havia previamente estipulado o seu preço.

Capítulo 20

Em sete anos de casamento, Amanda jamais vira Adam tão deprimido. Andava cabisbaixo desde que Ivy se fora. Estava inconformado com aquela atitude imprudente da irmã, e preocupado sobre o que estava acontecendo com ela. Ele passava os dias trabalhando na oficina, procurando ocupar a cabeça, mas mal conseguia prestar atenção no que seus funcionários diziam. Chegou a preencher mais de dez notas fiscais erradas nos últimos dias. E em casa, assim como Janine, também estava bastante aéreo. Vira e mexe Amanda o observava encarar o telefone, na esperança de que este tocasse. Tinha a impressão de que se Ivy ligasse pedindo para ele buscá-la, Adam se materializaria em Florianópolis um segundo depois. Amanda sabia que a ligação que eles tinham como irmãos era forte, mas não imaginava que Adam ficaria tão afetado.

De fato, toda a família andava meio ressentida desde que Ivy se fora. Procuravam falar sobre outros assuntos, mas era difícil, já que Janine não dirigia mais a Paulo uma palavra sequer. Até as crianças já tinham notado que a avó estava ignorando o avô. Janine culpava Paulo pela falta de notícias da filha. Achava que ele fora muito duro com ela. Não queria desrespeitá-lo ligando para Ivy, mas, ao mesmo tempo, não o perdoava por colocá-la naquela situação.

Por sorte, ou não, a obra da casa de Amanda e Adam estava bem atrasada e a presença das crianças na casa amenizava um pouco o clima entre eles, pois a barra estava pesada.

Amanda lamentava que Aléxia não morasse ali perto, para poder ajudá-la a confortar sua mãe, que tinha agora como hobby romper em lágrimas toda vez que passava pelo quarto da filha caçula. Inconsolável, Janine passava horas em sua floricultura, mirando o vazio. E, quando chegava em casa, tomava um banho e ia direto para o quarto, que trancava, para que Paulo não se atrevesse a dormir na sua cama. Por essa razão, depois de muito discutirem, ele vinha dormindo no antigo quarto de Rafael. Suas roupas já estavam lá. Paulo estava sofrendo tanto quanto a esposa pela saudade de Ivy, mas não queria dar o braço a torcer. Como poderia? Sua filhinha, que em segredo sempre fora a dona majoritária do seu coração, havia lhe abandonado por um forasteiro qualquer. Sentia-se cruelmente traído, afrontado até o último grau. E, para se esquecer dessa dor, Paulo passava as horas trabalhando ou assistindo à tevê.

Naquele domingo Amanda ajudava a mãe na cozinha. A primeira cozinhava e a segunda lavava a louça, num silêncio mortificante. Mantinham uma vaga conversa sobre o que estavam fazendo, nada mais do que isso. Irritada com a cautela, Amanda sentia como se estivesse pisando em campo minado, pois qualquer comentário aleatório poderia fazer Janine lembrar-se Ivy, deflagrando seu choro. E ela estava farta de ver a mãe derramando lágrimas silenciosas, principalmente aos domingos. Portanto, naquele dia, resolveu pegar o touro pelos chifres. Já abriu a conversa avisando:

– Decidi que vou viajar para ver como Ivy está. Se importa de ficar com as crianças?

Interrompendo o que estava fazendo, Janine alarmou os olhos para a filha, com um nó de ansiedade no estômago.

– Adam sabe disso?

– Não.

– Você vai escondida?

Rindo, Amanda terminou de lavar o último prato.

– Claro que não. Não sou uma criança. Posso ir aonde bem entender. Preciso conversar com Ivy para saber se ela está bem. Ela foi rebelde, mas ainda é minha irmã. Se Adam quer ignorar isso, como o seu pai, o problema é dele.

Adorando a notícia, Janine retorceu o pano de prato nas mãos.

– Queria tanto ir com você... mas o clima entre mim e Paulo não está nada bom. Acho que se eu fosse, as coisas ficariam ainda pior.

Conivente, Amanda segurou-a pelos ombros.

– Eu também acho, mãe. Fique aqui quietinha que eu vou ver o que está acontendo e te mando notícias. Conforme for, você e Ivy conversam por Skype depois.

Janine fez um aceno resignado, em concordância.

– Você vai avisar sua irmã que está indo?

– Não. – Amanda tirou o avental. – Não quero pegar Ivy prevenida. Quero ver como ela está, como está vivendo. Algo me diz que essa falta de notícias não é saudável.

– Mas como ela poderia ligar? – Janine a defendeu. – Seu pai não quer que ninguém daqui fale com ela...

Intrigada, Amanda balançou a cabeça que não.

– Mesmo assim, Ivy sempre foi teimosa. Aliás, teimosa o suficiente para ir embora daqui sem a sua permissão. Não ia deixar de nos procurar só por conta desse empecilho. Prefiro ver com meus próprios olhos o que se passa. Não sabemos direito quem é aquele cara.

Janine estremeceu ao se lembrar das palavras confusas e evasivas de Leonardo na sala.

– É verdade, filha, faça isso sim. Como acha que Adam vai reagir?

– Não se preocupe, sei lidar com o meu gado.

– Agora eu sou uma cabeça de boi? – perguntou Adam indignado, postando-se ao umbral da porta.

Amanda sentiu a face aquecer, mas manteve a voz calma ao dizer:

– Agora anda ouvindo atrás da porta, meu bem? Pensei que somente Ivy fizesse isso...

– Não mude de assunto. – Adam estava tinindo de ódio. – Que história é essa de que você vai viajar até ela?

– Exatamente o que você ouviu. Todos aqui em casa estão preocupados, mas ninguém quer dar o braço a torcer. Ivy tem somente dezoito anos, é normal que cometa tolices. Não vou ficar aqui de braços cruzados até saber que minha irmã está bem. E nada disso é irreparável.

– Você não vai – Adam decretou, com as mãos na cintura.

– Minha mãe já concordou em ficar com as crianças. – Amanda o ignorou e abriu a geladeira para pegar o fermento, porque decidiu fazer um bolo de cenoura para mais tarde. – E espero que você a ajude.

Na mais completa e feliz ignorância da tensão vigente, Tavinho irrompeu pela cozinha.

– Mãe, adivinha? Meu amigo vai viajar para o litoral e me convidou para ir com ele para aprender a *surfar!*

Colocando o pote de fermento sobre a bancada, Amanda segurou a risada. Quase podia ver a fumaça saindo pelos ouvidos de Adam.

– Será possível que todo mundo resolveu evacuar a cidade? – Esquentado, Adam explodiu, passando as mãos nervosas pelos cabelos. – Ninguém vai a lugar algum sem a minha permissão. Eu não deixo vocês irem! – disse ele, por fim.

Amanda soltou uma exclamação divertida ao ouvir tal sacrilégio.

– E desde quando você é rei do pedaço?

– Eu sou o *pai*. Portanto, o cabeça da casa.

– O cabeça-dura, você quer dizer. Devia dar o exemplo aos seus filhos e perdoar sua irmã. Aliás, devia vir comigo.

– Nem pensar. – Adam se aborreceu, em seguida observou os gêmeos entrarem correndo na cozinha, cobertos de lama. Para Amanda, uma visão prévia da cobertura do bolo de cenoura.

– Foi ele quem começou. – Nicolas acusou o irmão, venenoso.

– Eu não acredito nisso! – Amanda ficou furiosa. – É sempre a mesma coisa quando chove. Vocês dois ficam fazendo guerra de lama como dois retardados. Não sabem que lá contém germes?

– O que é germe? – Espichando as orelhas, Cauê limpou a mão na saia da mãe. Amanda estremeceu e trincou os dentes.

– Eu também quero ter um – berrou Nicolas fazendo beicinho.

– Pois você deve ter vários. Já para o banho! – Ela pegou os dois pelos braços e saiu ventando para o banheiro.

Adam ficou fraco de alívio pela esposa ter tomado a iniciativa, e não pedido para ele fazê-lo, pois manter aqueles moleques parados debaixo do chuveiro era o mesmo que tentar grudar geleia na parede.

Em seguida, ele olhou novamente para Janine, que se sentara na cadeira da cozinha e o mirava com um ar suplicante.

"Deixe Amanda ir", seus olhos pareciam dizer.

"Vou pensar no caso", os olhos dele responderam.

Capítulo 21

Tentando desligar-se de Ivy, Leonardo passou cerca de dez horas fora de casa nos dias que se seguiram. Quando não estava no mar, estava na fisioterapia. No entanto, não fora capaz de descarregar a raiva nem o sentimento de culpa que sentia toda vez que olhava para a esposa. Sabia que estava sendo cruel, machucando-a um pouco a cada dia com a sua indiferença. Ele simplesmente havia deixado Ivy desprotegida, em pedaços, numa terra onde ela não conhecia absolutamente ninguém. Mas, quando planejara tudo aquilo, como poderia imaginar que suas atitudes doeriam mais nele do que nela?

Aliás, ele nem sabia como estava a pessoa a quem ele realmente gostaria de ter afetado. Esperava que estivesse devastada.

Assim como ele.

Era uma tortura dormir na cama com Ivy todas as noites, sentir o seu cheiro, ouvir o seu choro noturno... Ela já havia desistido de buscar as respostas, ele percebeu. Mal saía da cama. Mal tocava na comida. Estava claramente em depressão. Era evidente que a mente dela sempre vagueava por alguma coisa. Às vezes, Ivy olhava para Leo e uma tristeza profunda se estampava em seu rosto. Leonardo sentia um aperto no coração. Uma vontade louca de consolá-la. Mas que proveito ele teria nisso? Não poderia colocar tudo a perder. Não agora.

A única coisa que parecia livrar Ivy daquele transe era a tagarelice corriqueira de Maria. Mesmo assim, Ivy sempre deixava que a outra conduzisse a conversa. Só a empregada conseguia fazer com que ela se levantasse para realizar as tarefas cotidianas, como tomar banho ou escovar os cabelos. Mas também, meditou Leo, como Ivy poderia discutir com uma pessoa obstinada como Maria, que não sabia escutar um não, que simplesmente seguia em frente até conseguir o que queria, como um rolo compressor?

E, pelo visto, Maria também já encaixara Ivy em seu coração. Começou até a chegar mais cedo para perturbar Leonardo no café da manhã.

"Não sei o que você fez com essa menina, mas, seja o que for, conserte. Se ela adoecer, baterei na sua cabeça com a frigideira."

Leonardo tinha que admitir que era grato pela presença da empregada enxerida. Pelo menos, sabia que a esposa estava sobre os cuidados dela. Também era grato por Ivy não poder ir embora. Não estava preparado para isso. E ainda não era o momento certo. Estava disposto a ir até o final com aquilo, mesmo que a cada dia a compaixão que sentia por ela aumentasse dentro de si.

Quando chegou em casa naquela noite, já eram oito horas. Maria já havia ido embora, mas, antes disso, arrastara Ivy para sala, na tentativa de animá-la, tirando-a do quarto que agora parecia ser sua tumba. Empoleirou Ivy no sofá, acendeu a lareira e ligou a televisão no jornal das sete, na esperança de que alguma notícia catastrófica mostrasse à nova patroa que sua vida não era tão ruim assim. Que estava viva, era jovem e precisava reagir.

Como estava muito frio, Maria entregou a Ivy uma sopa quentinha de legumes e carne que tinha feito. *Nada como um estômago satisfeito para uma pessoa recobrar o ânimo*, pensou. Depois, a empregada foi embora. O resto era com Deus. Já entregara Ivy a Ele nas suas preces. Até a convidara para ir à igreja com ela naquela noite, mas, como Ivy não quis, Maria respeitou seu momento. A única coisa que podia fazer por ela agora era orar.

Quando Leonardo passou pela porta da sala, logo viu Ivy sentada no sofá, enrolada num cobertor verde e felpudo. Seus cabelos estavam amarrados num coque para trás e, provavelmente, permaneciam assim desde que ela havia acordado. A sopa ainda intacta na mesinha de centro à sua frente. A face dela estava muito pálida, abatida. Mesmo assim, Leonardo ainda achava-a linda. Ivy olhou rapidamente para ele e voltou os olhos para a tevê. Leo não puxou conversa, e ela se manteve em silêncio. Ele somente espanou os cabelos, largou a prancha na porta e subiu para tomar banho e trocar de roupa. Mas, assim que Leonardo passou para as escadas, a carapuça que Ivy vestia desmoronou. Ela colocou uma mão no rosto, fechou os olhos e começou a chorar.

Estava cansada daquilo. Suas lágrimas pareciam inesgotáveis. A última semana foi a pior de sua vida, pois a dor era indescritível. O tempo deixara de existir. Ivy perdia a noção das horas, dos minutos e dos segundos... Quase podia sentir os cabelos e as unhas crescendo, tamanho o seu tédio. Negligenciou completamente qualquer tarefa de casa. Nem mesmo tinha forças para orar, visto que considerava-se culpada pelo seu sofrimento. Fora uma rebelde. E agora merecia aquele tratamento. O arrependimento a fustigava de dia e de noite. E as características negativas dos pais, bem como as suas últimas atitudes para com ela, já haviam sido esquecidas devido à imensa saudade que sentia deles.

Nunca se sentira tão sozinha na vida. Leonardo a ignorava completamente. Passou a alimentar a bizarra convicção de que o marido não olharia para ela mesmo que tropeçasse em seu corpo sangrando no meio da sala. Não havia um único osso compassivo naquele corpo sem coração. Ivy já se conformara que aguns adultos aceitavam relacionamentos ruins em busca de uma união estável, mas aquilo já era demais. Nem que tivesse couro de rinoceronte poderia aturar tanto sofrimento e humilhação. Mesmo sem querer, sofria miseravelmente toda vez que Leonardo saía de casa, pois era quando sua própria solidão começava a dar gritos.

Ela não tinha para onde ir. Ninguém a esperava. Nem um emprego, faculdade ou até mesmo um curso de crochê. Fora Maria, ninguém da cidade sequer sabia que ela existia. Portanto, não precisava levantar-se da cama, pentear os cabelos nem se vestir, como se fosse ter contato com outras pessoas. Poderia ficar vendo televisão e comer biscoitos até morrer. Mas nem fome conseguia sentir.

Também não queria humilhar-se pedindo para Leo pagar nada para ela. Muito menos a faculdade. Já se sentia um fardo naquela casa, que parecia muito espaçosa sem a presença dele, principalmente nos dias em que Maria não vinha. No silênco, Ivy quase podia ouvir as batidas do próprio coração. O vazio do ambiente era opressivo. Mas, pelo menos, as paredes lhe davam a ilusão de segurança. Ao menos não estava dormindo ao relento na rua. Naquela noite, por exemplo, devia estar uns treze graus. Com o frio que fazia naquela cidade, com certeza ela morreria em um ou dois dias.

Pensando bem, talvez não fosse tão ruim assim.

Leonardo desceu uma hora depois e foi direto para cozinha. Lá, serviu-se de um café, que estava um pouco já passado na garrafa, e voltou para a sala. Ficou em pé, mexendo o café, em movimentos lentos, e mirando a sopa intacta na frente de Ivy. Um coração teria que ser feito de pedra para não ficar comovido. Estava mesmo preocupado com ela. Ivy havia emagrecido visivelmente. E, se continuasse daquele jeito, iria realmente adoecer. *O que não seria bom para ninguém*, meditou ele consigo mesmo. Se ele já estava fraquejando só de vê-la abatida, o que aconteceria se ela ficasse doente?

Fora isso, Leonardo não estava nem um pouco a fim de tomar uma frigideirada na cabeça. Portanto, em um ato de comiseração, embora tudo que ele desejasse naquela noite fosse ficar de cueca e assistir a um pouco de MMA na tevê, Leonardo voltou a ser da raça humana e resolveu puxar assunto. Ivy precisava comer.

– Vou sair hoje à noite – ele disse, na esperança de despertar a sua atenção.

Ivy limpou as lágrimas da face com as costas da mão e não disse nada. Também não olhou para ele.

– Vou a um restaurante italiano. O Bianco Lounge. O ambiente é...

– Não quero saber aonde você vai – a voz de Ivy foi inclemente, mas ela abraçou mais os braços, em busca de calor.

Leonardo bebeu o líquido todo e foi colocar a xícara na pia, porque precisava dizer:

– Queria que você fosse comigo.

Como não ouviu nenhuma resposta, Leonardo voltou para sala para fitá-la. Ivy virou o rosto para ele.

– Você já havia violentado outra pessoa antes de mim?

– O quê? – O choque sincero no rosto de Leo lhe deu a resposta. – Quer parar de dizer isso. Não fui cavalheiro com você. Já confessei que fui um estúpido. Mas não sou esse tipo de cara...

Por incrível que pareça, Ivy sabia disso. Arrependeu-se da pergunta.

– A gente julga por aquilo que vê – mesmo assim ela disse.

– Olha... – Leonardo foi até ela e sentou-se ao seu lado, para fitá-la nos olhos. – Estou tentando melhorar o clima entre nós. Isso é difícil para mim. Será que não poderia colaborar um pouquinho?

Com espanto, Ivy virou o corpo para ele. Pelo visto ele achava que podia amaciá-la com aquela – na opinião dele – meritória argumentação.

– E o que foi que deu em você para, de repente, ser tão generoso? Até alguns minutos atrás você entrou aqui e nem me cumprimentou... Por que devo facilitar as coisas para você?

– Porque não suporto mais vê-la aqui nesse estado.

Ivy fez uma cara chocada.

– Ah... me desculpe se minha tristeza incomoda você.

– Pois incomoda.

– Mas a culpa é sua...

– Eu sei. Por isso mesmo estou tentando consertar.

Um resquício de esperança assaltou o peito de Ivy, mas ela o abafou.

– Isso é coisa da Maria?

– Como?

– Foi ela quem te obrigou a fazer esse convite para mim? Pode avisar a ela que não precisa de tanto. Não estou pensando em me suicidar. Ainda.

– Pelo amor de Deus, Ivy, não diga uma coisa dessas. – Leonardo se aproximou e segurou o rosto dela, que aqueceu imediatamente, mas Ivy recuou. – Só te peço que venha jantar comigo. Nada mais do que isso. Você já está trancada nesta casa por muito tempo. Precisa de um pouco de ar puro.

O suspiro de Ivy foi sarcástico.

– Preocupado com a minha saúde... Vê se pode... – ela olhou novamente para a televisão, amarga.

Leonardo permanceu com o corpo inclinado para ela, os rostos muito próximos.

– Ivy, ninguém vai ganhar nada se nós dois continuarmos assim. Sei que mereço esse tratamento neste momento, mas você não merece ficar definhando por minha causa. Se não quiser fazer isso por mim, faça por você mesma. Pelo menos desta vez.

Esse argumento fez Ivy olhar para ele novamente. Era verdade. Ela precisava pensar mais em si. Devia isso a si mesma depois do que permitira que Leonardo fizesse com ela. E, por Deus, ela precisava ver gente. Como desejava sair daquele casulo...

No entanto, o medo de se abrir para ele e ser magoada de novo lhe impedia de aceitar prontamente o convite. Não sabia mais como lidar com aquele sujeito. Ora tão indiferente, ora tão preocupado com ela. Ela o aceitara em seu coração, deixara-se encantar e seduzir, largara tudo... E ele a enganara. Roubara-lhe a vida e o orgulho. Mas como ela podia se defender contra aquele ataque de candura? Como defender-se daquele rosto uniformemente bronzeado, dos olhos doces... Quando olhava para ele, sentia algo se contrair e se depois distender em seu peito, dolorosamente. Tudo dentro dela amolecia... Talvez, por essa razão, Ivy tenha mirado o seu rosto por tanto tempo, fazendo com que a proximidade trouxesse à tona o desejo que havia entre ambos.

– Por favor – ele pediu novamente, tão baixo, com tanta ternura, que Ivy teve que virar o rosto para olhar o gramado através da porta de vidro. – Que droga, Ivy!

Ele virou o rosto dela bruscamente e a beijou, porque não aguentava mais. Ela resistiu no início, ameaçando empurrá-lo, mas, em poucos segundos, para a sua frustração, seus braços envolveram o pescoço de Leo. Era mais forte do que ela. Ivy abriu mais a boca e sorveu tudo dele. Ela ainda o amava, não importava o que a sua maldita consciência dissesse. Talvez fosse a solidão intensa dos últimos dias que a fazia pensar que Leonardo agora era o seu mundo. Mas não podia lutar contra aquilo. Por isso, resolveu se entregar.

Para Leo, Ivy tinha o frescor de flores lavadas pela chuva. Nem mesmo o sofrimento conseguira tirar isso dela. Ela amava a sua pele macia, a doçura com que sempre o beijava, as suas mãos delicadas sobre o seu rosto...

Quando se afastaram, a expressão abatida de Ivy dos últimos dias tornou-se um sorriso rendido, esmagada pela emoção.

– Onde você estava... – murmurou ela, com a voz trêmula. – Pensei que nunca mais o veria.

Sinceramente comovido, Leonardo passou a mão pela lateral do seu rosto.

– Sempre estou aqui. – O sotaque dele transformava as palavras em um líquido quente aos ouvidos de Ivy. – Perdoe-me se não deixo que você veja.

– Eu já havia desistido – disse ela, chorosa. – Achei que você não me queria mais.

Os olhos dele relaxaram e Leonardo deu um sorriso vencido. Ivy aproveitou o momento.

– Você se substima, guria – a voz dele foi macia e quente como veludo. E o nó que Ivy vinha sentindo há dias em sua garganta desapertou-se. – Agora suba e vá se arrumar. Vamos tentar esquecer isso tudo hoje à noite. Nós dois precisamos disso. – Ele beijou sua testa e se levantou. – Vou guardar minha prancha na garagem e depois volto para chamar o nosso táxi. Você tem trinta minutos. Não precisa mais do que isso, já que é linda naturalmente. – Ele piscou e, quando Leonardo pegou sua prancha e saiu para o gramado, Ivy olhou para o céu estrelado e sem nuvens, colocou o punho fechado que agarrava a coberta na frente da boca, se permitindo chorar. Só que, dessa vez, depois de muito tempo, com um resquício de alegria.

Capítulo 22

Na segunda quinzena de agosto, Santa Catarina estava registrando temperaturas em torno dos vinte e três graus durante o dia, quando o padrão da estação era em torno de vinte um. Entretanto, naquela noite, fazia dez. Somente quando Ivy saiu de casa percebeu que a sensação términa que estava lá dentro era, ironicamente, muito mais confortável. No mesmo momento, ela teve vontade de voltar para colocar uma calça, mas estava tão ansiosa para sair e esquecer o seu insólito surto depressivo que resolveu ignorar as pernas, que estavam congelando por estarem cobertas somente por uma grossa meia--calça de lã, e entrou no táxi que já os esperava. Graças a Deus, suas botas iam até os joelhos e aqueciam um pouco mais as canelas. Já a saia de couro preto que vestia não parecia ajudar em nada a esquentar os quadris. Ivy estava usando uma blusa de gola branca com um suéter sobreposto. E felizmente, no último momento, resolveu colocar um blazer por cima. Como não quis lavar os cabelos, pois ficou com medo de pegar um resfriado, amarrou-os em um rabo de cavalo ajustado e maquiou-se discretamente.

Já se sentia outra. Durante o caminho, Leonardo passou um braço pelo seu corpo e Ivy apoiou-se nele, repousando a cabeça em seu ombro, sentindo-se confortável no círculo protetor dos seus braços. Seus lábios se contraíram num sorriso sereno e particular, aliviado, como se ela tivesse acabado de acordar de um pesadelo terrível. Olhava para a paisagem que passava como um borrão através da janela. Para os edifícios sofisticados, os casais caminhando abraçados se acalentando na noite fria... e maravilhou-se quando avistou a majestosa ponte Hercílio Luz, toda iluminada, e as águas reluzindo o esplendor de seu reflexo abaixo dela.

Quando o táxi parou em frente a uma linda casa branca, Leonardo saiu do carro e estendeu a mão para Ivy. Ela aceitou a cortesia e também deixou o veículo, fascinada com a fachada do restaurante. Havia duas colunas iluminando a entrada, que margeavam o portão de ferro trabalhado, pintado de verde. Os muros eram de vidro e dava para ver algumas mesas de madeira com clientes sendo servidos, sentados em cadeiras de vime, na parte externa da casa. Plantas muito bem dispostas, em lugares estratégicos, favorecidas pela iluminação decorativa, ornamentavam o ambiente de verde, salpicando o cenário alvo. Embora imponente, por fora, o bistrô parecia ser intimista, o que agradou Ivy.

– Não vai pagar o táxi? – Ivy perguntou, quando Leonardo pegou a sua mão e tomou a dianteira.

– Ele vai nos esperar.

Ivy piscou.

– Vai ficar aqui até acabarmos? – O espanto na voz dela era evidente.

Leonardo somente deu um meio sorriso e puxou a mão dela. Em censura àquela extravagância, Ivy sacudiu a cabeça para ele. Francamente.

Eles atravessaram o portão e foram direto para a entrada principal. Havia muitas mesas elegantes na parte de dentro, todas ocupadas. Em um canto no restaurante tinha um imenso sofá de couro branco, que contornava a parede, além de algumas almofadas coloridas jogadas em cima. Lá, o ambiente era menos iluminado e uma fumaça azulada embaçava os parcos raios de luz, cor de margenta. A voz de Alanis Morissette cantando *Receive* parecia vir daquele local. Somente duas mulheres estavam sentadas ali, segurando taças de champanhe. Uma delas fumava, e o instinto de Ivy dizia que o cheiro de cigarro e bebida não devia estar nada agradável naquele recinto.

Ficou satisfeita, no entanto, quando Leo a conduziu para o outro lado do salão. E, enquanto eram escoltados pelo maître, a equipe de garçons meneava a cabeça para cumprimentá-lo, como se já conhecem aquele cliente há muito tempo. E tão logo Leonardo passava, ele observou que a maioria deles virou a cabeça a fim de olhar para Ivy, bem como alguns clientes do local. Sentiu um certo desassossego com isso. E, como que querendo marcar território, ele manteve as mãos nas costas dela até chegarem à mesa.

– Você havia ligado para reservar? – indagou Ivy a Leo, enquanto o maître lhe puxava a cadeira. Leonardo também se sentou.

– Ele sabe que eu sempre venho aos sábados, por isso reserva pra mim. Quando não chego até as nove da noite, ele libera a mesa.

– Pensamos que havia nos abandonado – disse o maître, com um sorriso cordial, entregando o cardápio para Ivy. – Já faz tempo que o senhor não aparece.

– Estive viajando.

Ivy teve vontade de rir da formalidade do homem ao chamar Leonardo de *senhor*. Ele era muito jovem para isso. Mas colocou o cardápio na frente do rosto, para disfarçar. O murmúrio de conversas, o barulho de taças se entrechocando e a excitação ocasional de risadas ao seu redor a estavam deixando extremamente animada. Como se estivesse reingressando à sociedade. Todavia, adoraria que seu irmão estivesse ali para lhe dar uma dica do que pedir. Sempre que estava em um restaurante grã-fino, ligava para Rafael para ele lhe dar uma dica de pratos, mas não queria pagar esse mico na frente de Leo. Então, olhou para a sugestão do dia. Mas quem diabos, pelo amor de Deus, comeria jacaré ao molho de tangerina?

– Suponho que posso trazer o mesmo de sempre para o senhor – o homem acrescentou.

– Por favor – Leonardo consentiu.

– Posso trazer alguma bebida para a senhora?

Ivy demorou alguns segundos para entender que o maître falava com ela, mas depois olhou para ele, com um sorriso amarelo.

– Está falando comigo? Ah... desculpe. Não estou acostumada a que me chamem de senhora.

O funcionário deu um sorriso condescendente e abaixou-se um pouco na sua direção.

– Sinto muito. Mas, na minha época, quando uma mulher era casada, a chamávamos de senhora, não importava quantos anos ela tivesse. E, pelo que percebi, nosso cliente favorito finalmente foi laçado. – Ele piscou, indicando o dedo com a aliança. – O senhor Leonardo sempre teve bom gosto. Falando nisso, nossa safra de hoje está ótima. O *Amarone* acabou de chegar. Posso trazer uma taça de vinho para a senhora também?

– Eu não be...

– Pode sim – Leonardo tomou a frente.

Ivy olhou para ele e contraiu os lábios, mas não disse nada. Não queria estragar a noite. Entretanto, não estava acostumada a beber, e já era a segunda vez que Leonardo a influenciava a fazer isso. Sua mãe havia sido alcóolatra por muitos anos e Ivy sempre teve medo de ter herdado os seus genes. Por isso, sempre se absteve de álcool.

Mas depois eles conversariam sobre isso, ela decidiu, observando como Leonardo estava lindo dentro daquela jaquela bege. Por baixo, ele estava todo vestido de preto. Camisa, calça e sapato. E os cabelos estavam arrumados para trás, como se estivessem molhados. Talvez estivesse com gel, Ivy não sabia dizer ao certo. Ela mal podia acreditar que aquele homem maravilhoso de se olhar era seu.

Logo o simpático maître retornou com o vinho, e Ivy se forçou a tomar pequenos goles. Ela e Leonardo conversaram um pouco sobre as atividades que ele costumava fazer na cidade. Assuntos triviais. As boates que frenquentava, os bons restaurantes e as trilhas que adorava fazer. Ivy percebeu que o marido se empolgava muito mais em narrar os passeios que envolviam perigo, como fazer rapel pelos canyons catarineneses.

O que ela não sabia é que Leonardo queria mesmo impressioná-la. Como um adolescente quando quer encantar uma menina do último ano, percebeu ele, derrotado. Sua boca com dificuldade de sorrir já havia se aberto várias vezes para ela. E às vezes, durante a conversa, Leonardo se lembrava do que havia feito com Ivy e seu semblante esmorecia lentamente.

Dividido entre arrasado e arrependido, ficou tentando se convencer de que podia fazer tudo diferente. Podia aproveitar seus momentos com ela enquanto Ivy estivesse ali. Afinal, não era a ela a quem ele desejava ferir. No entanto, se Ivy estivesse feliz, que sofrimento ele geraria àquela outra pessoa? Sua situação não poderia estar mais nebulosa.

Ivy acabou deixando que Leonardo escolhesse seu prato. E ele pediu um ravióli com recheio de pato para ambos.

– Uma escolha maravilhosa – disse Ivy, enquanto comia com gosto. – Aposto que Rafael adoraria comer aqui... – sua voz falhou um pouco ao se lembrar do irmão. Ela lembrou-se do seu sorriso descontraído, das suas piadas, do jeito matreiro com que Rafael sempre esticava os olhos quando uma mulher bonita passava... Entristecida, Ivy colocou o garfo no prato e pegou sua taça de vinho. Leonardo notou a mudança. Por isso, disse:

– Quem sabe ele não pode vir aqui no futuro, não é? Afinal, vocês não vão ficar brigados para sempre... – Esse argumento fez Ivy retomar o sorriso. Leo estava realmente se esforçando para alegrá-la. E, primeiro, ela precisava emendar o seu casamento. Depois, cuidaria do resto.

– Tem razão. – Ela estreitou os olhos. – Você está um pouco... – com naturalidade, Ivy esticou o braço para tirar um pouquinho de molho do queixo de Leo. Por instinto, ele virou o rosto e sugou o seu dedo em seguida, como sempre fazia. A temperatura de Ivy disparou, mas ela tentou distraí-lo. – O que foi isso no seu queixo, afinal de contas? – Ela referia-se à cicatriz.

Leonardo baixou os olhos para o prato, com um sorriso incontido.

– Uma mulher.

Ivy ergueu uma sobrancelha.

– E como foi que ela fez isso?

– Na verdade, foi o marido dela. Ele me deu um soco. – Leonardo bebericou o seu vinho.

Ivy pigarreou.

– E isso aconteceu muitas vezes? – Ela quis saber, o lábio inferior se projetando para a frente em revolta.

Leonardo espetou um ravióli.

– A mulher ou os socos do marido?

– Mulheres que levam o marido a te dar uns socos – a voz dela saiu sarcástica.

– Não muitas.

– Que bom. – Ivy fez uma pequena pausa, enquanto remexia a comida. – Pelo menos, valeu a pena?

Quando Leonardo simplesmente sorriu e continuou a comer, Ivy fez uma expressão contrariada.

– Aonde eu fui amarrar o meu burro... – ela brincou.

– Leo?

Ambos olharam para o lado e viram uma morena exuberante, na casa dos trinta anos, com um macacão branco colado no corpo.

– Ah-meu-Deus! Não acretido. Você ressuscitou! – Ela se abaixou para abraçar Leonardo pelo pescoço. – Mandei o convite por e-mail para você, mas não acreditava que você vinha.

– Para falar a verdade, nem abri meu e-mail esses dias – ele falou, meio assustado. – Hoje é seu aniversário?

– É claro que sim. O lounge hoje é para os meus convidados. – Ela deu um tapinha no seu ombro. – Mas não vale me perguntar a idade. Só posso dizer que já saí da fase dos "inte". Você anda tão sumido...

– Eu me casei.

– Você o q... – as palavras engasgaram na garganta da mulher e ela se virou para Ivy. Em seguida, liberou um sorriso maternal. – Ora, seu cretino. Você se casou ou adotou essa linda menina? Aposto que essa ainda nem chegou à casa dos "inte"...

– O nome dela é Ivy. Ivy, essa é a Isabel.

– Para você sou somente Bel. – Ela lançou um sorriso oferecido para ele e depois esticou a mão para Ivy, que segurou-a, de mau grado. Primeira vez em que conhecia alguém do círculo social do marido, e não gostou nem um pouco daquela perua. – Assim que acabarem de jantar, apareçam lá no lounge. O pessoal vai estar todo aí. Vamos ter bebida à vontade. Hoje a noite é por minha conta.

– Faremos isso – ele prometeu e depois Isabel se foi.

Ivy não gostou da promessa dele, porém, não disse nada. Provavelmente, seria uma oportunidade de conhecer mais pessoas ligadas a Leo. E Ivy queria ver como o marido se comportava no meio dos seus. Além disso, ele a havia apresentado como sua esposa para Isabel. Seria bom as amigas dele saberem que Leonardo estava casado.

O vinho deixara suas pernas trôpegas, então Ivy sentiu-se grata quando Leonardo estendeu a mão para ajudá-la a se levantar quando acabaram de comer. Caminharam juntos para a parte mais escura do salão. Quando chegaram ao local, já havia uma pequena mesa de vidro com um bolo de aniversário em cima, com tema de oncinha.

Alguns pufes estavam dispostos nos cantos, com baldes de gelo e uma ou duas garrafas de champanhe gelando.

Um toque no braço aqui, uma face oferecida ali, e Leonardo foi apresentando Ivy aos amigos. Os homens a miravam de cima a baixo, interessados, e as mulheres a avaliavam com discrição. Ninguém sabia que seu estômago estava dando voltas, provocando calafrios e pontadas geladas. Ivy estava se sentindo perdida no meio daquela gente transada, que parecia ter saído de uma revista de moda. Suas mãos estavam suadas e seu sorriso, fácil. Claudicava em qualquer conversa, tentando se enturmar.

Certo momento, Ivy ficou aflita quando Leonardo foi puxado por um amigo. Eles pararam perto de um grupo de pessoas que conversavam animadas. E pela maneira com que o rapaz remexeu os cabelos de Leo, Ivy imaginou que ele era seu cabelereiro.

De repente, o som de *Gangnam Style* começou a tocar e Ivy se assustou com os gritos da mulherada, que se levantou e começou a dançar, frenética, sem dispensar as taças de champanhe das mãos. Os homens imediatamente se reuniram a elas, e Ivy se sentiu deslocada no meio de toda aquela balbúrdia. Conforme se mexiam, as pessoas lhe empurravam, obrigando-a a também se mexer. Mas nada poderia ter sido pior, no entanto, do que quando ela observou Leonardo cercado por duas garotas, descontraído, dançando com elas.

Algumas vezes, Ivy ficou perplexa, rebolando com elas.

Os cabelos dele já não estavam tão arrumados para trás, pois uma pequena mecha da franja havia escapado e agora caía sobre os seus olhos. Como se não bastasse, Ivy sentiu o sangue ferver mais ainda quando uma das meninas colocou um cigarro aceso na boca de Leo, e ele simplesmente tragou.

Ivy perdeu o chão. Não sabia que Leonardo fumava quando ia para a balada. E, pelo visto, não sabia muitas coisas sobre ele. Para retomar o controle, procurou um canto no sofá branco para se sentar e assimilar a informação. No mesmo minuto, passou um garçom servindo taças com *prosecco*. E pela primeira vez, por vontade própria, Ivy pegou. Bebeu tudo quase em uma golada só. Estava chocada. Furiosa com Leo. Primeiro, por ele tê-la deixado sozinha no meio daquela gente desconhecida e cheia de estilo. Segundo, por estar se permitindo ser recheio do sanduíche daquelas duas vadias. E, pior de tudo, por estar fumando.

Por Deus! Ivy não podia acreditar que até poucos minutos atrás ela realmente acreditou que poderia se entender com aquele sujeito. Leonardo era bipolar. Ou então tinha dupla personalidade. Como ela poderia ficar casada com uma pessoa que mal conhecia?

Ambos continuaram bebendo. Leonardo de um lado e Ivy do outro. As batidas ensurdecedoras daquela música estavam irritando Ivy cada vez mais, ajudando a acumular a sua ira. Ela ficou obervando a postura irritantemente confiante de Leonardo enquanto conversava com duas garotas. Em vez de se inclinar para a frente com uma expressão interessada, como os outros caras faziam, ele sempre jogava o corpo um pouco para trás, de braços cruzados, obrigando as pessoas a se inclinarem em sua direção para falar. Ivy se lembrou, mortificada, de que ela mesma havia agido assim com ele por várias vezes durante a festa da fazenda. Pensava nisso quando um dos amigos de Leonardo se sentou ao seu lado. Era Kaique. Uma rapaz simpático que a cumprimentara logo no início. Tinha os cabelos avermelhados e rosto cheio de sardas. No escuro, parecia quase bonito. Ele sorriu para Ivy e fez um brinde com ela. Em seguida, sem cerimônia, pegou uma garrafa de champanhe e serviu mais às taças dos dois. Ivy ainda olhava para Leo que, nesse momento, às gargalhadas com alguma coisa que ouviu, jogou-se no sofá do outro lado da pista. Parecia estar se divertindo como nunca. Em seguida, com os olhos se voltando para Ivy tranquilamente, ele prendeu outro cigarro na boca, rindo, e chamou-a com a mão para que viesse ficar perto dele. Sentido-se ludibriada, Ivy largou sua taça, se levantou e caminhou para fora dali, dando a Leonardo a escolha de ficar ou de segui-la.

Ele fez a escolha errada.

Já tonto, acendeu outro cigarro e continuou conversando com os amigos. Embora fossem amizades superficiais, fazia tempo que Leonardo não os via, e Deus sabe como ele precisava relaxar depois de tudo o que acontecera.

Ivy foi direto para o banheiro, encolerizada, as lágrimas dançando nos seus olhos, mas ela as conteve. Odiava-se por viver construindo castelos para, pouco tempo depois, vê-los ruindo. E era sempre Leonardo quem tirava o primeiro tijolo. O resto caía sozinho, em efeito dominó, junto com o seu equilíbrio. Estava farta de ter seus sentimentos manipulados por aquele canalha. Desde que o conheceu, Ivy vivia numa montanha-russa de emoções. Mas aquilo iria acabar.

Com brutalidade, ela puxou um papel ao lado do espelho para secar os olhos. Depois, resolvida, abriu a bolsa para pegar seu batom, lembrando-se do que sua irmã, Amanda sempre dizia:

As mulheres bonitas têm um poder enorme, mas só as inteligentes sabem como usá-lo.

E Amanda estava certa. Ivy tinha uma arma. Estava na hora de Leonardo Belford provar do seu próprio veneno.

Quando voltou para a pista, o semblante de Ivy já estava melhor. Foi direto para o lado de Kaique que, quando notou que ela havia voltado, fez sua boca se escancarar num sorriso de muitos dentes. Ambos começaram a conversar descontraidamente, e Ivy até permitiu que o novo amigo tocasse seu joelho de leve. Kaique era jornalista, por isso os dois tinham tanto assunto em comum. E quando Ivy deu risada de um comentário que ele fez, Leonardo olhou naquela direção. Podia facilmente distinguir a risada dela das outras. Entretanto, quando notou com quem Ivy estava conversando, seus olhos flamejaram e sua mandíbula enrijeceu. Seu coração, geralmente controlado, deu um súbito solavanco quando viu a mão de Kaique, abusada, descansando sobre o joelho da sua esposa. Sua taxa de adrenalina disparou. Na mesma hora, brotou um ciúme tão intenso, tão feroz, que lhe arrancou o ar dos pulmões. Leonardo ficou olhando para os dois conversando, tão concentrados, como se estivessem sozinhos numa bolha particular. Irritado com a própria reação, apagou imediatamente o cigarro. O cérebro tentando se agarrar avidamente, em vão, às verdadeiras razões pelas quais tinha se casado com ela. *Não foi amor, não foi amor...* ele repetia a si mesmo.

Tentou conter a fúria. Que direito tinha de se irritar? Ele mesmo não estava conversando com outras pessoas?

Por isso, quando Ivy olhou em sua direção, Leonardo alterou sua linguagem corporal para fingir que estava entretido em outros assuntos, mas ela pôde ver quando ele a olhou de esguelha, com um ar aborrecido. Estava funcionando, percebeu ela, feliz.

Quando começou a tocar sertanejo universitário, Kaique abriu um largo sorriso e se levantou, puxando Ivy para dançar. Ligeiramente embriagada, e tomada de amores pelo companheiro de conversa, ela resolveu aceitar, para espiaçar ainda mais Leonardo. Com um sorriso mole, agarrou-se a Kaique e ambos começaram a mover-se na pista. Então, algo dentro de Leonardo mudou. O que antes era só uma inquietação começou a corroer o seu peito, parecendo sufocá-lo. Tentanto se acalmar, ele deu um gole em um espumante, que já estava quente e desceu quadrado pela garganta fechada de ódio. Não podia ficar admirando o casal desavergonhado se roçando no meio da pista, como se estivessem num cadafalso.

Em movimentos irriquietos, Leonardo se levantou e colocou os punhos cerrados dentro dos bolsos. Olhou na direção do banheiro e começou a andar para lá, mas depois retornou. Não queria deixar os dois pombinhos sozinhos. Tinha medo de que Ivy evaporasse antes que ele voltasse.

Sentindo-se ótima, Ivy se permitiu ser lavada pela música, que pulsava em seus ouvidos. A bebida que percorria por suas veias a deixara mais leve e receptiva. Sentia-se exultante com o olhar enciumado de Leo. Além disso, Kaique era um ótimo dançarino e a guiava com extrema destreza. Havia outros casais dançando na pista, mas eles eram, de longe, o que mais chamava a atenção.

Leo, que já tinha tendência a ficar surdo quando a névoa vermelha da fúria o dominava, não aguentou mais quando Kaique, sussurrando alguma coisa, enfiou o rosto no pescoço de Ivy, que tinha a face virada para cima e os olhos fechados enquanto curtia a melodia. Desafiando qualquer lei da física, ele abriu caminho acotovelando a multidão de casais até chegar à sua mulher. Depois, puxou-a bruscamente dos braços do outro. E quando Kaique tentou segurá-la, Leonardo se virou e esmurrou o seu rosto num golpe só. Não estava pensando. Somente precisava colocar para fora aquela raiva que sentia e ensinar àquele safado a nunca mais tocar em sua mulher. Mas mal tinha virado de costas para sair quando Kaique o puxou pelo ombro e também acertou a sua boca com o punho. A pancadaria entre os dois começou. E Ivy, para seu próprio espanto, começou a rir. Riu descontroladamente. O álcool navegando na sua mente não lhe permitia ver a gravidade da situação. Por isso, somente se sentou no sofá, com um novo drinque na mão, e ficou assistindo ao espetáculo. Tudo girava em sua cabeça. Os cheiros, as vozes, as bolinhas de champanhe...

Leonardo e Kaique logo foram separados por dois seguranças. Ambos vermelhos e ofegantes. A boca de Leonardo estava sangrando um pouco quando ele se debateu e se soltou do funcionário que o segurava. Em seguida, ele puxou Ivy pela mão, sem se despedir de ninguém, e a levou para fora dali.

Foram de táxi para casa, num silêncio carregado de tensão. Ivy dividida entre vitoriosa e culpada, e Leonardo sentindo-se ridículo. Não queria ter batido em ninguém. Muito menos ter exposto seus sentimentos daquela maneira. Agora Ivy sabia, com toda a certeza, que ele sentia alguma coisa por ela. De um jeito meio torto e doentio, mas ele sentia.

Nada estava saindo como devia ser, meditou ele consigo mesmo. Era um idiota. Subestimara desde o início a influência que ela tinha sobre ele e agora não via maneira de o sentimento voltar atrás.

Sentia-se fracassado quando chegou em casa e pagou ao taxista por uma corrida obscenamente alta. E quando entrou pelo gramado de casa, na frente de Ivy, ficou ainda mais furioso quando ouviu uma risadinha atrás dele. Mas Ivy estava séria quando ele se virou.

– Está satisfeita?

Porque temia desabar numa gargalhada, Ivy não respondeu de primeira.

– Preste atenção no que vou te dizer. – Com um ar ameaçador, Leonardo se aproximou e segurou o rosto dela com uma mão, a dois centímetros do dele. – Se um dia você tentar me enganar, vou ficar irritado.

– Então, também não me irrite – reiterou ela, com um tom petulante, movida pela coragem gerada pelo álcool.

Pensativo, Leonardo ficou olhando bem dentro dos olhos dela, fazendo alguma coisa dentro dos dois começar a aferventar.

– Você planejou tudo isso, não foi? Fez aquilo para me provocar.

Ivy riu com deboche.

– Não tenho culpa se você é um arruaceiro.

– Cuidado, Ivy.

– Cuidado é o escambau. E vê se não fala grosso comigo. – Ela liberou o próprio rosto. – Não tenho medo de você.

Mas quando ela ameaçou ir para dentro de casa, de súbito, Leonardo a puxou pelo braço e colou a boca dele na sua, mesmo com um dos lábios sangrando. Ivy atacou-o como uma gata selvagem. Com chutes, unhas e dentes. Mas em pouco tempo, porque também o queria, ela cedeu. Em meio a uma nuvem de perfume, cigarro e álcool, ela largou a sua bolsa no chão e os dois se atracaram. Naquele momento, só queriam esquecer. Esquecer o que haviam passado. As decisões que os levaram até ali. Esquecer de tudo...

Ivy já estava perdida nele. Sua irritação interior abafada pela aturdente beleza de Leo. A pele do rosto dele era áspera na sua mão, mas o resto do corpo por dentro da blusa era macio sob seus dedos. Seu abdômen era uma maravilha rígida, com montículos enxutos, encimado por um peito definido, cheiroso e bronzeado. Ela sabia que queria o seu coração mas, ora bolas, também queria o seu corpo.

Olhos um no outro, ambos foram se beijando loucamente até a entrada de casa. Quando chegaram, foram logo tirando os sapatos. Depois as jaquetas. A boca de Ivy percorria o rosto de Leo enquanto ele agarrava-lhe pelos quadris, enlouquecendo. As unhas dela arranhavam-lhe as costas, fazendo-o grunhir, e cada beijo violento que Leonardo lhe dava era como uma possessão.

Minha.

Ivy puxou a camisa dele com desespero pela cabeça, as bocas se batendo, depois se fundindo. Em certo momento, Leonardo soltou um gemido grave, do fundo da garganta.

– Meu Deus, como se tira isso? – Ele tentava arrancar a blusa de Ivy. Ela deu uma risada entrecortada.

– Tem que ter calma para abrir os botões.

– Estou tentanto. – Leonardo sorriu, com o rosto já todo vermelho.

– Então pode rasgar. Assim eu nunca mais uso. – Ivy procurou a boca dele de novo, alimentando-se, explodindo de desejo de encontro aos seus lábios. O gosto dele se espalhava por suas veias como um mel aquecido.

Meu.

E dessa vez foi Leonardo quem engoliu o gemido dela quando ele abriu todos os botões num puxão. Em seguida, ele jogou a blusa dela no chão e acariciou o colo de Ivy. Os músculos dela tremeram com o toque das mãos dele, quentes e ásperas. Ivy agora estava somente de saia, sutiã e calcinha. Leonardo estava totalmente entregue àquele sentimento selvagem. Queria possuí-la naquele exato momento. Como um homem faminto.

Ambos conseguiram, com muito custo, ir tropeçando até o meio da sala. Desesperados um pelo outro. Mas quando Leonardo atirou Ivy de encontro ao sofá, os olhos dela se arregalaram e ela gritou:

– Não!

Arfante, Leonardo parou, como se saindo do transe, e ficou mortificado ao perceber o medo que aflorou em seus olhos.

Não. Não era medo. Era pavor.

Ivy também ficou constrangida, pois não tinha pretendido gritar. Foi impulsivo. O pânico que sentiu quando foi jogada daquela maneira assaltou-a de supetão.

– Faça amor comigo – ela pediu, ávida por consertar a situação.

Porque, no fundo, era um homem decente, Leonardo descobriu-se bloqueado por valores que não sabia que tinha. Não podia continuar enganando Ivy daquela maneira. Brincando com seus sentimentos com suas mentiras insidiosas. Ele a estava usando para um propósito egoísta, mesquinho, e ela estava lhe ofertando o seu coração. O seu corpo. Toda a sua vida.

Atortodoado, Leonardo passou as mãos pelos cabelos e se sentou no sofá, sentindo-se um lixo. Ivy recolheu as pernas e agarrou os joelhos, os olhos se enchendo de lágrimas. Sabia que havia estragado tudo. Mas o que podia fazer? Quando Leonardo lhe jogou no sofá daquela maneira, tudo em que ela pôde pensar foi naquela primeira noite escabrosa. Mas ficou arrasada quando percebeu a culpa que essa atitude acarretou nos olhos dele.

– Perdoe-me – ele disse, olhando para o chão. – Mas eu não sei como fazer isso.

Com carinho, Ivy tocou no seu ombro.

– Então vamos aprender isso juntos...

– Não. – Resoluto, Leonardo retirou sua mão e colocou entre as dele. – Eu não posso.

Ivy não entendeu o que ele queria dizer.

– Eu fui uma idiota. Não deveria ter te parado.

– A culpa não é sua. Eu estava fora de mim.

– Mas eu...

– Ivy – Leonardo segurou o seu rosto e, num impulso, deu-lhe um beijo na boca. Um beijo suplicante. Mas pedindo o quê? – Não posso fazer isso com você. Também não posso fazer isso comigo mesmo. Não peço que você me compreenda, só peço que você não me deixe.

Ivy estava atormentada com aquela situação. Leonardo não falava coisa com coisa. Deixá-lo? Aquilo seria impossível. E não só por não ter para onde ir, mas porque estava irremediavelmente apaixonada por ele.

Cansada demais para discutir, Ivy inclinou-se para a frente e beijou demoradamente o rosto de Leo. O cheiro dele ainda estava na sua pele e ela o desejava mais do que nunca, mas talvez ainda não fosse mesmo o momento. Ela ainda estava traumatizada, Leonardo estava visivelmente confuso, e o casamento ainda não tinha alicerces. Por isso, em seguida, com um ar derrotado, Ivy colocou calmamente a cabeça em seu colo. E, para consolá-lo, disse:

– E para onde mais eu iria?

Capítulo 23

Quando Ivy acordou na manhã seguinte, observou que ambos ainda estavam no sofá. De alguma maneira, Leonardo havia se deitado de lado, de costas para o sofá, e havia coberto os dois com uma manta. Estava agarrado a Ivy por trás. O rosto dele afundado no seu pescoço e ela podia sentir a respiração serena dele na sua orelha. Por um minuto, Ivy imaginou que estivesse sonhando. Somente quando tocou o antebraço dele, que estava caído sobre a sua barriga, percebeu que aquilo era realidade. Ela virou-se devagarzinho para olhá-lo dormindo. Desde que se casaram, ambos tinham evitado um ao outro. Dormiam na mesma cama, mas afastados por um espaço que parecia infinito. Ivy percebia agora por que sofrera tanto com tudo aquilo. Era muito melhor dormir daquela maneira, sentindo-se amparada, protegida. Emocionada, passou os dedos suavemente pela tatuagem de tribal no braço de Leo, deslizou-os até o pescoço dele, em direção ao rosto, e finalmente tocou os seus lábios, lembrando-se do seu gosto. Quando passou a mão no pequeno machucado que ele fizera na noite anterior, deu uma risadinha. Não que tivesse orgulho disso, mas ficou envaidecida quando Leonardo demostrou o que sentia por ela, a ponto de se meter numa briga. Ficou tentada a beijá-lo ali mesmo, mas quando Leonardo se remexeu, ela recuou a mão. Não queria acordá-lo. O relógio da parede indicava que eram dez e meia da manhã, e Leonardo nunca dormia até essa hora. Geralmente, por volta das oito, ele já estava no mar. Com chuva ou sol. Mas os acontecimentos da noite os deixaram carregados de tensão. Ele precisava relaxar.

Ivy lembrou-se de ter tido uma forte dor de cabeça em algum ponto da noite, talvez por conta da bebida. Solícito, Leonardo se levantou e trouxe para ela uma aspirina e um copo de água para que Ivy conseguisse voltar a dormir. Supôs que essa pequena consideração era somente o começo de uma grande mudança entre eles.

Pensando em retribuir o cuidado, Ivy decidiu preparar o desjejum para ambos, mas, quando ameaçou se mover, Leonardo estreitou o braço em torno dela, colocando uma mão sobre o seu seio. Envergonhada, Ivy percebeu que ainda estava somente de saia e de sutiã. Mas devido ao calor do corpo de Leo, não havia sentido frio.

Para falar a verdade, naquele momento, ele a estava fazendo sentir algumas quenturas...

Decidindo começar com o pé direito desta vez, Ivy se arrastou para fora do sofá, de mansinho. Em seguida, subiu as escadas a fim de se trocar. Tudo era muito novo para ela, não estava acostumada a ficar seminua na presença de Leo. Tomou um bom banho, colocou uma calça jeans e vestiu uma camisa, com um suéter rosa-claro por cima. Enquanto penteava os cabelos molhados, foi até a varanda, fitando a imensidão azul e ignorando um resquício das pontadas que teimavam em retornar em sua cabeça.

De fato, a vista era tão linda quanto a de um cartão-postal. O mar estava calmo e algumas gaivotas o sobrevoavam, planando por cima para, numa melhor oportunidade, mergulharem e pescarem algum peixe desavisado que aparecesse na superfície. *A natureza seguia seu curso*, Ivy pensou. Sua vida também seguiria.

Usaria melhor o seu tempo para absorver aquele lugar, decidiu. Queria conhecer os seus ritmos, confraternizar com vizinhos... E, quem sabe, arrumar um emprego. O resto do quebra-cabeça da sua vida encaixaria-se com o tempo.

Otimista, desceu as escadas na ponta dos dedos e constatou, feliz, que Leonardo ainda dormia. Foi para a cozinha sorrateiramente, lembrando-se de que Maria sempre fazia ovos mexidos para ele no café da manhã. Resolveu fazer o mesmo. Mas antes, pelo amor de Deus, precisava de um café. Tinha certeza de que uma boa golada expulsaria aquele latejar insistente que martelava a base do seu crânio. Cada célula do seu corpo era testemunha, nunca mais beberia uma gota de vinho. Aliás, uma gota de álcool.

Quinze minutos depois do primeiro gole, Ivy já estava se sentindo melhor. A cafeína fizera bem o seu trabalho. Cantarolava mentalmente uma melodia enquanto lavava a louça, quando viu Leonardo em pé à porta da cozinha.

– Bom dia – disse Ivy com brandura. – Espero que estejam do jeito que você gosta. – E colocou o prato dele na mesa.

Leonardo coçou os olhos e mirou os ovos, constrangido. Em seguida, ainda sonolento, retirou o celular do bolso da calça e conferiu as horas. Acordar e ver Ivy tão mansa e cordata, de fato, foi uma grande surpresa para ele. Esperava que, depois da tempestade da noite anterior, ela estivesse mais confusa e arredia do que nunca. Aliás, qualquer mulher em plena consciência já teria fugido daquele casamento maluco. Mas Ivy parecia ter sido feita de um material diferente.

Graças a Deus.

– Parece estar ótimo, obrigado. – Acabrunhado, ele se sentou à mesa e colocou o celular sobre ela.

Ivy ficou um pouco decepcionada por não ter sido beijada pela manhã, mas procurou não demonstrar. *Um passo de cada vez*, ela disse a si mesma.

– Não está com torcicolo por ter dormido espremido no sofá?

Subitamente desperto, Leonardo ergueu os olhos para ela.

– Por quê? Você está? Perdoe-me. Pensei em levá-la lá para cima, mas...

– Não, não... – Ivy acenou com a mão – Eu estou bem. Aliás, fazia tempos que eu não dormia bem assim. E você?

Como não estava muito certo de como responder, Leonardo enfiou a primeira garfada na boca. Na verdade, sentia-se ótimo. Ele se lembrou da sensação de sonho quando sentiu que Ivy se apertou contra ele em algum momento da noite, e dele se ajeitando para aconchegá-la o máximo possível. Lembrou-se do seu cheiro doce e gostoso. Da sua pele macia. E quando ele acordou para surfar naquela manhã, ao tentar afastar-se, ficou comovido quando Ivy mudou de posição para aninhar-se ainda mais nele.

Leonardo imaginou-se ficando ali e dormindo com ela pelo resto da vida.

Droga!

Mas não podia dizer isso para ela. Ainda não havia decidido o que fazer com aquilo. Com aquela bagunça que criara para a vida dos dois. Além do que, um homem não podia confiar em seu cérebro enquanto não estivesse revigorado por um café. Quando viu, no entanto, que Ivy girava freneticamente a aliança no dedo, esperando por uma resposta, não foi capaz de decepcioná-la.

– Foi difícil dormir hoje à noite. Toda hora alguma coisa me distraía.

– Distraía? – Ivy franziu a testa. – Como o quê?

Os lábios dele se contorceram num sorriso lascivo enquanto levava o café à boca. Ivy compreendeu tudo e ficou vermelha. O pensamento de que ela fora o motivo da sua insônia a fez sorrir por dentro, envaidecida, mas se recompôs e, com um sorriso contido, sentou-se na frente dele.

Ambos começaram a comer frente a frente, num silêncio confortável, se entreolhando de vez enquando. Ivy comia torradas com geleia enquanto Leonardo devorava os ovos e bebericava o café, mas aquela quietude não durou muito tempo.

– Não vai treinar hoje pela manhã? – Ivy perguntou, porque precisava engrenar numa conversa.

– Hoje não. De todo modo – Leonardo olhou por algum tempo para o relógio em formato de disco de vinil na parede da cozinha –, já está ficando meio tarde. Tenho alguns compromissos daqui a pouco.

– Compromissos? – Ivy ficou curiosa.

– Preciso encontrar Isabel. – Ivy ficou em alerta ao ouvir a mensão daquele nome. O que Leonardo ia fazer com aquela perua? – Ela é minha arquiteta – ele respondeu à sua pergunta silenciosa. – Ficamos de conversar sobre algumas salas comercias minhas que não estão alugadas e precisam de reforma.

– Ah... – Ivy não gostou da informação. – Posso ir com você?

– Acho melhor não. Vai ser uma tarde chata. Detesto assuntos burocráticos.

Ivy não pretendia insistir, mas fechou a cara. Percebendo o silêncio forçado, Leonardo ergueu os olhos para ela e deu um meio sorriso. Depois, a segurou pelo queixo.

– Ei, não fique assim. Vou precisar de muita concentração para o que vou fazer hoje. E, como eu disse, você me distrai facilmente. Por que não arruma alguma coisa para fazer? Vou deixar algum dinheiro, caso decida ir ao shopping center.

Ivy se ajeitou na cadeira. Sentia-se uma criança recebendo ajuda financeira dos pais.

– Não gosto de pegar seu dinheiro.

– Eu sei, é por isso que tenho prazer em dá-lo a você.

– Me sinto sua filha, não a sua mulher. – Ela estava conduzindo a conversa para onde queria.

– Você é mesmo louca – ele riu, apontando com o garfo para ela. – Um monte de mulheres por aí loucas para arrancar o dinheiro do marido, e você se ofende quando lhe dou.

– Ainda não somos exatamente marido e esposa. Há muitas coisas para acontecer nesse casamento, e não quero começar compartilhando o dinheiro.

Os lábios dele se estreitaram num sorriso melancólico, e seus olhos entristeceram.

– Tem razão – ele concordou.

Ivy tocou sua mão.

– Sei que precisamos de tempo, Leo. Começamos tudo errado. Mas estou disposta a consertar isso tudo, se você quiser.

Reflexivo, Leonardo olhou para as mãos unidas e afagou a mão dela. Como desejava que tudo fosse tão fácil. No fundo, queria recomeçar, mas o último pedido da mãe ainda estava gravado em seu cérebro.

– Tenho dúvidas se chegaremos a algum lugar – ele confessou.

– Só depende da gente – ela insistiu. – Entendo que tudo isso é novo para você também, embora não entenda por que você mudou tanto. Mas eu sei esperar. Eu estou aqui, não estou?

– E eu me pergunto por quanto tempo. – Demonstrando preocupação, ele olhou nos olhos dela novamente.

Ivy riu em derrota.

– Não acredito que eu vá conseguir me livrar de você.

– Livrar-se? – Leonardo achou graça, mas em seguida foi distraído pelo seu celular, que vibrou em cima da mesa. Ele olhou para a tela e fez uma careta, depois atendeu. – Fala, Isabel. Eu sei, já estou atrasado... Como é que você consegue já estar em pé depois da noite de ontem? Está virada? Você é maluca. Não, meu rosto está bem. Não, eu não estou pegando onda. Juro... Como poderia atender ao telefone se estivesse dentro do mar? Eu sei que você não gosta de esperar. Não vou atrapalhar sua sessão de botox. Eu pago até outra se for preciso, vi ontem que você está precisando... – Ele deu uma piscadela maldosa para Ivy. – Epa, cuidado com o vocabulário. Vejo você em dez minutos. – Ele desligou o telefone e balançou a cabeça. – Às vezes, eu me pergunto quem trabalha pra quem.

– Vai sair agora?

– Infelizmente.

– Espera. – Ivy segurou sua mão quando Leonardo ameaçou se levantar, engolindo o orgulho. – Vou precisar daquele dinheiro.

– Claro – ele concordou e sacou imediatamente trezentos reais da carteira. – Vou mandar fazer um cartão de crédito para você ainda hoje, daí você fica mais livre. Quer que eu te dê uma carona para o shopping? O táxi que vou chamar pode passar por lá e deixá-la.

– Na verdade, não vou ao shopping. – Ivy avisou. Intrigado, Leonardo ficou segurando o dinheiro, pensando se trezentos reais não era pouco, mas ainda tinha medo de dar a ela dinheiro suficiente para uma passagem de volta para São Lourenço. – Vou procurar um emprego – disse ela por fim.

Leonardo paralisou, segurando o dinheiro no ar.

– Um emprego? – indagou ele, olhando-a com total incompreensão. – Eu já disse que vou lhe dar um cartão de crédito. Não precisa trabalhar.

– É claro que preciso – Ivy disse, perplexa com aquela reação. – Não pretendo ficar aqui e viver à sua custa pelo resto da vida.

Uma escuridão repentina assaltou os pensamentos de Leo, e seu couro cabeludo pinicou pelo medo enregelante que tomou conta do seu coração. *Quem estava sendo enganado agora?* – ele se perguntou. Será que Ivy simplesmente mudou de estratégia? Será que iria usar o dinheiro dele para refazer sua vida e, assim que possível, dar o fora dali? Era por isso que agora queria um emprego?

Essa insegurança fez Leonardo olhar para Ivy por alguns segundos, sem dizer nada, enquanto a sua preocupação evoluía para... medo?

– Não quero que você vá trabalhar – declarou ele rudemente, guardando as notas novamente na carteira. Ivy ficou chocada com aquela postura dele.

– Mas eu quero ir – revidou enfática.

Com cuidado, Leonardo removeu a mancha que sua xícara deixara na mesa.

– Mas não vai – disse ele, recuperando a calma.

Ouvir aquilo só serviu para aumentar a perplexidade de Ivy. Quem Leonardo pensava que era? Seu dono?

– Eu não acredito nisso – disse ela, com um ressentimento latente. – Quer que eu passe o resto de meus dias aqui dentro de casa definhando como uma planta?

– Você está negligenciando suas obrigações – ele argumentou, porque foi a única coisa que lhe veio à cabeça na hora. – Desde que chegou aqui ainda não tomou as rédeas da casa. Só ficou se lamentando pelos cantos. Deixou tudo para Maria. É sua obrigação dar as ordens a ela agora. Destesto ficar decidindo tudo sozinho. O que vamos comer... Que roupa de cama quer que eu coloque... Se podemos comprar o novo tipo de amaciante... Essa não é mais a minha função.

Ivy não podia estar mais espantada. Incrédula, ficou se perguntando: Leonardo procurava nela uma governanta? Em que século ele vivia? Além disso, ficou irritadíssima ao ver como ele mudou de humor. Ficou carrancudo de um minuto para o outro. Isso a estava matando. As complexidades de Leonardo estavam acabando com ela. Não as suportava, pensou com violência. Odiava flagar-se constantemente tentando abrir caminho até ele, em meio a tantas barreiras. Era desastroso e cansativo.

Pior ainda, ele provocava dúvidas. Agora ela estava realmente se sentindo culpada pelo próprio comportamento. Não tinha mais certeza se estava certa.

– Essa é sua última palavra? – perguntou aborrecida.

– É – disse ele e se levantou para colocar o prato na pia.

– Não vai nem ao menos ouvir a minha opinião sobre isso?

– Não. Se você não vai escutar a minha, também não quero ouvir a sua. – Ele passou um pouco de água na xícara. – E pare de revirar os olhos – disse ele de costas, já com um toque de humor em sua voz. Ivy se perguntou como ele sabia que ela estava fazendo isso. – Se está pretendendo preencher o seu tempo, comece pela sua casa. Depois você cuida do resto.

– Suponho que *esse resto* seja a minha faculdade.

– Isso mesmo – ele concordou, incisivo.

Maldito homem cabeça-dura, Ivy pensou, fracassando retumbantemente em tentar manter a paz entre eles. Tinha vontade de socá-lo por ter aquela mentalidade tacanha. Como poderia, um homem em pleno século vinte e um, lhe fazer tal proposta? Não tinha nada contra donas de casa, mas considerava-se uma mulher no começo da vida. Cheia de sonhos e ambições que iam muito além da escolha de panos de prato.

Sorrindo agora, cheio de charme juvenil, Leonardo enxugou as mãos e se virou para encarar a esposa. Sabia que Ivy estava fervendo de raiva, e ele adorava quando ela ficava nervosa. Ficava absurdamente sexy. Portanto, ficou somente lhe observando com um divertimento mal disfarçado, misturado com cautela.

– Bem, já vi que não vou poder contar com você, mas não vou desistir. Se precisar, vou andando para a cidade. Vou provar a você que dou conta das duas coisas: da casa e do meu trabalho. E se prepare... – Ivy se levantou e colocou a cadeira meticulosamente no lugar. – Assim que eu começar a trabalhar, vou voltar para a faculdade. Quer você queria, quer não.

Afrontado, Leonardo jogou a toalha de prato na pia e lhe lançou um olhar glacial. Mas antes que dissesse alguma coisa, Maria os interrompeu.

– Bom dia, meninos. Como passaram a noite? – perguntou ela animada, entrando na cozinha e largando sua bolsa sobre a mesa. – Pelo número de roupas jogadas na sala, a noite foi boa. – Ela sorriu calorosamente para Ivy, que devolveu um sorriso sem graça. – Fico muito feliz. – Maria arregaçou as mangas do casaco e deu duas batinhas no rosto de Leo. – Sempre tive fé que vocês dois se entenderiam. E olhem só... – Olhou para a pia. – Já tomaram café! Assim não vai sobrar serviço para mim nesta casa...

– Ah, vai sim. – Ivy interrompeu o seu falatório. – Eu estava agora mesmo dizendo para Leo que vou sair e procurar um emprego. Não levo muito jeito para tarefas domésticas.

Os olhos de Maria se iluminaram, e Leonardo sentiu uma dor de cabeça se insinuando. *Lá vem ela de novo.*

– Que maravilha! – ela disse. – Eu já tenho uma oportunidade para você. Rodrigo, o sobrinho do pastor da nossa igreja, tem uma agência de viagens lá no centro e está precisando de pessoas para atender. Ele nos avisou esse domingo mesmo, durante o culto, pedindo recomendação de pessoas. Se você estiver interessada, ligo para ele hoje mesmo. O que foi? – perguntou incomodada para o patrão. – Por que está me fulminando com esse olhar assassino?

– Ele não quer que eu vá trabalhar – Ivy esclareceu.

Maria deixou escapar um suspiro de profundo desapontamento.

– E posso saber por quê? – Cruzou os braços para Leo, deixando a pergunta soando como uma reprimenda. Ivy conteve o sorriso e mirou o rosto irritado do marido. Estava gostando cada vez mais de Maria.

– Ela precisa cuidar das coisas da casa – resmungou Leonardo, meio sem jeito.

Merda! Agora eram duas contra ele.

– E por acaso não é para isso que estou aqui? – a empregada redarguiu. – Por acaso tenho deixado a desejar no serviço?

– É claro que não, mas...

– Então vamos parar com essa palhaçada. Ivy é uma mulher jovem no auge da produtividade da vida. Não pode perder seu tempo lavando louça. E podem ir saindo na minha cozinha. – Maria colocou o avental, pondo fim à conversa. – Hoje é dia de geral. Preciso deixar isso aqui um brinco, pois o meu patrão anda muito exigente. – Ela piscou para Ivy.

Contrariado, Leonardo desencostou-se da pia, olhando com reprovação para a própria mulher.

– Vamos, vamos... – Maria o enxotou novamente.

Porém, antes de sair, ele olhou para a empregada e disse:

– Não force a barra, Maria. – Com essas palavras, saiu da cozinha, moribundo, e foi andando em direção à escada.

Ivy e Maria ficaram o observando de costas.

– Ajudei? – sussurrou a servente.

– Te devo uma. – Ivy sorriu com malícia. – Não sei como aguento essa rude criatura.

– Hum, eu nem imagino o porquê. – Ambas olharam Leonardo tirando a camisa enquanto subia as escadas e em seguida caíram na gargalhada.

Capítulo 24

O SEGUNDO SEMESTRE DO ANO ERA SEMPRE uma época agitada para Rodrigo. A demanda por viagens internacionais aumentava muito. E como estava com déficit de funcionários, cabia a ele orientar alguns clientes sobre a escolha das melhores opções de transporte, hospedagem e outros serviços turísticos dos lugares para onde iam viajar. Era ele também quem os orientava em termos de adequação dos horários, preços ou qualidade dos passeios, atuando como um consultor de viagens.

No fundo, adorava esse trabalho. Sempre quis ser o profissional responsável por materializar o sonho de seus clientes. Porém, os trâmites administrativos da sua agência exigiam muito da sua atenção, então ele não podia desperdiçar tempo sendo encarregado também de efetuar as reservas, emitir as passagens e os *vouchers* dos serviços escolhidos, avisar sobre a documentação necessária para a viagem, fornecer dicas de passeios e compras nos destinos, informar sobre o câmbio e o clima do país que seria visitado, sugerir a vestimenta adequada, entre outras informações.

Estava ficando louco! Precisava urgentemente de, pelo menos, mais duas pessoas na equipe que, quando estava completa, o permitia visitar grandes empresas para oferecer seus serviços a empresários catarinenses que viajavam frequentemente por necessidade.

Estava esbaforido no seu escritório no segundo andar da agência, conferindo uma pilha de recibos de passagens aéreas sobre a sua mesa, quando uma de suas sobrecarregadas consultoras comerciais entrou pela sala.

– Desculpe interromper, mas tem uma pessoa aqui querendo falar com você.

Rodrigo tirou os óculos e suspirou. Em seguida, esfregou os olhos cansados. Tinha certeza de que se mais uma cliente viesse até a sua sala só para perguntar em que shopping de Miami poderia encontrar uns cabelos falsos, ele a enviaria para a Chechênia, só de raiva. Não tinha ideia de por que as mulheres eram tão indecisas e sempre faziam questão de ouvir a opinião do dono da agência. Ignorava completamente o efeito que seus um metro e oitenta, cabelos loiros, pele branca e profundos olhos castanhos causavam sobre elas. Até com olheiras ele era bonito. Fora isso, aos vinte e oito anos, sendo tenista nos finais de semana, mantinha seu porte esguio impecável. Era o workaholic solteiro mais cobiçado do clube de tênis. E ali, sentado à mesa com uma xícara de café à sua frente, usandos óculos de aros azuis e cercados de papéis espalhados, Rodrigo parecia um intelectual. Talvez um escritor, meditava Aline enquanto esperava a resposta.

– Tem certeza de que não consegue resolver isso pra mim? Estou atolado de trabalho...

Aline fez cara feia para o patrão.

– Não sei entrevistar funcionários. Se vai me acumular mais essa função, vou pedir um aumento.

– Entrevistar? – ele se animou um pouquinho.

– É uma menina. O nome dela é Ivy. Disse que foi uma tal de Maria que a enviou.

– Ah sim. – Rodrigo se lembrou e começou a reunir os papéis. – Maria me ligou mais cedo para falar sobre ela.

– Eu a achei meio jovem.

– É bom. Vem sem vícios e tem mais disposição. Pode mandar entrar.

Rodrigo abriu uma tela em branco no computador para anotar as impressões que teria da canditada assim que ela saísse. Esperava sinceramente que não fosse outra maluca de cabelos laranja, piercing no nariz, que entraria mascando um chiclete que deixava a língua vermelha, como a última entrevistada. *Está cada vez mais difícil encontrar pessoas normais*, ele balançou a cabeça. Jovens, então, nem se fala.

Mas, quando Ivy passou pela porta, o queixo de Rodrigo caiu. Boquiaberto por dentro, observou atentamente a bela loira de cima a baixo, tentando manter-se num nível ético ao admirar o belo vestido preto e acinturado que acabava nos joelhos, com um blazer também preto por cima. Os sapatos cor de avelã deixavam uma marca de sobriedade e os cabelos presos metade para trás lhe davam uma aparência profissional. Os olhos, no entanto, eram de uma menina. A maquiagem suave não conseguia disfarçar a sua idade.

Ivy carregava uma pequena bolsa no ombro e um currículo murcho na mão. Não tinha experiência, nunca tinha trabalhado, e só esteve tão nervosa em sua noite de núpcias.

– Boa tarde – cumprimentou ela, com a voz falha. – Sou Ivy. Vim recomendada pela Maria.

– Claro, claro... – Rodrigo apontou a cadeira da frente e pôs os óculos no rosto, recuperando o seu ar profissional. – Eu me chamo Rodrigo, muito prazer. Ela me ligou hoje cedo e disse que você vinha. Posso ver o seu currículo?

Ivy ficou relutante, mas resolveu ser honesta.

– Até pode. – Ela o entregou. – Mas já aviso que não tenho experiência. Nunca trabalhei. Aliás, ainda nem tirei minha carteira de trabalho.

– Certo. – Ele examinou o documento e conferiu, conforme imaginou pelo sotaque, que ela era mineira. – Está morando em Florianópolis há muito tempo?

– Cerca de dois meses.

– E por que você veio para cá?

– Eu me casei.

Espantado, Rodrigo ergueu os olhos para ela e sorriu.

– É muito nova para ser casada.

– Pois é. – Ela sorriu de volta. – A gente não manda no coração.

– É verdade. – Imediatamente, ele descartou a possibilidade de admirá-la além da conta. Olhou novamente para o currículo, depois colocou-o de lado e uniu as mãos compridas por cima da mesa, mirando o rosto dela. – Também vou ser sincero com você, Ivy. Estou desesperado. Isso aqui está um caos e, graças a Deus, o movimento tem aumentado bastante. Preciso de alguém que tenha boa aparência, seja dinâmica, simpática, aprenda rápido e, principalmente, que tenha bom-senso. Não dou a mínima para o currículo. Já contratei profissionais experientes que fizeram um monte de cagada com meus clientes. Acha que você se encaixa nessa descrição?

– Modéstia à parte, acho que sim.

Rodrigo fez um aceno positivo com a cabeça. Em seguida, ainda com as duas mãos sobre a mesa, ficou girando os polegares ao redor um do outro. Um tique nervoso que havia adquirido nos últimos tempos.

– Pela minha experiência, consultoras mulheres conseguem fechar pacotes três vezes mais do que os homens. Vocês sabem envolver o cliente, vender a emoção da viagem. Mas, se quiser fazer uma experiência, realmente vou precisar que você tire a carteira de trabalho. Enquanto isso, pode vir fazer um treinamento com a Aline.

– Está dizendo que vai me dar uma chance? – Os olhos de Ivy brilharam, e ela avançou na cadeira até se sentar na beirinha.

Rodrigo recuou na cadeira e deu um sorriso discreto.

– Agradeça a Maria. Ela me prometeu uma porção de profiteroles se eu te desse esse emprego.

– Não sei nem como agradecer...

– Você não quer nem saber o salário? – Ele achou graça.

– Não importa. Também estou desesperada para sair de casa, conhecer pessoas... Só isso já será um pagamento e tanto.

O modo como ela corava quando ficava eufórica era encantador, Rodrigo notou, pesaroso.

– Mas vou lhe dizer mesmo assim – ele continuou. – Ganhará um salário mínimo mais dez porcento de comissão sobre os pacotes que vender. Também dou a passagem e o almoço. Os funcionários se dividem em dois turnos de seis horas. Gostaria que você começasse no turno da tarde, que é mais agitado. Você pega às duas e larga às oito da noite.

– Claro que sim.

– E quando pode começar?

– Hoje mesmo, se você quiser.

– Como disse, preciso da sua carteira de trabalho.

– Posso ficar e somente observar a Aline. Amanhã de manhã providencio a documentação.

Satisfeito com a empolgação dela, Rodrigo consentiu. Afinal, mais um par de mãos naquela tarde não faria mal algum ao serviço. Depois ele a compensaria de alguma forma.

– Muito bem. – Ele ficou em pé e estendeu a mão para Ivy. – Seja bem-vinda à RC Turismo. Pode procurar a Aline lá embaixo. Vou interfonar para ela.

Ivy apertou a mão dele, radiante, agradeceu mais uma vez e saiu pela porta. Desabotoando um botão da camisa, Rodrigo se sentou novamente na cadeira e mirou a tela em branco no computador. Só havia uma palavra em sua mente a ser digitada.

"Problema"

E ele não sabia por que sentiu que isso era uma coisa boa.

***

Ivy passou a tarde observando o movimento e fazendo perguntas. Anotava tudo num papel que pegou na impressora. Por sorte, Aline era muito prestativa e respondeu tudo com extrema paciência. Na verdade, estava mais do que satisfeita de saber que, com a presença de Ivy, seu ritmo de trabalho desaceleraria um pouco.

Atenderam clientes, organizaram estadias e Ivy foi se familiarizando com o sistema da empresa. Mal podia esperar para colocar a mão na massa. Aline lhe deu todas as informações sobre o que precisava fazer para tirar a carteira de trabalho. Ivy faria isso no dia seguinte.

Perto das oito horas da noite, depois de um breve lanche que compartilhou com Aline, Ivy foi liberada. Embarcou no ônibus indicado por Maria, que havia lhe emprestado o dinheiro da passagem. Caminhava serenamente pela rua, olhando para o céu. Não estava arrependida. Precisava fazer isso por si mesma. Daria conta de trabalhar e de ser uma boa esposa. Feliz, quis compartilhar sua alegria com alguém e pegou o celular para ligar para Nicole. Foi nessa hora que viu dez chamadas não atendidas de Leo. Mordeu os lábios, aflita, mas decidiu não ligar para ele. Primeiro falaria com a amiga e depois, em casa, entenderia-se com o marido.

Após os gritos iniciais, Ivy e Nicole conversaram animadas, atualizando-se das novidades. Nicole achou um absurdo Ivy querer trabalhar, já que tinha um marido rico. Porém, parabenizou a amiga, porque viu como isso era importante para ela. E quando Ivy desligou, já se sentia mais leve. Pela primeira vez, em muito tempo, fez uma oração de gratidão por aquele dia. Estava extremamente otimista de que começava uma nova fase da sua vida.

Quando chegou em casa, no entanto, sua felicidade esmaeceu um pouquinho quando encontrou Leonardo sentado na sala, sozinho, com cara de poucos amigos e fitando a lareira acesa. A luz estava apagada e uma caneca de café fumengante estava equilibrada em um dos joelhos dele. Olhando para as chamas, ele parecia um pouco mais jovem, e os olhos verdes com um toque de solidão pareciam atormentados.

Hoje, o humor de Leonardo estava pior do que o normal. Compromissos burocráticos haviam exigido boa parte do seu dia. Fora o tempo que passou de loja em loja, pesquisando materiais de construção para a reforma, enquanto ligava freneticamente para Ivy.

Não tinha o menor jeito para decoração, mas os aluguéis que recebia geravam uma boa renda extra para o seu conforto. Portanto, não podia negligenciar os seus afazeres. Passou por todo aquele dia maçante aturando a ladainha de Isabel, que ficou frustradíssima por ter perdido a sua sessão de botox e a aula de *spinning* da academia. Mas se ela ia lhe fazer um montão de exigências de marcas, iria com ele para cumprir a parte chata também, Leonardo decidiu. Foi Isabel quem escolheu a cor das paredes, o piso novo para o banheiro e o formato dos tetos de gesso. Leonardo não via a hora de voltar para casa e caçar a mulher.

– Onde você estava? – Porque estava furioso, ele nem se deu ao trabalho de olhar para ela.

Com um suspiro, Ivy entrou na sala e se sentou ao seu lado.

– Trabalhando – disse ela num tom calmo.

Buscando controle, Leonardo lambeu o lábio superior.

– Pensei que eu tivesse deixado a minha posição bem clara sobre isso.

– E deixou. Eu simplesmente não concordo com ela.

– Você poderia ter pelo menos avisado aonde ia.

– Mas eu avisei que iria procurar um emprego...

– Mas não que ia chegar a esta hora da noite. Você não conhece a cidade. Fiquei preocupado. E por que não atendeu aos meus telefonemas?

– O telefone estava para vibrar. Da próxima vez, envio uma mensagem de texto.

– Não gosto de mensagens de texto. E não vai haver uma próxima vez.

– Leo – paciente, Ivy segurou sua mão, atraindo a sua atenção –, não quero que a gente brigue. Estou tão feliz por essa vitória de hoje. Só queria que você compartilhasse essa felicidade comigo...

Finalmente, Leonardo colocou a xícara na mesinha de centro e depois olhou nos olhos dela. Ivy estava decidia a abrir as asas, e aparentemente não havia nada que ele pudesse fazer. Mas como poderia ser diferente? Ele riu por dentro na própria ingenuidade. Ivy havia enfrentado os pais para ir embora com o homem que amava, o que o fazia pensar que poderia dominá-la indefinidamente?

Não podia permitir que isso acontecesse, Leonardo afirmou a si mesmo. Se Ivy fosse independente financeiramente, se fizesse novos amigos, ficaria mais dona de si e a posição dele se tornaria vulnerável. Todo o controle que ele havia adquirido sobre ela iria por água abaixo. Portanto, resolveu mudar de tática. Ainda tinha outros métodos para tentar escravizá-la. Portanto, disse:

– E eu só estou pedindo que você nos dê esse tempo para nos ajustarmos. Preciso de você aqui nesse início. Não estou pedindo isso pra sempre. Você é linda, é inteligente, e eu jamais desejaria sufocar os seus sonhos. Só quero que você entenda que tudo isso é muito... novo pra mim. Não sei se consigo fazer isso dar certo sozinho...

Sentindo-se péssima, Ivy apertou mais sua mão e fez uma cara sofrida. Começava a entender um pouco mais sobre Leonardo. Ele ainda era um menino carente, que foi privado de atenção por muito tempo. Talvez, por isso, sufocasse aqueles que amava. E a única arma que Leonardo sabia usar para chamar a atenção era brigar. Ou então se trancar dentro de si. Não ficara dias e dias sem dirigir-lhe a palavra? Mas Ivy já conhecia a doçura que existia embaixo daquela carapuça hostil. Ele já a mostrara algumas vezes. Leonardo tinha medo que ela o abandonasse mesmo sendo evidente que Ivy não conseguiria fazer isso. Se pudesse, ela teria feito naquela primeira noite, no minuto em que ele se trancou no banheiro, mas ela não conseguiu. O amor que sentia por Leo já circulava nas suas veias. Ivy cria, de todo coração, que eram os laços do matrimônio. Esses laços eram fortes, inabaláveis. Fora isso que lhe ensinaram por toda a vida.

Mas Leonardo não sabia de nada disso, ninguém lhe ensinou. Sua necessidade de doçura, de ser aprovado, e a dor em seu coração decorrente do fato de não se julgar digno de amor... Leonardo precisava de cuidados. Disposta a ajudá-lo, Ivy resolveu retroceder. Aprendera com Adam que família sempre vinha em primeiro lugar.

– Tudo bem – ela concordou. – Vou esperar mais um tempo para começar a trabalhar.

Abismado, Leonardo a olhou com adoração e sorriu, como se fosse Natal.

– Jura que faria isso por mim? – Seu alívio era quase paupável.

– Sim – disse Ivy, com um esforço heroico para não rir. A expressão normalmente obstinada dele se tranformou em pura felicidade. – Mas vai ter que me dar uma boa mesada – ela declarou.

– E quanto isso significa? – O sorriso dele foi divertido.

– Mil reais – ela jogou alto.

Leonardo alargou mais os lábios, achando-a simplória.

– Dois mil – ela mudou de ideia. – Por semana.

A gargalhada de Leonardo se transformou num sorriso meigo.

– Minha mercenária favorita. – Ele a agarrou e deu-lhe um beijo de agradecimento na boca.

Ivy deixou passar esse último comentário, porque não queria interromper aquele beijo gostoso. Na verdade, sentia-se sendo levada por um rio invisível, que a empurrava cada dia mais em direção aos braços de Leo. Faria tudo o que pudesse para aquilo dar certo. Tinha que dar. Ainda mais depois de todos os sacrifícios que fez.

Eles não conseguiam se largar, e de repente, o beijo que visava somente selar a paz entre eles decolou como um foguete. Leonardo trouxe Ivy para o seu colo e ambos começaram a arfar, perdendo o fôlego enquanto se tocavam por toda parte. Ivy o queria naquele exato momento. Naquele exato lugar. O cheiro que exalava do corpo de Leonardo era magnificamente sedutor. Cheiro de sal e masculinidade. Mas, subitamente, Leonardo parou e envolveu o rosto dela com as mãos, mantendo-a parada, para olhar bem em seus olhos.

– Tem certeza de que é isso que você quer? – ele se certificou.

Com o coração disparado, Ivy balançou a cabeça em concordância.

– Então vamos para o quarto. – Leonardo colocou-a de lado e se levantou.

Nessa hora, Ivy ficou apreensiva.

– Não podemos fazer isso aqui? – perguntou aflita.

– Não – ele a puxou pela mão. – Precisamos apagar as más lembranças do nosso quarto.

Inesperadamente, os olhos de Ivy se enxeram de lágrimas.

– Isso é tudo o que eu quero – ela murmurou.

Com delicadeza, Leonardo pegou Ivy no colo e olhou bem em seus olhos antes de prometer:

– Eu nunca mais irei te machucar.

– Eu confio em você.

***

Leonardo subiu as escadas com Ivy no colo. Quando chegaram ao quarto, deitou-a na cama, com carinho. Em seguida, apagou a luz e abriu as cortinas para entrar a luz do luar. Depois, uniu-se a ela na cama.

Ele sussurrou palavras carinhosas enquanto tirava a sua roupa, e os braços de Ivy o envolveram, passeando por sua pele. O anoitecer lançava a luz da lua para dentro do quarto através da varanda, quase alcançando a cama. Foram tirando as peças de roupa com calma. Uma a uma. Naquela noite, no coração de Leo, reinou a paciência. Prometeu a si mesmo que aquela noite seria a sua redenção. Apagaria aquele monstro das lembranças de Ivy.

Assim, passeou lentamente pelo seu corpo, provocando sensações, estimulando-a. E cada toque suave dele era recebido por Ivy com uma alegria silenciosa. Ela nunca havia se sentido daquela maneira, com aquele fogo arrebatador. E, mesmo quando a necessidade dela se transformou em urgência, Leonardo a fez esperar. Beijou a sua boca novamente. Não tinha pressa, queria dar-lhe tudo o que não lhe deu da primeira vez. Poderia ficar ali para sempre vendo-a arquejar o corpo e gemer de prazer. Ela era linda. Maravilhosa. Merecia ser levada ao céu.

De repente, ele virou-a e começou a encher as suas costas de beijos, as mãos massageando a sua pele orvalhada. Às vezes, parava somente para que Ivy recuperasse a razão, somente para depois atacá-la de novo. Naquela doce tortura, o alívio dela reconstruía a necessidade que crescia desesperadamente em direção à exigência. Quando Ivy já estava a ponto de implorar, Leonardo a virou, olhou bem dentro dos seus olhos e deslizou para dentro dela.

Meu Deus...

O que já acontecia no íntimo dele explodiu para dentro de Ivy, deixando-a sem ar, trêmula, mas incrivelmente satisfeita. E mesmo sem entender, ela o correspondeu de todo o coração. Olhando-se mutuamente, começaram a dançar juntos, num ritmo lento e suave. Saboreando, prolongando o prazer. Leonardo estava adorando ser carinhoso com ela. Era uma mistura de compaixão e tesão. Emoção e necessidade. Como poderia abafar esse sentimento? Ele perguntou a si mesmo, com vontade de chorar. Com ela, Leonardo sentia-se indefeso e mais vulnerável do que quando era criança, mas também sentia-se mais homem do que jamais tivera a esperança de ser. Como poderia voltar atrás? Ivy agora era o centro do seu mundo, e ele era o dela.

Movendo-se juntos, unidos, chegaram ao clímax e estilhaçaram-se ao mesmo tempo. Não havia mais como recuar. Finalmente, haviam sido conectados. De uma forma implícita.

Inexplicável.

Definitiva.

Capítulo 25

Foi extradordinário, simples, redentor, tudo que Ivy desejava que fosse. As palmas das mãos dela viajavam pelos músculos das costas de Leo enquanto ele dormia sobre o seu peito, exausto, enrolado em torno dela como hera. Sua respiração cálida e regular ia de encontro à pele de Ivy, tranquilizando-a. Acordara às cinco horas da manhã e, desde então, não conseguira mais dormir. Tinha medo de que tudo fosse um sonho. Estava tão extasiada de felicidade que tinha vontade de abraçar a si mesma.

Sentindo-se plena, Ivy olhou para o céu através da porta que dava para a varanda. Estava amanhecendo. *É sempre mais escuro antes de amanhecer*, ela pensou, comparando mentalmente aquela cena com as etapas do seu casamento. Os dois haviam passado por momentos escuros, mas agora estavam caminhando para a luz. Ivy sabia que não seria fácil. Precisaria de muita sabedoria para lidar com o espírito atribulado de Leo. Mas ela o amava, e acreditava firmemente que o amor superava todas as barreiras.

Às sete horas da manhã, Leonardo começou a se mexer. Seu relógio biológico lhe avisava que era hora de treinar, mas ele não queria sair dali. Queria se afogar naquela pele e perder-se para sempre. Ivy era como a sua tábua de salvação. Uma flor alva e pura que florescia no terreno lamacento da sua vida. Tinha certeza, depois da noite que passaram, que nunca mais conseguiria deixá-la ir embora.

E esse pensamento o enchia de culpa e pavor.

Não conseguia ser fiel à sua mãe. Ainda de olhos fechados, Leonardo lembrou-se dela convalescendo, aflita. Lembrou-se de quantas vezes viu a equipe médica entrar em sua casa para tentar reanimá-la. Do último pedido que lhe fez...

Despistando esses pensamentos pesados, ele abriu os olhos e olhou para o rosto de Ivy, que lhe abriu imeditamente um sorriso sentimental. Suas profundas covinhas aos lados da face indicavam a sua extrema felicidade. Seus olhos estavam brilhando, iluminados pela paixão e luxúria que viveram naquela noite. Durante a madrugada, fizeram amor mais uma vez. Novamente, Leonardo a conduziu com delicadeza, amou-a, disse o seu nome e olhou bem em seus olhos quando atingiram o êxtase juntos. Ivy não podia se sentir mais afortunada. Aquele homem era lindo, excelente amante, e ainda tinha um lado doce que revelou só para ela. Sentiu o peito aquecer mais ainda quando, de súbito, ele beijou seu pescoço e liberou um sorriso travesso.

– Bom dia, minha rainha.

– Bom dia – ela sussurou.

– O que estava fazendo acordada?

– Admirando os seus pés nus.

Achando graça, Leonardo olhou para os próprios pés.

– De tudo que eu tenho no meu corpo, o melhor que você tem para admirar são os pés?

Ivy deu um sorriso tímido.

– Não é isso, seu bobo. Já decorei todo o resto, só estou absorvendo os detalhes.

Leonardo abriu um sorriso carinhoso.

– Espero que goste do que vê.

– Eu gosto, e você?

– Você quer que eu te mostre? – Ele ergueu uma sobrancelha, com um olhar malicioso. Ivy deu uma risadinha.

– Agora não. Estou morrendo de fome. Talvez depois do café.

Leonardo beijou a barriga dela, satisfeito. Estava na cara a felicidade de Ivy, e isso era tudo de que ele precisava para mantê-la por perto. E, com certeza, ele não teria o menor pudor em usar o próprio corpo para mantê-la cativa.

– Tudo bem – murmurou ele, condescendente. – Mas, dessa vez, sou eu quem prepara o café. – E saiu de cima de Ivy.

O rosto dela assumiu um expressão incrédula.

– Ah, essa eu quero ver... Maria me disse que você não saca nada de cozinha.

– Ela disse isso?

Ivy olhou para ele. Estava deitado de lado, a cabeça apoiada em uma das mãos, a expressão suave, brincalhona. Por que não podia ser sempre assim? – Ela disse sim, mas você me disse em São Lourenço que sabia cozinhar. Prove que não é um farsante.

A palavra farsante e suas implicações fizeram Leonardo diminuir o sorriso, e ele se levantou.

– Me dê dez minutos e farei de você uma mulher feliz – disse ele colocando a cueca.

– Para isso, você não deveria estar se vestindo – ela o provocou.

Surpreso, Leonardo estreitou os olhos e jogou-se novamente na cama, apoiando o peso do corpo nos braços. Depois, baixou a boca e encostou os lábios nos dela.

– Se continuar falando essas gracinhas, já sei o que vou comer de café da manhã. E é só esquentar...

Cheia de calafrios, Ivy empurrou o rosto dele.

– Não me tente para fugir do seu desafio.

– O que quer comer?

– Supreenda.

Relaxado como nunca, Leonardo se levantou e desceu as escadas pensando no que ia fazer. Lembrou-se das panquecas com recheio de pera que costumava preparar na Califórnia. Como não tinha pera, usou as bananas.

Como sempre, deixou a cozinha em péssimo estado. Liquidificador todo sujo, panelas jogadas e pingos da massa da panqueca derramados no chão. Porém, o resultado ficou fabuloso. Quando ele acabou, Ivy já tinha se vestido e descido. Estava na sala à espera da sua surpresa. Adorou a escolha dele.

Comeram um morro de panquecas cobertas com mel, sentados no sofá. Obviamente, se sujaram. Leonardo estava por debaixo de Ivy, chupando mel do seu pescoço e lhe fazendo cosquinhas, enquanto segurava o prato com uma mão. Foi quando Maria irrompeu pela sala.

A empregada olhou para as costas do sofá e viu somente a cabeça de Ivy aparecer para vê-la. Seu rosto estava corado e os olhos lacrimejantes de tanto rir, mas não foi isso que Maria – que sempre teve uma natureza empática para com o infortúnio de outras pessoas – entendeu.

– Cade aquele filho da mãe? – Maria se exasperou, jogando a bolsa com violência em cima da mesa da sala. – Não acerdito que ele está fazendo você chorar novamente. Vou ter uma conversinha com aquele estrupício. Será possível que não sabe viver em paz?

– Maria...

– Não adianta defendê-lo. – Maria ergueu uma mão. – Sei muito bem lidar com aquele menino. Onde ele está? Foi surfar? Vou bater com aquela prancha na cabeça dele...

– Minha prancha não... – Leonardo apareceu por detrás do sofá, rindo, com o rosto todo melado de mel.

– O que está fazendo aí? – Maria se assustou.

– Escalando uma montanha. – Leonardo aumentou o sorriso, mas depois deu um grunhido quanto Ivy o beliscou.

– Mas o que... – Maria fez uma expressão de estranheza, depois ficou vermelha feito um sinal de trânsito quando notou que Ivy estava um pouco melada e desarrumada de uma maneira suspeita. – Ai, Deus! Desculpem-me... Eu e minha mania de entrar sem bater... É que sempre foi assim e agora...

– Deixa pra lá. – Leonardo se levantou, sem se importar que estava só de cueca.

Ultrajada, melindrada, Maria imediatamente colocou a própria bolsa na frente do rosto.

– Olha os modos, menino. Sou uma viúva decente. E sua esposa não vai gostar nada nada dessa sua exibição.

Divertindo-se, Leonardo foi até ela e, num raro gesto de afeição, lhe deu um abraço apertado, seguido de um beijo na cabeça. Ivy percebeu claramente para quem ele transferira o seu amor de filho.

– Pois eu acho que minha esposa não se importa nem um pouquinho. Na verdade, estávamos te esparando. Preparei até umas panquecas para você...

– Você o quê? – Embasbacada, Maria olhava para Leonardo enquanto era arrematada para a cozinha, como se estivesse vendo um alienígena na sua frente. Animada, Ivy os seguiu. – Eu avisei que sabia cozinhar, você é que nunca deixa eu chegar perto do fogão.

– Isso só pode ser uma alucinação. – Maria baixou a bolsa, mas teve que se segurar para não torcer o nariz quando viu o estado da cozinha. – Fico feliz que as coisas estejam bem entre vocês. Como foi a sua entrevista? – indagou para Ivy.

Leonardo fechou o rosto, irritado com a pergunta. Mas Ivy não se abalou, sabia que aquela fachada era frágil e podia ser partida. Por isso, avisou a Maria:

– Decidi que não vou trabalhar por enquanto.

A empregada colocou as mãos na cintura e espremeu os olhos para ela.

– Você estava em promoção? Se vendeu por algumas panquecas?

Ivy se retraiu. Sentiu-se culpada e ingrata. Mas quando olhou para Leo, ele deu o veredito com o olhar, implicitamente.

– Fui precipitada, Maria. Desculpe-me por tê-la envolvido nisso. Vou ligar hoje mesmo para o Rodrigo e dizer que a culpa foi toda minha.

– Você que sabe. – Maria deu de ombros, olhando acusadoramente para o patrão. – Só espero que não resolva fazer meu trabalho. Olha só a sujeirada que está aqui. É isso que acontece quando gente inexperiente se arrisca na cozinha. – Mas depois suavizou a expressão ao olhar as panquecas, parecendo achar graça. – Cadê a carne moída?

– Isso não leva carne, Maria. É um tipo de panquenca doce.

– Hum. – Maria fez uma cara repugnada, mas depois abocanhou um pedaço e arregalou os olhos para Leo. – Até que você serve para alguma coisa.

– Se quiser, depois eu te dou a receita – ele se gabou.

– Pode ser. Agora saiam da minha cozinha, nem parece que eu fiz a faxina ontem.

Ivy pigarreou.

– Posso ficar aqui com você e te ajudar? É que Leonardo vai sair agora pela manhã...

– Se é isso que quer... – Sem pestanejar, Maria lhe arrumou uma vassoura. – Pode começar varrendo pelos cantos. Estão cheios de farinha. Estou vendo daqui. Posso estar velha, mas ainda consigo ver uma agulha num palheiro. Isso atrai baratas.

Leonardo olho para Ivy e girou os olhos para o teto.

– É por isso que eu sempre fico longe.

– Você vai demorar? – ela perguntou.

– Devo ficar fora umas quatro horas.

– Tudo bem. Vou aproveitar e observar o andamento da casa.

Leonardo pegou seus óculos escuros na mesa e já ia saindo pela sala quando Ivy perguntou:

– Vai pegar onda desse jeito? – apontou a cueca dele.

Leonardo pôs os oculos, com um sorriso perigoso.

– Acha que fico mal?

Ivy colocou as duas mãos na cintura.

– Acho que eu mesma vou usar aquela prancha para rachar o seu crânio.

Leonardo riu e ergueu as mãos.

– Minha *Long John* está atrás da casa. Já estou indo vestir. E você... – Ele retornou para dentro de casa de novo. Em seguida, se debruçou para ela com um enorme sorriso falso plantado na cara, deu um beijo no seu rosto antes de chegar ao ouvido e dizer: – Se fizer o seu serviço diretinho, vai ganhar uma boa recompensa quando eu voltar.

Chocada e eriçada, Ivy se virou para ele. Sabia que os olhos por trás daquelas lentes escuras eram verdes e penetrantes.

– Estou me sentindo uma messalina domesticada – ela declarou.

Leonardo soergueu uma sobrancelha.

– Hum, gostei da definição. – E, sapecando-lhe uma palmada na bunda, seguiu para fora de casa.

Deliciada, Ivy ficou o observando partir.

– Ele vai sempre usar sexo para embotar as suas vontades? – Maria trouxe Ivy de volta.

– Ahn?

– Não banque a boba. Sabe muito bem do que estou falando. Por que desistiu do emprego?

Mexendo os dedos, Ivy se sentia como uma menina de dez anos que acabara de ser pega matando aula.

– Não sei do que está falando – balbuciou com voz definhando.

Maria balançou a cabeça em censura.

– Conheço muito bem as artimanhas do senhor Leonardo. Com certeza, foi ele quem a persuadiu a desistir do emprego. Só espero que você não se arrependa depois.

Ainda que gostasse da empregada, Ivy já estava se sentindo incomodada com toda aquela especulação. Não saíra da casa dos pais para ser monitorada por outra pessoa.

– Acho que você tem toda razão. Tarefas domésticas não são para mim – Ivy desviou o assunto. – Vou lá em cima ficar no computador e pesquisar algumas faculdades. – Dito isso, ela colocou a vassoura num canto e subiu para se recolher no seu quarto. Maria simplesmente suspirou e voltou a se concentrar no almoço.

Lá em cima, depois de ligar para a agência e inventar uma boa desculpa para abrir mão do emprego, Ivy decidiu arrumar o quarto e escolher ela mesma sua roupa de cama. Procuraria por uma faculdade depois, quando chegasse mais perto do próximo semestre. Empolgada em colocar tudo do seu jeito, mudou algumas peças de lugar, trocou as toalhas da suíte e resolveu organizar as gavetas da cômoda. Tomou um choque, no entanto, quando abriu a primeira. As cuecas de Leonardo estavam uma zona. Parecia o antigo armário de Rafael.

Determinada, puxou a gaveta do móvel e sentou-se no chão, disposta a dobrar uma por uma em formato de envelope, como sua mãe a ensinou.

Ao pensar em Janine, sentiu um forte aperto no peito. Daria tudo para ouvir a sua voz e receber aquele abraço que parecia apagar todos os problemas do mundo. Sua felicidade nunca seria completa se continuasse afastada da família. Meditava sobre isso quando achou uma foto no fundo da gaveta. Quando o puxou, observou uma foto amarelada. Era de uma mulher morena, que um dia devia ter sido bonita, mas cuja expressão era abatida. Muito magra. Estava sentada num banco de um parque, protegida dos raios de sol pela sombra de uma árvore próxima, e em seu colo havia um menino loirinho. Ivy identificou os olhos imediatamente.

Aquele era Leo. Comovida, ela passou o polegar pela face sorridente. O pequeno Leonardo parecia feliz. Talvez estivesse feliz por estar no colo da mãe, Ivy meditou, observando mais atentamente a mulher, que não conseguiu esboçar para a foto um sorriso que chegasse aos seus olhos. Curiosa, ela virou a foto ao contrário, mas não havia nenhuma data marcada. Olhou novamente para a imagem dos dois juntos. Segundo Leo, aquele era um momento raro. Uma boa lembrança. Portanto, não devia estar guardada em um lugar tão escondido.

Remexeu mais as cuecas e achou outra foto. Nesta, havia um homem bonito, de sunga, em frente de um fusca, que era obviamente a fonte dos traços de Leo. Embora tivesse os cabelos compridos, pelo rosto não se podia negar. Os olhos verdes com um toque de carência estavam ali. O queixo bem definido e o corpo moreno também. Tinham panturrilhas idênticas, notou Ivy com um sorriso. Com certeza, o pai de Leonardo fazia sucesso com as garotas.

Mas Leonardo nunca falava do pai. Ivy sabia que ele tinha morrido antes de Leonardo nascer. Portanto, resolveu retirar apenas a foto da mãe da gaveta, para colocar em algum lugar de destaque na casa. Faria isso com a sua família também. Usaria a impressora de Leo para imprimir uma foto da família, que escolheria no seu Facebook.

Satisfeita com a decisão, foi fazer o que pretendia depois de arrumar as gavetas. Maria se manteve boa parte do dia atarefada no primeiro andar, portanto Ivy não foi perturbada. Somente quando desceu para pegar seu almoço foi que as duas se viram e conversaram um pouquinho.

Algumas horas depois, Maria veio se despedir e dar algumas recomendações sobre o que havia preparado para o jantar e sobre almoço do dia seguinte, já que ela não viria trabalhar. Ivy ouviu tudo com atenção, aquiescendo com a cabeça, doida para Leonardo chegar logo em casa. Queria que ele visse a nova arrumação. Por isso, assim que a empregada saiu, Ivy ligou para ele. Já havia se passado seis horas e Leonardo ainda não retornara.

– Estava justamente pensando em você. – Foi assim que ele atendeu.

– E por que ainda não veio para casa? Se está com o telefone, é porque já saiu do mar.

– Hoje estava um maral muito louco. Peguei várias ondas e saí do mar morrendo de fome. Estou comendo uma parada aqui.

– Hum. – Ivy olhou para unhas. – Que bom que você se divertiu.

– Tirando uns maroleiros que tentaram me rabear, foi um dia perfeito...

Ivy chegou à conclusão que teria de comprar um dicionário para conversar sobre surf com o Leo. *Maral? Maroleiros? Rabear?* Aff...

– Você vai demorar? – ela perguntou.

– Vou para casa em cinco minutos, amor. E vou chegar bem alimentado. Portanto, se prepare.

Ivy abriu um largo sorriso, que se desfez assim que ela ouviu algumas risadas ao fundo.

– Está sozinho?

– Não. Tem quatro pregos aqui do meu lado me perguntando por que estou com esse sorriso idiota na cara. Um deles é o meu treinador. Ele quer te conhecer.

– Então vamos marcar outro dia – ela disse, querendo incentivá-lo a voltar mais cedo. – Não vejo a hora de meu marido chegar em casa. Estou te esperando, nua, segurando somente um espanador.

Leonardo fez um barulho esquisito no fone. Depois sussurrou:

– Acabei de derramar açaí no meu colo. – Sua voz era divertida. – Desde quando você ficou tão saidinha? Marquinhos! – gritou. – Fecha aí a minha conta. Chego aí em casa em dois minutos – avisou para Ivy.

Sentindo-se divinamente vaidosa, ela desligou o telefone e ficou caminhando desanimada pelo aposento. Em seguida, se sentou no sofá, olhando para os dois porta-retratos que tinha colocado lado a lado em cima da lareira. Afinal, o que era uma casa sem fotos? Uma casa sem alma, na sua opinião. Esperava encher a parede delas. Lamentava que não tivesse imprimido fotos do seu casamento. Mas poderia tirar outras no futuro. Seria um incentivo para viver novos momentos felizes.

Quando Leonardo chegou, foi direto para o chuveiro que ficava no quintal para tirar o sal do corpo. Em seguida, enxugou-se na toalha que ficava na varanda, colocou-a sobre os ombros, tirou a metade da roupa de neoprene e correu para os braços de Ivy. Mas, quando passou pela porta da sala, fez uma cara decepcionada.

– Já te disseram que é feio passar trote?

Com os braços esticados no sofá, Ivy sorriu, pedindo desculpas.

– Queria que você voltasse logo pra casa.

– Eu já estava vindo, de qualquer maneira. – Leonardo enxugou mais os cabelos.

Ivy ficou em silêncio por um momento.

– Não está notando nada de diferente?

Leonardo franziu o cenho, passando os olhos distraidamente pelo cômodo.

– Você mudou alguma coisa de lugar?

– Não exatamente. Pelo menos, não aqui embaixo. Aqui eu só acrescentei algumas coisas.

Leonardo examinou a sala novamente. E quando olhou para cima da lareira, seu corpo paralisou e seus olhos se arregalaram.

De ódio.

– Que merda é essa? – ele deu vazão à explosão que não previra.

Ivy sentiu as pernas estremecerem. Aparentemente, o lado obscuro de Leonardo dera um súbito salto de seu abrigo subterrâneo, alcançando a superfície. Ela olhou para o rosto dele e deu de ombros, tentando encobrir seu choque com um ar casual.

– É só uma foto. Na verdade, duas.

– E por que diabos você colocou isso aí? – Ele andou até lá e recolheu a foto da mãe, como se só o fato de colocá-la a tivesse insultado. – Onde achou isso? Andou futucando as minhas coisas?

Ivy não conseguia entender o porquê daquela reação incontida. Respirou fundo.

– Eu estava arrumando as suas gavetas. Desculpe. Não sabia que você ia ficar chateado...

– É uma ótima desculpa para xeretar.

A raiva de Ivy também começou a mostrar suas garras. Leonardo era irritantemente imprevisível.

– Eu não tinha intenção de vasculhar sua vida. O controlador aqui é você.

– Isso tudo é um loucura. – Ele jogou o porta-retrato da família dela no chão, completamente fora de si. O sangue pulsando acelerado em suas veias. – Você não pode chegar aqui e me afrontar desse jeito.

– Afrontar? – A cabeça de Ivy estava dando mil voltas. – Mas do que você está falando? Sei que meus pais foram rudes com você, mas eles ainda são a minha família.

Intempestivo, Leonardo a puxou pelos braços com força.

– EU! EU agora sou a sua família. Quando é que você vai entender isso?

Perplexa, Ivy mirou os olhos dele por alguns segundos. Leonardo precisava de tratamento. Estava doente. Só podia ser.

– Não faz isso. – A mágoa dela também encontrou vazão, e uma luz perigosa apareceu em seus olhos, endurecendo-os. – Não nos afaste de novo como você fez outras vezes. Eu não sou de ferro, Leo.

– Talvez fosse melhor mesmo você se afastar. – Ele se arrependeu do comentário assim que o fez. Ficou andando de um lado para o outro, transtornado. – Droga, Ivy, estava tudo tão bem... Por que você tinha que fazer isso?

– Eu não fiz nada. – Ivy explodiu, abaixando-se para pegar a foto dos pais. – Você é que é maluco. Tem essa síndrome de possessão. Não posso demonstrar interesse por nada nem ninguém que não seja você, que você vira um monstro.

– Isso tudo é um grande erro. – Leonardo afirmou, como que falando consigo mesmo, passando as mãos nos cabelos. – Eu não posso continuar com essa maluquice. Fingindo para mim mesmo que isso pode dar certo.

– Por que você está fazendo isso de novo? – perguntou Ivy, se sentindo fraca, segurando as lágrimas. – O que foi que eu te fiz? – O desespero na voz dela fez com que Leonardo se virasse de costas. Não podia suportar vê-la sofrer. Ele se odiava por isso, por causar dor e desapontamento na única pessoa que fora capaz de amá-lo completamente.

– Eu não posso aguentar mais isso – ele disse. – Preciso sair pra pensar.

– Aonde você pensa que vai? Leo, não faz isso... – Ivy o seguiu. – Pelo amor de Deus, se expressa. Me diz o que é que está te incomodando tanto... Como vamos resolver os nossos problemas se você sempre se fecha nesse casulo?

Mas Leonardo não respondeu. Somente pegou a carteira e saiu pela porta da sala, enquanto Ivy o seguia, começando a chorar.

– Se você atravessar esse portão – ela ameaçou, porque era a sua última alternativa –, talvez eu não esteja aqui quando você voltar. É isso que você quer?

Resignado, Leonardo parou e fechou os olhos ao ouvir a pergunta. Sabia que seu coração partiria em mil pedaços se Ivy fosse embora, mas, quando se virou para ela, sua expressão era contrita ao dizer:

– Eu não quero que você vá. Mas também não quero que você fique.

E em seguida, ele se foi.

Capítulo 26

Ela levou somente a bolsa e a roupa do corpo. Assim que Leonardo saiu, Ivy engoliu o caroço que lhe apertava a garganta e pegou tudo de que precisava para ir embora. Não levou uma mala de roupas. Assim como da primeira vez em que pensou em partir, não queria levar nada que Leonardo tivesse lhe dado. Estava farta, cansada, completamente desiludida. Não tinha mais estrutura psicológica para aquela situação. Como poderia continuar vivendo daquela maneira? Ainda estava tentando compreender qual fora o verdadeiro denotador da reação explosiva de Leo. Não era possível que ele tivesse feito aquilo tudo apenas por conta das fotos das duas famílias. E, ainda, ela não havia conseguido desvendar o significado daquela última frase dele:

Eu não quero que você vá, mas também não quero que você fique.

***

Era enlouquecedor! Aquelas palavras foram como brasas de fogo prensadas contra o peito de Ivy. Leonardo devia estar confuso sobre o que sentia por ela, foi o que concluiu. E esse pensamento a castigava. Ela estava tão certa sobre o que sentia por ele... Era a única certeza que tinha na vida: o amava de todo o coração. Mas talvez, pensava Ivy, com um ressentimento desolador, uma parte de Leonardo estivesse arrependida daquele casamento tão repentino. Ele agiu por impulso ao pedir, e ela fora imprudente em ter aceitado. Pularam muitas etapas. Deviam ter namorado mais tempo, ficado noivos alguns meses depois... Mas como ela poderia imaginar que Leonardo se transformaria daquela maneira? Ora tão carinhoso, ora tão violento. Ele estava com problemas. Problemas sérios. E Ivy não acreditava que pudesse lhe ajudar.

Na verdade, ela também precisava de ajuda. Pois, por dentro, estava destruída. Não conseguia se imaginar vivendo longe de Leo. Por mais atordoado que ele fosse, era o seu amor, seu marido, a razão da maior loucura que ela fizera na vida... Ivy sentia um aperto absurdo no peito quando se lembrava da noite maravilhosa que passaram juntos. Sabia que Leonardo tinha um lado gentil, amoroso, apaixonado... Ele tinha tanto para lhe dar... Por que tinha que ser tão inconstante?

Ivy se sentia culpada por estar fracassando com ele. Não fora ensinada a desistir das pessoas que amava. Mas, também, nunca tinha sido levada ao limite. Ao limite da dor, da humilhação. O jeito ambíguo com que Leonardo a tratava a fazia se sentir dependente dele, como se nada do que ele fizesse pudesse fazê-la escapar de suas mãos. Por isso, ela estava indo embora. Tinha que provar a si mesma que aquilo não era verdade. Que podia viver sem ele. Que podia recomeçar. Nicole sempre dizia que um homem não podia se sentir cem por cento seguro com uma mulher, senão, ele a pisoteava.

Talvez Nicole tivesse razão, pensava Ivy enquanto passava pelo portão. Talvez, o grande erro que cometera fosse deixar Leonardo seguro demais. Tinha arriscado demais, sacrificado demais para estar ao lado dele. Isso não era saudável. Qual fora a parte dele naquilo tudo? Apenas se casar para, depois, tratá-la como um capacho e, quando lhe conviesse, lhe dar migalhas do seu amor? Aquilo era muito pouco, Ivy decidiu, muito pouco.

Por sorte, Rodrigo havia lhe dado cinquenta reais pelo dia de treinamento que tivera na agência. Ivy ainda não sabia aonde iria, mas sabia que iria sair da cidade. Obviamente, não tinha dinheiro para ir de avião. Então, decidiu se direcionar à rodoviária e dar um jeito de arrumar uma carona ou uma passagem.

Pegou as informações no ponto de ônibus mais próximo e foi para o Terminal Rodoviário de Florianópolis. Durante o trajeto, ficou olhando através da janela de vidro, contemplando a chuva fina. Sentia um vazio profundo. Nunca se sentira tão sozinha. De tudo o que ela já havia deixado para trás até ali, nada seria mais doloroso do que deixar Leonardo. Só de pensar em nunca mais vê-lo, as lágrimas inundavam seus olhos novamente, fazendo-os arder. Nunca mais ela olharia para aquele sorriso, nem tocaria naquela pele dourada, nem sentiria o seu cheiro... Se pudesse, Ivy o teria engarrado antes de partir. Aquela partida doía nela em partes que ela nem imaginava que pudessem doer.

Aquilo tudo só podia ser uma provação, ela concluiu, arrependida de não ter pedido mais a direção de Deus antes de mergulhar de cabeça naquele relacionamento tumultuado. Como pôde permitir que sua vida virasse de cabeça para baixo daquela maneira? Pela primeira vez, Ivy começou a repensar se o amor valia mesmo aquilo tudo. Sempre acreditara que devia tomar decisões com o coração, que esse era o segredo de uma vida feliz. Porém, não era isso que ouvia quando ia à igreja.

Enganoso é o coração, mais do que todas as coisas, e perverso; quem o conhecerá?

Jeremias 17:9

Esse versículo, agora, começava a fazer todo sentido para Ivy. Ela sempre achou que essa era uma passagem cruel, fria e calculista da Bíblia. Mas se tivesse pensando um pouquinho melhor, refletiu ela, não teria jogado toda a sua existência para o alto a fim de estar com uma pessoa que mal conhecia. Todas as suas seguranças escorregaram por entre os dedos, como a areia da praia. E Ivy não sabia como recolhê-las de volta. Sabia que não podia voltar para a casa dos pais. Saíra de lá havia dois meses e ninguém lhe procurara. Nem mesmo Aléxia voltou a ligar. E Ivy sabia como era o seu pai quando tomava uma decisão com os filhos: inflexível, obstinado. Acreditava na disciplina acima de tudo, por mais que lhe doesse o coração. Talvez, com o tempo, Paulo amolecesse, mas ainda era tudo muito recente. Se Ivy tentasse voltar agora, ele lhe expulsaria somente para lhe dar uma boa lição.

Ivy respirou fundo. Para ela, não havia outra amiga tão chegada quanto Nicole. E embora cada fibra do seu ser estivesse condenando o que pretendia fazer, iria ligar para ela. Precisava de suporte. Sabia que Nicole jamais lhe negaria uma breve hospedagem, pelo menos até que ela pudesse se reestabelecer. Ivy também pretendia lhe pedir dinheiro emprestado para a passagem. Pagaria a amiga assim que pudesse. Voltaria para Ouro Preto e arrumaria um emprego imediatamente. No semestre seguinte, retornaria à faculdade. Era a única solução aparente.

Quando chegou à rodoviária, Ivy desceu do ônibus e correu para debaixo da marquise, para proteger-se da chuva. Chegando lá, bateu os sapatos, sacudiu os cabelos e entrou no terminal. Ainda tinha mais de quarenta reais. Agarrando firme na alça da bolsa, foi até o guichê onde se compravam as passagens para Minas Gerais. Porém, conferiu, trêmula, que não havia passagens disponíveis para aquele dia, nem para o dia seguinte, nem para o outro, e muito menos por aquele valor de que dispunha. A única solução era comprar passagem para outro destino, como Rio de Janeiro ou São Paulo, e, depois, viajar de lá para Minas. E isso, imaginou Ivy com tristeza, lhe geraria alguns custos adicionais. Seriam duas em vez de uma passagem, e ela não tinha nem bem o dinheiro para uma.

Quando se deu conta da sua situação, um soluço lacrimejante alcançou a garganta de Ivy e ela se afastou do guichê. *O que, pelo amor de Deus, vou fazer?* Ligeiramente desesperada, procurou uma cadeira para se sentar. Ficou lá pelo resto da tarde, abatida. Olhava para as pessoas à sua volta, mas nada assimilava. Ouvia vozes abafadas, lá no fundo, como um zumbido distante. A visão completamente turva pela névoa do desolamento e sua mente sendo sufocada por pensamentos aterradores. Estava perdida. Sozinha. Sem nenhuma condição de se sustentar. Morreria à míngua naquela gélida cidade. Teria muita sorte se não virasse uma indigente. Ou uma pedinte. Ou uma...

Em certo momento, bateu um vento frio e Ivy abraçou o próprio corpo, espantando os pensamentos atordoantes. Estava anoitecendo. Quanto tempo estivera sentada lá? Uma? Duas horas? Sua divagação foi interrompida quando Ivy reparou que um homem malvestido, a alguns metros dali, espiava-a com um sorriso mefistofélico no rosto. Ela olhou imediatamente para o outro lado. As lágrimas de pânico começando a escorrer pela face, silenciosas, suplicantes. Para se fortalecer, lembrou-se de outro versículo, mais confortador, que sua mãe sempre lia para ela quando era pequena e tinha medo de ficar sozinha no escuro:

Porventura pode uma mulher esquecer-se de um filho do seu ventre, que não se compadeça dele? Mas ainda que esta se esquecesse dele, contudo, eu não me esquecerei.

Isaías 49:15

Ivy fechou os olhos com força.

Senhor, por favor, me ajude...

– Ivy?

Uma voz masculina tirou-a do transe. Assustada, ela olhou para cima e reconheceu o rosto de Rodrigo, em pé ao seu lado. Ele estava diferente, mais informal. Usava uma camisa xadrez marrom, uma camisa branca por baixo e um jeans desbotado. Também não estava de óculos.

As orelhas de Ivy esquentam e ar ficou preso em sua garganta.

– Oi. – Ela enxugou o rosto e ensaiou um sorriso expansivo, falhando miseravelmente.

Ao perceber seu abatimento, Rodrigo uniu as sobrancelhas e se sentou ao seu lado.

– O que aconteceu? – ele perguntou. – Você está gripada?

– Não, não... – Ivy olhou para a própria bolsa. – Só estou aqui esperando... – sua voz falhou. *Esperando o quê?*

– Está esperando alguém da sua cidade? – perguntou ele, ao notar que ela não estava com mala.

Ivy não respondeu. Estava cansada de se passar por uma mentirosa deslavada.

– Na verdade, estou aqui esperando um milagre. Separei-me e saí de casa, só que estou sem nenhum tostão no bolso.

– Ah... – Rodrigo recuou em sua cadeira, meio sem jeito com a explicação sincera e direta. Em seguida, resolveu se aproveitar da abertura que ela lhe dera para tentar ajudar. – E acha mesmo que essa foi a melhor solução?

Ivy deu um suspiro profundo.

– Eu não sei de mais nada. Só sei que não posso viver com alguém tão confuso. Desde que nos casamos, Leonardo, meu marido, ficou completamente perturbado. Estoura com qualquer coisa, tem comportamentos esquisitos... Não que ele seja assim o tempo todo. – Ela espiou o rosto dele, amenizando, sentindo-se desleal. – Mas ele simplesmente me deixa louca. Nunca sei como ele vai reagir. Não suporto mais isso...

Pensativo, Rodrigo mirou seu perfil por alguns momentos.

– É uma decisão muito séria que está tomando. O início de um casamento nunca é fácil. Existe o tempo de adaptações. E uma vez que você escolheu se casar, devia estar preparada para isso.

– Ei sei – disse Ivy, tapando o rosto. – Mas nada foi como deveria ser. Fui impulsiva. Saí de casa brigada com a minha família. Isso nunca poderia dar certo.

Rodrigo ponderou sobre o que ela disse.

– É verdade. Tudo que começa errado, tem tendência a dar errado – ele acrescentou.

Ivy virou o rosto para ele, buscando compreensão. Não precisava de um sermão naquele momento.

– Você é casado? – ela perguntou, pois não viu nenhuma aliança no dedo dele e, com essa pergunta, imaginou que iria constrangê-lo.

Percebendo qual era a intenção dela, Rodrigo sorriu com gentileza.

– Não. Sou solteiro. Na verdade, viúvo. Fui casado por três anos com Lavínia, antes de ela falecer.

As bochechas de Ivy ficaram vermelhas.

– Oh... me desculpe. Eu não tive intenção...

– Não se preocupe. – Ele tocou suas costas. – Eu já superei.

Embaraçada, Ivy mirou as próprias mãos para perguntar.

– Como foi que ela morreu?

– Acidente de carro. Ela era médica, viajava uma vez por semana para atender a pacientes em uma cidade vizinha. Morreu ao dormir no volante.

– Nossa! – Ivy se comoveu, olhando novamente para ele. – E como foi que você conseguiu superar?

Rodrigo espremeu os lábios por um momento.

– Nada como um dia após o outro.

– Vocês tinham filhos?

– Infelizmente não. E você, o que pensa em fazer agora?

– Não sei. Estou pensando em ir para a casa de uma amiga em Ouro Preto.

– Quer um conselho?

Sem saída, Ivy acenou com a cabeça que sim.

– Volte pra casa. Seja lá o que tenha acontecido entre os dois, dá pra ver que você ainda gosta dele. E que está sofrendo. Não permita que o orgulho separe vocês.

– Você não está entendendo. – Ivy balançou a cabeça. – Leonardo fez coisas terríveis comigo. Coisas que não consigo nem mencionar, de tão baixas. Ele não merece outra chance. Não merece nem um pingo da minha consideração.

Rodrigo sorriu com ternura.

– Pode ser que você tenha razão. Pode ser que realmente ele não mereça. Mas pense bem, se Deus nos tratasse como merecíamos, não estaríamos respirando neste exato momento. Precisamos aprender com Ele a exercer a misericórdia.

Aquele argumento foi como um soco no peito de Ivy.

– Eu não sei mais como fazer isso – ela disse, quando se recuperou. – Já fiz de tudo para agradá-lo. Já fui rebelde, já fui obediente, já tentei conversar... Mas parece que tudo que eu faço para me aproximar acaba levando Leonardo mais para longe. Ele é cheio de problemas. Não teve amor quando era pequeno, foi negligenciado pela mãe, o pai faleceu antes de ele nascer... Então, ele aprendeu a esconder as emoções numa concha, a agredir para chamar a atenção, e nada do que eu faça muda essa situação...

Com calma, Rodrigo se inclinou para a frente e apoiou os cotovelos nos joelhos, mirando-a sério.

– Já perguntou a Deus *para que* você está passando por tudo isso? – Ao ouvir a pergunta, Ivy engoliu em seco. Nunca tinha orado a respeito disso. Nem sequer meditara sobre isso. Achava que tudo era uma fatalidade do destino que ela mesma escolhera para si. Como ficou calada, Rodrigo continuou: – Às vezes Deus não muda uma situação, pois está usando a situação para mudar algo em você.

Aturdida, Ivy olhou para ele.

– Mas eu sei que mereço esse sofrimento. A escolha foi minha.

– Não é uma questão do que você fez, mas o que você fará de agora em diante. Você pode ter sido rebelde como falou, mas, se está sinceramente arrependida, será perdoada. O que importa agora é o que você vai fazer com os resultados que trouxe a si mesma. Acha que diante de Deus a separação agora é a escolha mais certa?

Por que sabia que não, Ivy levou as mãos ao rosto e tornou a chorar, sentindo-se péssima. Compadecido, Rodrigo alisou suas costas.

– Sei que deve estar sendo difícil para você, mas para o seu marido também. E mesmo que tudo tenha começado errado, Deus pode transformar toda a maldição em bênção. Somente creia nisso. Não olhe só para a sua dor. Às vezes, precisamos tirar os olhos de nós mesmos para enxergar o que o outro precisa. E, com certeza, seu marido precisa de você. E não de ser abandonado de novo.

A palavra abandono feriu Ivy mais do que ela imaginava. Não queria abandonar Leonardo. Não queria feri-lo. Mas também não desejava sofrer...

– Mas eu não sei como ajudá-lo – ela fungou. – Leonardo é pavio curto. Nunca sei quando é a hora certa de conversarmos. Na maioria das vezes, ele me tira do sério. Eu grito, faço coisas que não estou habituada... – Ela lembrou-se das vezes em que bebeu, gritou, explodiu. – Na verdade, algo dentro de mim me diz que ele me ama, mas às vezes parece que Leonardo simplesmente não sabe o que quer...

– Então, mostre a ele o que ele quer, que é o mesmo que você. Dê o melhor de si nesse casamento, mas sem se anular. Construa bons momentos, seja firme, mostre a ele que você é estável. Que por mais que ele tente te aborrecer, te expulsar, você sempre estará ali para amá-lo. Para suportá-lo. Ele vai querer isso, Ivy, vai querer essa rocha, já que você me disse que ele nunca teve uma. E, com o tempo, ele vai se esforçar para lhe dar isso também. Você não precisa gritar com uma pessoa que quer o mesmo que você. Pense nisso. Deus une duas pessoas com um propósito.

Sentindo-se milagrosamente fortalecida, Ivy sorriu, em meio às lágrimas.

– De onde foi que você tirou tanta sabedoria?

Rodrigo deu um sorriso tímido.

– Sou conselheiro matrimonial da minha igreja, junto com a Maria. Aliás, ela ainda me deve aqueles profiterólis.

Ivy ficou vermelha.

– Desculpe ter furado com você. Foi uma exigência de Leo. Ele não quer que eu trabalhe.

– Sei... – Rodrigo a examinou por alguns segundos. – Por que vocês dois não aparecem no próximo culto? Eu gostaria de conhecer essa peça...

O sorriso de Ivy se expandiu.

– Acho que alguém sentiu o cheiro de desafio...

– Talvez. – Rodrigo se levantou. – Gosto que Deus me use nessa área específica: unir aqueles que ainda podem ser unidos.

Os olhos de Ivy se enterneceram para ele. *Aqueles que ainda podem ser unidos,* ela notou. O que não acontece com aqueles que faleceram.

– Vamos. – Rodrigo estendeu-lhe a mão. – Vou levá-la para casa, mas antes vou te dar alguma coisa para comer.

– O que você estava fazendo aqui? – Ivy se levantou, grata pela sua solicitude.

– Vim despachar o material que um cliente esqueceu no voo de hoje. Um motorista amigo meu vai levá-lo pra Porto Alegre.

Ivy segurou o sorriso.

– Será que ele pode me despachar para Minas Gerais? – ela brincou.

Sorrindo, Rodrigo passou o braço pelo seu ombro e a conduziu para a lanchonete.

– Deixa de ser covarde. A sua batalha está apenas começando.

***

Leonardo chegou em casa ao entardecer. Mais calmo, sabia que tinha exagerado em relação ao lance das fotos. Podia ter conduzido a sua dor e o choque de outra maneira. Mas quando olhou para foto da sua mãe ao lado da foto daquela outra pessoa... ele simplesmente surtou! Era como se sua mãe estivesse olhando para ele, condenando-o. Lembrando-lhe do porquê de ele estar casado.

Mas Leonardo simplesmente não conseguia mais separar as coisas. Sua mente o orientava para uma direção, mas o coração para outra. Como podia ignorar o efeito que Ivy causava nele? Ela lhe trazia paz, lhe trazia alegria... Quando estava perto dela, sua solidão se esvaía e seu peito era preenchido por um calor desconhecido, reconfortante, apaziguador. Ele a queria para sempre. Não podia mais viver sem aquilo. Por essa razão, voltou para casa, com flores na mão, decidido a consertar a situação. Sabia exatamente como lidaria com ela. Usaria de todo o seu encanto e poder de persuasão para ser perdoado. Não falaria a verdade, é claro, pois Ivy jamais poderia saber a razão que os uniu, mas pediria desculpas. Decidiu que viveria com ela. Se a mantivesse longe de sua família, já estaria satisfeito com o sofrimento que causaria do lado de lá.

Janine sentiria a dor da ausência, assim como sua mãe morreu por sentir.

Confiante em excesso, acreditou que Ivy estava no piso de cima quando entrou pela sala e não a avistou. Leonardo gritou o seu nome. Como o silêncio permaneceu, suspirou e resolveu procurá-la no quarto. Deveria estar chorando, magoada, ele acreditou. Chamou por ela novamente, enquanto subia a escada. Ouviu o eco da própria voz. Balançou a cabeça para si mesmo. Fizera um estrago pior do que imaginara. Mas, quando abriu a porta do quarto, ficou estarrecido ao perceber que ele estava vazio.

Sua primeira reação foi de raiva... mas, depois, sentiu um medo paralisante. Correu para o closet e sentiu um leve sopro de alívio quando avistou as roupas de Ivy. Entretanto, meditou, com crescente pavor, ela era orgulhosa suficiente, e ingênua o suficiente, para ir embora com a roupa do corpo. Não fora assim que ela viera de São Lourenço?

Na mesma hora, Leonardo tirou a roupa de neoprene, colocou uma camisa azul-clara amassada, a primeira calça jeans que avistou e calçou os chinelos. Ainda salgado e despenteado, pegou a carteira, o celular e saiu de casa. Alucinado, andou pela rua feito um louco, acenando para todos os carros, até que viu um táxi livre. Assim que entrou, mandou o motorista ir direto ao aeroporto. Ivy poderia ter entrado em contato com algum dos irmãos e ter conseguido uma passagem para ir embora. Mas Leonardo não iria permitir. Jogaria-se aos seus pés, no meio da multidão, se fosse preciso. E não era por causa de nenhuma vingança mesquinha, mas porque, se a perdesse, seu mundo ficaria despedaçado. Só o pensamento fez Leonardo olhar através da janela e abrir a boca em busca de oxigênio. Parecia que o ar lhe faltava. Seu peito doía. Ainda sentia na boca o gosto da pele de Ivy, o calor, a doçura... Ligou várias vezes para ela, mas o celular estava desligado. Foi observando o caminho com toda atenção, solicitando que o motorista freasse bruscamente cada vez que passavam por uma loira.

Quando chegou ao aeroporto, deu uma nota alta ao taxista e nem sequer se importou com o troco. Cambaleou desenfreado pelo saguão dos voos domésticos. Furou as filas, consultando o nome de Ivy em todos os voos, alegando que ela viajava a trabalho e se esqueceu de um documento importante.

Mas não acharam o nome dela em nenhum dos voos. Portanto, Leonardo partiu direto para a rodoviária. Era sua segunda opção. Ivy não conhecia ninguém na cidade, a não ser Maria. A próxima tentativa seria a casa dela, embora Leonardo desconfiasse de que Ivy não soubesse onde a empregada morava. E, por último, ele não hesitaria em procurá-la de casa em casa, arrombando as portas dos vizinhos com os pés.

Sentiu o peito expandir de alívio, contudo, quando viu a esposa sair do terminal no minuto em que o táxi parou, sã e salva.

– Ivy! – Leonardo murmurou o nome dela de dentro do táxi, quase como que uma oração. Em seguida, fechou a cara quando viu que ela estava acompanhada por um estranho.

Leonardo abriu a porta traseira do carro, bem em frente onde ela estava parada, e Ivy ficou embasbacada quando o avistou.

– Leo?!

– Entra no carro.

Ivy contraiu os lábios numa linha fina quando notou a rispidez em sua voz.

– Posso ao menos apresentá-lo ao meu amigo?

– Entra – Leonardo repetiu, engodado pelo ciúme. – Porque, se eu tiver que ir te pegar aí fora, eu vou te machucar.

Foi preciso que cada grama do seu corpo se esforçasse para Ivy não reagir ao que ele tinha dito. Rodrigo segurou de leve em seu braço, preocupado.

– Ele bate em você? – perguntou num sussurro.

Envergonhada, Ivy suspirou e balançou a cabeça que não.

– Ele late, mas não morde – sussurrou ela de volta.

Furioso com a demora, Leonardo saiu do carro, a fim de puxá-la para dentro do veículo. Ele chegou perto dos dois e a mão dele agarrou o braço de Ivy, acima do cotovelo, os dedos enterrando-se na carne macia para puxá-la para perto de si.

– Vamos – rosnou ele. – Já está tarde e você está batendo os dentes de frio.

Mas não era frio, era medo. Medo de si mesma por estar tão aliviada desde que vira o rosto de Leo. Ivy olhou uma última vez para Rodrigo, os olhos cheios de gratidão. Não sabia o que teria feito sem ele. E Rodrigo bateu os cílios para ela, confortando-a, indicando que ela fosse com o marido.

– Espero vê-los no domingo – ele disse ao se despedir.

Ivy lançou-lhe um sorriso fraco antes de ser arrastada para o carro, com uma pressa indecorosa, pelo marido que, quando bateu a porta, sorriu com desdém quando o motorista partiu.

– Menos de dois meses de casamento e você já arrumou um amante?

Ao ouvir isso, Ivy encheu o peito de raiva.

– Você faz suposições cretinas demais. Rodrigo só agiu como um bom amigo.

– Não sabia que você tinha um amigo na cidade.

– Mas agora tenho.

– E posso saber como o conheceu?

– Ele vai ser meu patrão.

Leonardo olhou para ela, com um misto de fúria e choque nos olhos.

– Já decidimos isso. Você não vai trabalhar.

– Ah, vou sim. Agora mais do que nunca.

– Não vou aceitar essa situação.

– Lamento que se sinta assim. Já está decidido. Rodrigo perdoou meu delito e me ofereceu o emprego de volta. Aliás, ele nos fez outra proposta também...

Leonardo estreitou os olhos para ela.

– Que tipo de proposta?

– Ele gostaria de nos conhecer melhor. É conselheiro matrimonial.

– Ah, essa é boa.. – disse Leonardo acidamente. – Foi isso que ele te disse quando estava cantando você?

– Leonardo? – Ivy se virou para ele, exasperada. – Precisamos de ajuda. Será que você não vê isso?

– O que exatamente você está me pedindo?

– Não estou te pedindo, estou te informando que a partir do próximo domingo vou começar a ir à igreja daqui, e gostaria muito que você fosse comigo.

– Sem chance. – Leonardo se virou para o outro lado.

– Por que veio atrás de mim se não quer salvar o nosso casamento?

Leonardo ficou calado por um momento, perguntando-se por que as palavras *eu te amo*, que ardiam dentro de si, não encontravam caminho até a sua boca.

– Existem outras maneiras de nos ajustarmos, sem a interferência de ninguém. Eu vou me esforçar.

– Não se trata só de você. Preciso de conselhos para saber como conduzir isso tudo.

– Então faça como quiser. Eu não vou. Está decidido. E não acho que você vá nos ajudar decidindo trabalhar. Que merda, Ivy... – Leonardo olhou para o outro lado e não disse mais nada.

Ivy também não quis mais discutir. Deixou-o com seu silêncio, sabendo que a estrada que decidira cruzar era dura, estreita, cheia de pedregulhos. Amansar Leonardo não seria tarefa fácil. Precisaria de muita fé para conseguir reverter aquela situação. Ele tinha um gênio difícil. Era carente, autoritário. No entanto, as lágrimas vieram aos seus olhos, sem serem convidadas, quando ele segurou sua mão com firmeza e a manteve dentro da dele por todo o caminho. Ele deu um aperto de leve, como que querendo confortá-la. Ivy não sabia se chorava pela sua tentativa de fuga ter sido frustrada, ou por estar aliviada por ter ficado ao lado de Leo.

Era uma idiota por muitos motivos.

Uma tola apaixonada. Aprisionada pelo medo de perdê-lo.

Capítulo 27

Foi um ciclo que se repetiu nas semanas seguintes, somente com mudança de abertura, de cenários e de diálogos. Ivy tentava se controlar quanto à ambivalência das atitudes de Leo, mas, no final, encolerizava-se junto com ele. E como sabia que o único medo dele era perdê-la, começou a inventar ameaças criativas para ver se Leonardo caía em si. Gritava com ele, dizia que iria embora, que já estava com a passagem comprada, que tinha ganhado um aumento e que moraria sozinha... Era horrível dar-se conta de que estava se afastando, mesmo que quisesse ficar próxima. Mas aquela oscilação de temperamento dele era extenuante. Cansativa. E contagiosa.

Os dois, no entanto, não se desentendiam todo o tempo. Logo depois de uma briga, para reatarem, sempre faziam amor com um desespero latente, que tragava os dois por completo. Quando estavam juntos, era como se um rio quente percorresse o sangue de ambos, fazendo-os esquecer de tudo.

Ao menos, Ivy começara a trabalhar, e esse era um dos maiores motivos das brigas entre o casal. Porém, ainda não fora à igreja. No horário do culto, Leonardo dava um jeito de detê-la. Às vezes, a levava à praia, fazia amor com ela e depois a levava para jantar... E Ivy ficava presa àqueles pequenos caprichos e migalhas de alegria.

Mas os dias seguintes sempre tinham seus altos e baixos. Ou Leonardo procurava passar o dia com ela, ou saía de casa sem lhe dar satisfação. Certos dias, comia arroz queimado sem reclamar, e em outros, reclamava de tudo. Ivy controlava por algum tempo seu ímpeto de ir embora e largar tudo aquilo para trás, mas, sempre – inevitavelmente – que Leonardo a dominava com suas palavras carinhosas de novo, ela se enchia de esperanças e decidia caminhar mais um pouco com ele.

Fora isso, o desejo que sentia pelo marido estava cada vez mais traiçoeiro, não lhe dava a menor chance. Bastava Leonardo chegar até ela com aqueles olhos verdes e ardentes, a voz baixa como uma luva de seda, o sorriso capaz de derreter um iceberg a cem metros de distância, para Ivy arrefecer a sua determinação. Ele sabia ser afrontosamente sensual. Aquilo deveria ser proibido. Cada ensaio de cena entre eles melhorava o seu final culminante.

E tudo sempre acabava na cama.

A vida que tinha antes de ser trazida para esse desfiladeiro parecia nem ter existido. Era frequente Ivy acordar à noite e se enroscar em Leonardo, em busca de segurança e conforto, pois ele agora era o seu sustentáculo.

Para desabafar, Ivy contara parte de seus problemas para Nicole. Vinham conversando pela internet semanalmente. A amiga, que após os arroubos iniciais da paixão também estava tendo problemas para se adaptar com o Júlio, disse que Ivy precisava de tempo e aconselhou-a arrumar um amante, em vez de se separar.

"Sério, ajuda a relaxar e a ir levando", garantiu a amiga, enquanto Ivy franzia o cenho, tendo certeza de que Nicole já andara dando umas puladas de cerca. Mas, pelo menos, confessar o que estava passando para alguém – se abstendo dos detalhes sórdidos – proporcionava um alívio temporário a Ivy.

No entanto, nada do que ela fizesse agora poderia amenizar a última atitude de Leo. Ivy estava furiosa com ele. Ele tinha o costume de buscá-la no trabalho, sempre de surpresa. Entrava pela agência como se fosse o dono dali e, ao vê-la, ia até ela lhe dar um beijo arrebatador, na frente dos clientes e funcionários. Sentido-se antiética, Ivy já havia implorado para que Leonardo não fizesse mais isso, mas não imaginava que a postura dele pudesse ficar ainda pior.

Na noite anterior fora sexta-feira, e ele fora buscá-la de surpresa de novo. Ivy tinha tido uma semana difícil e, como ainda não ia à igreja, às vezes ficava até um pouco mais tarde para se aconselhar com Rodrigo. A agência já havia sido fechada, embora a porta de vidro estivesse aberta, e ambos conversavam calmamente na sala dele no segundo andar.

Como sempre, Rodrigo a consolou e a incentivou a perseverar. Oraram juntos por isso. Mas quando resolveram partir, chorosa, Ivy ficou em pé e lhe deu um abraço de gratidão, no exato momento em que Leonardo invadiu a sala de forma repentina.

Uma miríade de emoções cruzou o rosto dele e o coração de Ivy despencou até o estômago. Leonardo não perguntou, irradiando animosidade, simplesmente puxou Ivy dos braços de Rodrigo e fez o mesmo que havia feito com Kaique, esmurrou-o no queixo.

Rodrigo cambaleou para trás e, ainda que seu corpo tenha enrijecido imediatamente, ele não revidou. Leonardo começou a xingar os dois e ir para cima dele de novo, mas, apesar de suas mãos estarem geladas de medo, Ivy tentou segurá-lo pelo braço, porém era como tentar puxar uma muralha de aço com os dedos. Somente quando ela gritou com Leo e saiu pela porta do escritório foi que ele a seguiu, exigindo uma explicação. Voltaram brigando por todo o caminho e, naquela noite, Ivy se recusou a fazer amor.

Ficou sem graça de ir trabalhar na próxima semana. Esperou dar oito horas da manhã para ligar para Rodrigo e saber se ainda tinha um emprego. Viver com Leonardo estava se tornando um inferno. Vivia passando por situações que a deixavam constrangida. Ele era ciumento ao extremo. Era inseguro. E isso estava acabando com os nervos de dela.

Aceitaria o conselho de Nicole, ela decidiu. Se fosse demitida, compraria um biquíni menor, iria se bronzear e teria um caso com algum surfista local. Ou então, meditou amarga, lançaria um dardo em um atlas e, onde sua ponta batesse, fugiria para lá. Recomeçaria do zero. Ah, sim, isso aconteceria, pensou ela com desdém, observando Leonardo entrar pela cozinha com uma tranquilidade irritante. Vestia uma calça jeans, uma camisa branca de gola V e estava de banho tomado. Ainda estava descalço, mas, para o ódio de Ivy, parecia novinho em folha.

– Bom dia. – Ele abaixou-se e beijou atrás da orelha de Ivy, que estava sentada à mesa, embora não tivesse comido nada. Estava enjoada e indisposta. Talvez de vergonha. Em seguida, Leonardo mordeu o lábio inferior, contendo o divertimento, quando notou a expressão emburrada no rosto dela. Parecia uma menina de dez anos fazendo birra. *A sua menina*. Embora tivesse dias em que a culpa que Leonardo carregava não o permitisse ser tão cortês quanto gostaria, e o deprimisse, sabia que Ivy agora era o centro do seu mundo.

– Comeu alguma coisa azeda no café da manhã?

– Precisamos conversar – disse Ivy, ignorando a zombaria. Leonardo foi até a cafeteira e girou os olhos. – Vou voltar para a casa dos meus pais – ela anunciou.

Leonardo serviu-se, cheirou e tomou um gole do líquido quente. Em seguida, ergueu a xícara.

– Hum... Isso sim é um café.

Enraivecida, Ivy arquejou.

– Você ouviu o que eu disse?

– Sim. Você quer voltar para a casa dos seus pais.

– Eu quero não, *eu vou*.

Um sorriso descrente escapou dos lábios de Leo, e isso a enfureceu. Com toda a calma, ele tirou o celular do bolso da calça e o colocou sobre a mesa, antes de se acomodar na cadeira.

– Suas palavras já estão se tornando insípidas, minha cara, de tão repetidas.

– Eu estou falando sério – afirmou Ivy, tentando soar veemente, mas se sentindo patética. – Vou pedir as contas hoje ao Rodrigo e, caso ele não me demita por justa causa, pegarei meu pagamento para comprar a passagem. Prefiro me humilhar para o meu pai a continuar vivendo aqui desse jeito. Com um troglodita sem cérebro.

Se esperava insultá-lo, o sorriso de Leonardo indicou que ela não conseguiu. Sem se abalar, ele cortou um pedaço de bolo integral que Maria havia posto sobre a mesa e comeu um pedaço, gemendo de prazer. Ivy ficou ainda mais irritada. Naquela manhã, parecia impossível provocá-lo para zangar-se.

– Quando ligar para o Rodrigo, pergunte a ele onde guardou seus colhões. Que tipo de homem toma um soco na cara sem revidar? – provocou Leonardo, balançando a cabeça, de boca cheia.

Ivy imaginou-se inclinada por cima da mesa, tentanto esganá-lo e espalhando migalhas de bolo para todo o lado. Como poderia ter orgulho do que fizera?

– O tipo de homem *decente*. Que sabe resolver as coisas na conversa. Ele só estava me ajudando a passar por esse furacão. É um amigo, nada mais. O que você fez com ele foi... desprezível! Não sei como pude me apaixonar por um desordeiro como você. Nunca admirei homens assim...

– Você admirava o Adam. – Leonardo sorriu, um sorriso esperto que envolveu o seu rosto inteiro.

Pega de supresa, Ivy piscou, confusa. Com o coração pesado, pensou no irmão. Não era Adam a quem ela mais admirava na vida? E ele não era igualmente estourado? *Ó, Deus!* Será que ela estava buscando aquele tipo de referência em seus relacionamentos?

– Isso não tem nada a ver – disse ela, inconvicta. – Admiro o caráter de Adam, e não o seu gênio. E, se bem me lembro, você também não revidou quando ele te deu um soco.

Leonardo levantou as sobrancelhas, concordando, lembrando-se das próprias razões, e simplesmente continuou a comer. Como não disse nada, Ivy mandou que seus nervos se aquietassem e continuou.

– Não dá mais para viver assim, Leo. Estamos nos fazendo mal. Esse relacionamento é inteiramente destrutivo.

– Se é assim que você vê...

– Você não se importa? – Acalorada, Ivy jogou as mãos para o alto. – Se eu ficar aqui, vamos acabar nos odiando. É isso que você quer? Que fiquemos juntos a todo custo, mesmo que isso te leve a procurar uma amante para afogar suas mágoas?

Dando de ombros, Leonardo deu outro gole na xícara, deixando-a imaginar o pior.

– Já chega! – Ela bateu na mesa com as duas mãos e se levantou. – Não vou ficar aqui destruindo a minha vida só porque você não se importa em arruinar a sua. Vou ligar para minha mãe.

Num gesto abrupto, Leonardo segurou as mãos dela na mesa e ergueu os olhos sérios para encará-la.

– Faz isso, coração, mas aproveita e diz para ela que você não estará voltando sozinha. – A voz dele era enganadoramente suave.

– Você não irá comigo. – Ivy tentou liberar as mãos, mas ele as segurou com fimeza.

– Não estou falando de mim.

Ivy sentiu um arrepio de desconforto. Do que Leonardo estava falando? Mas, de repente, ele baixou os olhos para a sua barriga e o coração de Ivy deu um salto até a boca. Todos os seus planos anteriores se evaporaram, e um desespero rastejante se espandiu em seu peito quando começou a refletir. É verdade que seus seios estavam mais cheios e que agora vinha sentindo um sono avassalador depois do almoço, e que estava enjoada, e que sua menstruação não vinha havia... meses!? Mas será mesmo que ela podia estar grávida?

Claro que sim! – sua consciência gritou e, com uma onda de espanto e sofrimento, Ivy sentou-se lentamente na cadeira. Não havia tomando nenhuma precaução com Leonardo desde que se casaram. O sexo entre eles era sempre espontâneo, livre, sem preocupações...

Mas a culpa não fora só dela, Ivy examinou o rosto contrito de Leo. Como ele pôde ter sido tão irresponsável? Por que não a alertou? Era muito mais experiente do que ela. Sabia o que estava fazendo. Ivy não se eximia da culpa, pois era uma mulher informada, mas ficou se perguntando se Leonardo não havia planejado aquilo para aprisioná-la ainda mais. Ou pior, se ela mesma, inconscientemente, não permitiu que isso acontecesse.

O rosto de Leo, contudo, não indicava nenhuma satisfação quando tocou no queixo dela e disse baixinho:

– Achou que eu não notaria a mais leve alteração em seu corpo?

– Você planejou isso? – ela perguntou, sentindo-se apunhalada.

– É claro que não. – Ofendido, ele tornou a olhar para o café, colocando sua xícara de lado. Ainda mal tinha digerido aquela constatação. Mas, em seguida, olhou para Ivy de novo e deu um suspiro profundo. – Não fica com essa cara devastada. Você não está sozinha. Eu estou aqui, não estou?

– Meu Deus do céu! – Ivy apoiou os cotovelos na mesa e segurou a testa nas mãos. – O que vai ser da minha vida daqui para a frente? O que vai ser dessa criança?

– Vamos criá-la juntos.

Ivy riu com sarcásmo.

– Não estou falando em adotar um cachorro. É uma criança, Leo. Um bebê! Tem noção de como isso nos afetará? Não estamos preparados nem para vivermos sozinhos...

– Então precisaremos nos preparar. – Leonardo olhou abruptamente para o telefone que vibrou e o desligou. Em seguida, se levantou.

– Você vai sair? – perguntou Ivy, ressentida.

– Preciso ir. Marquei com uma corretora de imóveis para ver umas salas para comprar. Ainda estão só na planta, mas daqui a dois anos, quando forem entregues, vão dobrar de valor. E agora, mais do que nunca, precisaremos de dinheiro.

Dito isso, Leonardo deu um beijo na cabeça de Ivy e um aperto confortador em seu ombro. Enquanto Ivy ficou ali, com o entusiasmo de uma mulher que ouve alguém trancar a grade da cela quando Leonardo bateu o portão.

De todo modo, passou a respirar com mais facilidade quando Leonardo saiu. Precisava de alguma distância para pensar. Atônita demais para sofrer, apavorada demais para chorar, ficou sentada na cozinha durante um bom tempo. Em seguida, absolutamente aturdida, Ivy se levantou e abriu uma gaveta para pegar uma aspirina, enquanto fingia que as mãos não tremiam. Estava com uma súbita dor de cabeça. Mas logo parou, porque percebeu que não sabia mais se podia tomar aquilo. Não tinha mais controle sobre o próprio corpo. Será que deveria procurar logo um médico?

Tentando ser prática, Ivy ligou para a farmácia e pediu um teste de gravidez, para confirmar seu estado, embora cada célula do seu corpo soubesse que estava grávida. Depois, decidiu subir para o quarto, para administrar aquela possibilidade, mas somente conseguiu pisar no primeiro degrau da escada, onde se sentou e começou a rir histericamente como uma louca, até os soluços dilacerantes tomarem lugar.

Capítulo 28

Leonardo permaneceu muito quieto nos dias seguintes. Respeitando o estado depressivo de Ivy, não a aborreceu no trabalho. Também não ficou ligando, de minuto em minuto, para saber a que horas ela iria chegar. Precisavam de um tempo, ele percebeu. Estavam ambos abalados desde a confirmação daquela gravidez. Desde então, nas poucas vezes em que Leonardo falava com ela, sua voz era calma, lisonjeira, mas Ivy parecia ter emergido do choque num mundo distante do seu. Era difícil tentar ajudar alguém que lhe ignorava como se você estivesse com a peste.

Fora isso, Leonardo também estava genuinamente abalado. Não parava de pensar, com iminente pavor, que seu filho poderia nascer igual a ele. Ivy ainda não tinha se dado conta da sua deficiência. Leonardo disfarçava bem. Mas ele mesmo sabia, e aquilo o atormentava. Passava horas reavaliando as suas opções, mas não tinha jeito. Em algum momento, precisaria contar para ela que ele tinha uma limitação humilhante, horrorosa, que o fazia suar frio e arrefecer de vergonha só de pensar.

Era burro. E não sabia se aquilo era hereditário. Ler sempre fora um grande problema para ele, e, com letras cursivas, era ainda pior. E Deus sabia o quanto Leonardo se esforçou na época da escola, mas, como não teve ajuda, simplesmente desistiu. Por mais que se esforçasse, as palavras pareciam dançar diante dos olhos. Ele absolutamente não conseguia se concentrar. Agradecia à tecnologia por ter facilitado sua vida, pois digitar era mais fácil, e comunicar-se por meio de imagens também. Mas Leonardo detestava momentos em que não conseguia esconder essa sua debilidade, pois essas horas o remetiam às palavras "garoto estúpido", que sua tia repetira com frequência durante a sua infância.

E seu meu filho também for assim? E se nascer tão incapaz quanto eu? Como poderei ajudar?

Arrasado, Leonardo ficou pegando onda por várias horas, deixando Ivy sozinha a maioria dos dias do final de semana. E ela sofria terrivelmente, a cada minuto, desejando a presença da mãe, de Maria, de qualquer pessoa. Queria que alguém lhe abraçasse e lhe dissesse que ia ficar tudo bem. E, embora Ivy ainda estivesse chateada com ele, encarava o afastamento de Leonardo como desinteresse, ou arrependimento. Jamais imaginaria que ele também estava com medo.

Naquele sábado, estava sentada no sofá, assistindo à televisão e decidindo se ia vomitar mais uma vez. Tinha a sensação de que os dias se empilhavam, tamanha era a sua apatia. Por isso irritou-se quando ouviu a campainha tocar, interrompendo seu tédio. Unindo as sobrancelhas, olhou para a porta que dava para o gramado. Depois se levantou, desanimada, achando que teria que despachar algum vendedor ambulante. De vez em quando, alguns deles passavam por aquela rua. Pensou em não atender, mas lhe faria bem esticar as pernas um pouco.

Quase desfaleceu de alegria, no entanto, quando avistou quem estava do outro lado do portão.

– Amanda! – Como se nunca tivessem brigado, Ivy se agarrou como um caramujo no seu pescoço. Só podia estar sonhando, mas, se estivesse, não queria mais acordar. Em seguida, com os olhos cheios de lágrimas, ela avistou Adam e os sobrinhos atrás da irmã, enquanto Amanda afagava a sua cabeça. E quando Ivy deu um passo para trás para segurá-la à distância de um braço, seu olhar arrependido dizia tudo.

– Eu sei – disse Amanda simplesmente, enxugando uma lágrima de Ivy. – Também senti sua falta.

– Meu Deus, eu nem acredito que vocês estão aqui. – Ivy não conseguia parar de chorar. Depois de enxugar o rosto, alargou ainda mais o sorriso quando agarrou os sobrinhos. – Parecia tão improvável... Entrem, entrem... – Ela pôs todo mundo para dentro.

Com a cara amarrada e um bocado de ressentimento no coração, Adam cruzou o portão, seguido de Tavinho que, ao passar pela tia, sorriu pelas costas do pai e lhe deu um abraço apertado.

– Estava com saudades – ele sussurrou.

Extasiada com o advento, Ivy beijou sua cabeça e fechou o portão quando todos passaram. Com a energia acumuldada durante a viagem, Nicolas e Cauê imeditamente correram para disputar uma corrida pelo gramado.

Maravilhada com a casa, Amanda foi caminhando e absorvendo o lugar, em meio aos gritos eufóricos dos filhos. Quando veio atrás da irmã, jamais imaginou que Ivy vivesse tão bem. Ou, pelo menos, com tanto conforto. Suas preocupações iniciais esmaeceram um pouquinho.

Adam também ficou admirado, embora preferisse não ter ido. Fora literalmente arrastado pela esposa, que ameaçou vir sozinha com os filhos. Como ele não gostava de se separar da família, e não confiava na mulher para dirigir na estrada, ele veio dirigindo, mas não estava nem um pouco satifeito.

– Não vai abraçar a sua irmã? – Amanda perguntou ao marido. – Não viajamos para o outro lado do país de carro para você continuar com essa cara.

Contrariado, Adam foi até Ivy para lhe dar um abraço e, rápido demais, a soltou. Mesmo assim, Ivy ficou grata. Conhecia o irmão, precisaria dar-lhe algum tempo.

– Como descobriram meu endereço? – Ivy ficou curiosa.

– Aléxia me deu. – Amanda ainda examinava a sala, estupefata. – Ela disse que mandou uma correspondência para você.

– Ah, sim. – Ivy se lembrou. – Os documentos da faculdade. E por que não ligaram antes? Eu teria me preparado melhor para recebê-los.

Com a objetividade de sempre, Amanda mirou a irmã.

– Não sabíamos como seríamos recebidos depois de tudo. Mas eu precisava saber que você estava bem, ver com meus próprios olhos. Por mim e pela mamãe.

Com uma onda de sofrimento, Ivy perguntou por Janine.

– E como ela está?

– Estafada, abatida... – Amanda fez cara feia para os gêmeos, que começaram a pular no sofá de couro. – Ela não come direito desde que você se foi. Também não está falando com Paulo. Acha que ele foi muito duro com você.

– Mas eu não acho – falou Adam pela primeira vez, querendo deixar clara a sua posição. Em seguida, pegou Cauê e Nicolas pelas orelhas para que parassem de saltitar. Mas tão logo eles olharam através da outra porta de vidro, deram um berro em uníssino.

– Piscinaaaaaaaaaaaaaaaa! – E, com Tavinho na dianteira, correram esbaforidos para dar um mergulho de bomba, com roupa e tudo.

Amanda rangeu os dentes com o estrondo dos mergulhos, mas depois se voltou para Ivy.

– Isso não importa agora – ela disse, mais para si mesma. – Estou vendo que está bem instalada. Agora só me resta saber se está feliz.

O sorriso de Ivy diminuiu.

– Estou grávida – anunciou, infeliz.

– Eu sabia... – Adam deu um soco na porta. – Eu sabia que ela estava grávida quando veio pra cá.

– Mas eu não estava. – Ivy interferiu, levemente ofendida. – Fiquei grávida depois. E eu estava me sentindo tão sozinha, foi Deus quem enviou vocês dois aqui.

– Leonardo fez um serviço rápido, não? – Adam ainda estava desconsolado.

Ainda que transtornada, Amanda a abraçou.

– Oh, querida, por que não ligou para a gente antes? Sabe que somos sua família... – Ela puxou Ivy para se sentar. – Não importa o que aconteça, nunca vamos te abandonar. É claro que brigamos, ficamos magoados, mas você ainda é a nossa menina... Não é, Adam?

Ele olhou para o teto e não respondeu.

– NÃO É, ADAM?

– É – respondeu ele, de mau grado.

Amanda voltou o sorriso para a irmã.

– De quantos meses você está? – Passou a mão de leve em sua barriga.

– Ainda não sei. – Ivy baixou os olhos. – Por enquanto, só fiz aquele teste caseiro.

– Então temos que marcar com um obstreta. – Amanda se levantou. – Por acaso Leonardo está lhe pagando algum plano de saúde? – Quando Ivy deu de ombros, amuada como uma criança pequena, Amanda suspirou. – Bem.. – Ela acenou com a mão para a casa. – Já vi que dinheiro não será o problema para ele. Vamos marcar com o melhor médico da cidade.

Sem poder evitar, Ivy sorriu. A emoção de ser cuidada como caçula de novo a invadiu como um bálsamo. Sentia falta disso. Em seguida, perguntou pela cunhada:

– E Aléxia, como está?

Os olhos de Amanda se iluminaram.

– O bebê já nasceu. Foi prematuro, mas agora já está bem. É uma linda menininha, chamada Sâmela. Mas nós a chamamos de Sam.

Os olhos de Ivy se enterneceram e ela sentiu uma dor aguda no peito. Daria tudo para conhecer a sobrinha. Como podia ter perdido o seu nascimento?

Percebendo sua aflição, Amanda a levantou e a tomou pelo braço.

– Venha. Quero conhecer cada canto da sua casa e pegar algumas toalhas para os meninos. Enquanto isso, Adam olha as crianças.

– Eu? – Adam se revoltou.

– É, você. Se vai ficar com essa cara de maracujá azedo, é melhor ficar aqui olhando os meninos.

Amuado, o maracujá azedo se sentou no sofá.

– Vê se não demora – pediu ele – Ainda temos que fazer o *check in* no hotel.

– Hotel? – Ivy estacou, como se tivesse batido em uma grossa porta de vidro. – Nem pensar. Estou morrendo de saudade de vocês e quero que fiquem aqui comigo...

Pesarosa, Amanda olhou para o marido.

– Não acho que Leonardo vá gostar de me ter como hóspede. – Adam argumentou. – E eu também não me sentiria confortável.

Ivy colocou as duas mãos na cintura.

– Podem parar com isso. Vocês dois vão ter que se entender. Só vão tirar os meus sobrinhos daqui por cima do meu cadáver.

– Vamos ver isso mais tarde. – Querendo ganhar tempo, Amanda arrastou Ivy para o segundo andar. E quando as duas se foram, Adam finalmente pôde suspirar de alívio e enxugar uma lágrima que ameaçava cair. *Graças a Deus!*, pensou ele, com o coração apertado, sua irmazinha estava bem.

***

Enquanto incurcionava pela casa com Amanda, Ivy atualizou-a das novidades. Contou que estava trabalhando e que retomaria a faculdade no semestre seguinte. Em seguida, enquanto Amanda cozinhava o almoço, Ivy ligou para Rodrigo, que lhe deu uma semana de folga para ajustar a cabeça e entender-se com o marido. Ele não existia! Era um amigo fenomenal. Ivy agradeceu de todo coração e desceu para ajudar a irmã novamente. Não contou sobre seus problemas com Leo. Não queria estragar o momento. Mas Amanda percebeu que havia algo de errado quando, no fim do dia, depois de todos já terem almoçado e se instalado por insistência de Ivy no quarto de hóspedes, Leonardo irrompeu pela porta da sala.

– O que está acontecendo? – ele indagou, sentindo uma pontada gelada no estômago assim que encarou os olhos rígidos de Adam. A primeira coisa pavorosa em que pensou foi: *Agora Ivy vai me deixar.*

Por que gostou de ver o sobressalto de pânico e o ímpeto de raiva contidos no mesmo instante no rosto dele, Adam anunciou:

– Viemos levar Ivy para casa.

Os lábios de Leonardo se contraíram numa linha fina e ele deu um passo à frente, enlouquecendo a ideia de Ivy estar lhe escapulindo.

– Se pensam que podem chegar aqui e simplesmente carregar a minha mulher...

– Leo. – Ivy tocou o seu braço, com um olhar de reprimenda para o irmão. – Adam estava brincando. Eles vieram somente nos visitar. Não é ótimo?

Aturdido, Leonardo assimilou a informação.

– Assim, de repente? – Ele olhou para ela, ainda apreensivo. – Não foi você quem os chamou aqui para... sei lá?

– Não. – Ela confirmou, pretendendo acalmá-lo. Sabia que na cabeça de Leonardo aquela era uma equipe de resgate. – Mas fiquei muito feliz em vê-los aqui. Você tinha razão quando me disse que tudo se ajustaria com o tempo.

Com um olhar ressabiado, Leonardo pegou sua mão e manteve firme dentro da dele, temeroso. Em seguida, recuperando o tom frio, olhou para Amanda, pensando que a melhor estratégia agora era manter-se receptivo, a fim de que a esposa não quisesse ir embora com eles. Pelo visto, agora Ivy teria uma porta aberta.

– Seja bem-vinda – disse ele, num tom cordial.

Amanda abriu um sorriso forçado.

– Obrigada. Desculpe vir sem aviso. Tem uma linda casa. Morava aqui antes de se casar?

– Sim.

– É uma casa muito grande para uma pessoa sozinha.

– Não gosto de viver apertado. – Leo olhou contrariado para Adam. – Como vai?

– Cansado da viagem – disse Adam laconicamente, como um adolescente mal-humorado.

– Mãe, mãe... Olha só o que Cauê achou na garagem... – Entrando molhado pela sala, Tavinho mostrou a Amanda um snorkel vermelho. – Dá para ir até o fundo e ainda respirar. Podemos usar isso na praia amanhã? – Em seguida, ele olhou para Leo e um sorriso de alegria tomou o seu rosto. – Oi.

– Tavinho – Amanda tirou o snorkel da mão dele –, pelo amor de Deus! Quantas vezes já disse a vocês para não mexerem nas coisas dos outros? E saia daqui agora mesmo, está molhando a sala toda...

– Ele pode brincar com isso. – Soltando a mão de Ivy, Leonardo pegou o objeto de mergulho da mão de Amanda e o entregou a Tavinho, que sorriu, felicíssimo. Inconscientemente, Leonardo sorriu de volta e afagou a cabeça do menino, que saiu correndo para brincar com os outros irmãos. E, quando Leo se virou, observou que Amanda ostentava uma expressão emocionada no rosto.

– Você gosta mesmo dele, não é?

Leonardo deu de ombros.

– Nos conhecemos muito pouco. Mas, sim... – Olhou para a piscina. – Ele me parece um garoto inteligente.

– E é. – Amanda confirmou com voz baixa, se aproximando dele e de Ivy. – Sabe por que estou aqui, Leonardo?

Com cautela, Leo olhou para a mulher, depois para Amanda de novo.

– Suponho que para ver sua irmã – ele concluiu.

– Isso também. – Amanda confirmou. – Mas estou aqui principalmente para lhe agradecer.

Surpreso, Leonardo cruzou os braços sobre o peito, porque não sabia o que fazer com aquela informação.

– Você me ajudou a ajudar o meu filho. – Amanda explicou. – Depois da nossa briga, fiquei refletindo sobre o que você e Ivy nos disseram, que Tavinho precisava de ajuda. Mesmo relutante e querendo que isso não fosse verdade, procurei um especialista e, pouco tempo depois, descobri que ele tem dislexia. Ele não é burro, simplesmente precisava de uma ajuda especial para desenvolver suas capacidades. – Sem receio, Amanda segurou uma mão de Leo, os olhos enevoados. – Talvez eu só descobrisse isso mais tarde, se você não tivesse me confrontado. Confesso que sou meio cabeça-dura. Talvez você tenha sido meio enxerido, ou meio abusado – ela riu. – Mas o que importa é que você ajudou Tavinho. E depois que descobrimos o problema dele e começamos a tratá-lo, ele passou a ficar muito mais confiante. Mais alegre... – Ela abriu um sorriso terno. – E ele sempre me pergunta sobre você... É como se soubesse que você foi o denotador de tudo.

Surpreendentemente comovido, Leonardo apertou de leve a mão de Amanda antes de recuar a sua. Depois, para disfarçar a emoção, se virou para Adam.

– Precisa de ajuda com as malas do carro?

Ao ouvir isso, o sorriso de Ivy se aqueceu quase quarenta graus. Leonardo estava disposto a hospedar a sua família, e isso representava muita coisa para ela, ainda mais depois daquela balbúrdia que ele fizera só por causa das fotos. *Leonardo é mesmo imprevisível,* ela pensou. Era cauteloso, mas aos poucos, seus muros pareciam que estavam ruindo.

Entendendo aquilo como uma trégua, Adam se levantou. Não partilhava da mesma gratidão desmedida da esposa, mas sabia que, de um modo torto, Leonardo havia ajudado a Tavinho.

– Na verdade – disse ele –, elas já cuidaram de tudo. O fato de eu ficar sentado afirmando que não dormiria aqui não as impediu de subir com todas as malas. As mulheres da nossa família são voluntariosas e indomesticáveis.

Pela primeira vez, Leonardo sorriu para ele.

– Tenho a impressão de que acabamos de concordar num primeiro ponto. Que tal descobrirmos outros? Uma cerveja? – ele propôs, como uma aliança de paz.

– Bem gelada. – Sem solução, Adam o seguiu para a cozinha.

***

Uma hora depois, Ivy sentia-se extraordinariamente feliz, no topo do mundo. Nunca imaginara que veria a família de Adam ali, em torno da mesa do jantar. Os meninos já haviam tomado banho e estavam todos comendo juntos. E, como nos velhos tempos, estava tudo uma zona. Volta e meia os ânimos se exaltavam. Nicolas havia pedido à mãe para comer ovos mexidos com batata palha, ao que Amanda se levantou para fazer o que ele pedia. Mas, assim que ficou pronto e ela voltou para a mesa, Nicolas pôs os olhos na sopa de letrinhas que Cauê havia pedido e tomou ódio mortal pelos ovos, decidindo que também queria macarrãozinho quentinho, enquanto Cauê se pôs a chorar batendo com a colher na mesa, querendo suco, porque queimara a língua no macarrãozinho quentinho. Amanda abriu a boca para gritar com os dois, dizendo que iriam comer logo o que haviam pedido e calar a boca, mas desistiu quando Nicolas roubou o macarrão de Cauê e começou a comer, queimando a boca também. Cansada, foi até a cozinha pegar dois copos de suco de uva gelado, desejando dar com a jarra na cabeça dos dois. Acabaram ambos os gêmeos despejando as comidas no lixo e comendo os sucrilhos com leite, que Amanda havia trazido no carro. E, quando Adam tentou argumentar que aquilo não era jantar, ela o fulminou com os olhos, dizendo que se ele desse uma palavra a mais sobre o assunto, comeria no quintal com as crianças.

Ivy estava adorando tudo aquilo. Sentia falta daquele caos. E, embora uma pequena tensão entre Adam e Leonardo permanecesse, ambos conseguiram puxar alguns assuntos fora da zona de perigo, como marcas de carros esportivos. Leonardo ficou realmente impressionado com o conhecimento de Adam sobre motores.

No final da noite, o clima já era de paz e tranquilidade. O falatório incessante das crianças, risadas ocasionais com algumas tiradas engraçadas de Cauê e o barulho de talheres batendo nos pratos. Relaxada, e com os pés cruzados em cima da cadeira da frente, Amanda bebia a última taça de vinho, que Leonardo abrira para comemorar a visita.

– Estou muito desapontada – ela disse para a irmã. – Tinha mais fé que, depois de casada, você finalmente aprenderia a cozinhar.

Ressentida, Ivy olhou para Leonardo.

– Eu aprenderia, se a soldada do meu marido me deixasse entrar na cozinha.

– Soldada?

– Maria trabalha aqui há muito tempo, ela já se sente meio dona da casa. – Rindo, Leonardo beliscou o seu macarrão instantâneo. – Mas, mesmo quando ela não vem, não tenho do que reclamar. – Ele espiou os olhos para a esposa.

Com cumplicidade, Ivy sorriu para ele. *Por que Leonardo não podia ser agradável assim o tempo todo?* – ela perguntou para si. E quando seus olhos encontraram os de Amanda de novo, Ivy reparou que o olhar da irmã exibia humor e apreciação. Já Adam amarrou mais a cara. *O que a irmã podia fazer que agradasse tanto aquele sacana imprestável?* – ele se perguntou, e imediatamente espantou os pensamentos que o assaltaram. Já estava difícil para ele administrar como aquele bebê tinha ido parar na barriga de Ivy. Em sua opinião, ela nunca deveria saber sobre sexo. Preferia pensar que o bebê fora colocado ali pelo umbigo, com uma sementinha de abóbora. Exatamente como Ivy foi colocada em Janine.

– Deve ser bom viver com toda essa chiqueza – Nicolas comentou, indiferente ao seu bigode deixado pelo leite. – Ainda bem que tia Ivy se casou com um cara rico. Ele tem até um Playstation 4! Ela foi muito esperta...

Achando graça, Leonardo segurou o sorriso.

– E você acha que foi por isso que ela se casou comigo?

– Claro... – Nicolas olhou para ele, confuso. – Você não?

Amanda deu-lhe um tapa na cabeça de leve.

– Para de falar besteira e termina de comer. Sua tia nunca foi interesseira... – Ela espiou o rosto de Ivy. – Embora eu não ache nenhum mal em viver com todo esse conforto, a dez metros da praia.

– Meu pai nunca compra um videogame logo quando lança. – Tavinho explicou para Leo. – Só depois que o preço cai. Mas ainda bem que meu tio, Rafael, sempre manda os presentes que eu quero.

– É verdade! – Cauê se meteu. – Tavinho até ganhou um uai poney!

– Não é uai poney, moleque idiota. É iPhone!

– Vamos parar com as agressões? – Amanda levantou a voz para os dois.

Divertido, Leonardo ergueu os olhos para Tavinho e sugou o ar entre os dentes.

– Se eu fosse comprar cada lançamento que vocês me pedem, moraríamos debaixo da ponte. – Adam também ralhou com os filhos, desejando não estar achando engraçado.

– Que tal vocês três subirem para escovar os dentes? – Amanda ordenou. – Já está mais do que na hora de irem pra cama.

– Amanhã nós vamos à praia? – Cauê perguntou para a mãe.

– Possivelmente.

– E eu posso pegar onda com você? – Tavinho perguntou para Leo.

– Não acho que seja uma boa ideia – Adam interferiu. – Você não está acostumado com o mar.

– Pode deixar. Eu cuido dele. – Leonardo se ofereceu.

Nada seguro, Adam deu um gole em sua taça de vinho. Não gostava da ideia de deixar o filho nadar com um estranho, mas também não estava a fim de estragar a alegria de Tavinho. Decidiu que iria junto e ficaria na areia, tomando conta de longe.

– Bem – Amanda se levantou. – Hora de se recolherem. Deem boa noite para os seus tios.

Excitados por dormirem fora de casa, os meninos deram um beijo em Ivy e no pai, em seguida abraçaram Leonardo rapidamente antes de subir desembestados para o quarto. Amanda subiu atrás deles, a fim de ajeitar os colchonetes no chão.

Desconcertados, Ivy, Adam e Leonardo ficaram se entreolhando meio sem jeito, até que Leonardo avisou que subiria para tomar um banho. Ivy disse que arrumaria a cozinha e iria para o quarto em seguida. Mas, quando o marido saiu, ela não se levantou. Somente voltou os olhos para o irmão. Já estava mais do que na hora de terem uma conversa.

– Não posso exprimir em palavras o presente que me deu hoje, Adam. A visita de vocês foi... tudo que eu precisava neste momento. Muito obrigada.

Desconfortável, Adam se remexeu na cadeira e colocou a sua taça na mesa.

– Foi ideia de Amanda – ele disse somente.

Ivy pigarreou e olhou para as mãos.

– Meu pai sabe que vocês vieram aqui?

Adam balançou a cabeça que sim.

– Amanda ficou furiosa comigo, mas tive que contar. Não achava justo fazer nada pelas costas dele.

Ivy fez uma expressão compreensiva.

– E como ele reagiu?

– Ficou magoado comigo e me disse um monte de asneiras. Disse que ninguém estava do lado dele... Mas depois eu conversei muito com ele e, antes de eu partir, ele mandou que eu lhe entregasse isso. – Adam tirou um envelope do bolso e estendeu sobre a mesa.

– O que é isso? – Ivy ficou surpresa.

– Uma carta. Ele pediu para que eu não lesse. Por isso, eu nem disse para Amanda que estava com isso, senão ela iria querer ler, com certeza. Sabe como é a sua irmã...

Ivy sorriu. Amanda era mesmo impetuosa. Suas mãos formigaram ao analisar o papel, pois não tinha certeza se queria ler o que estava escrito ali dentro.

– Parece muito pesada – ela disse.

Com um suspiro, Adam apoiou os cotovelos na mesa e repousou o queixo nos dedos entrelaçados. Os olhos cor de avelã analisando atentamente a irmã.

– Você cometeu muitos erros – ele começou, com os olhos semicerrados. – Deixou sua família magoada, preocupada com você. Mas não pense, nem por um segundo, que nós deixamos de te amar.

Com o rosto contorcido de dor, Ivy tocou a face do irmão.

– Eu sei – ela disse. – E me arrependo todos os dias por tudo que fiz.

– Eu ainda não acabei. – Adam tirou a mão dela do seu rosto e colocou entre as dele. Tomou ar e prosseguiu. – Morri um milhão de vezes desde que você foi embora. Tinha dias em que eu não dormia. A minha vontade era vir aqui e te trazer de volta à força, amordaçada na caçamba de um furgão. Mas, com o tempo, cheguei à conclusão de que a culpa não foi só sua. Todo mundo errou. Fomos muito intransigentes com você.

Ouvir aquilo fez um caminhão de culpa ser descarregado dos ombros de Ivy, e as lágrimas abundaram ainda mais em seus olhos.

– Não sabe como ouvir isso é importante pra mim, Adam. Eu amo vocês. Não sou ninguém sem vocês. Por mais que eu ame Leonardo, minha vida nunca será completa se eu não tiver a minha família por perto. Principalmente você, que sempre foi um irmão tão bom para mim.

– Não, não fui. – Adam manteve-se firme diante do olhar espantado da irmã. – Sempre quis ser um bom *pai* pra você, e não um irmão. Você nasceu no mesmo mês que eu teria o meu filho com Melissa, caso ela não tivesse morrido. Acho que confundi um pouco as coisas por isso. Mas agora eu quero mudar. Quero que me veja como um amigo, com quem poderá contar pelo resto da vida.

Ivy não sabia colocar a sua emoção em palavras.

– Pois, para mim, você sempre foi o melhor irmão do mundo – ela insistiu.

– Eu sei. – Certo disso, Adam acenou com a cabeça. – É por isso que estou aqui. Precisamos consertar tudo isso. – Ele fez uma pausa, em seguida, olhando as lágrimas de gratidão no rosto da irmã, derreteu-se de vez e a chamou para o seu colo. – Vem aqui. – Ele arrastou sua cadeira para trás.

Como desejava fazer desde que Adam chegou, Ivy se jogou em seu colo, soluçando alto no seu pescoço quando começou a chorar abertamente. Precisava daquele abraço. Precisava se sentir protegida e amparada por aquele que sempre foi o seu escudo desde pequena.

Coração de manteiga, Adam passou os braços em torno dela e a apertou, desejando confortá-la. Sabia que Ivy era uma mulher, mas ela ainda tinha um coração de menina. E quando ela olhou novamente para ele, Adam enxugou o seu rosto e deu-lhe um beijo carinhoso na testa.

– Senti falta de você, sua rebelde.

– Eu também. – Ivy moldurou o rosto dele nas mãos. – Fico feliz que você tenha me perdoado e que esteja se esforçando para entender-se com Leo.

– Não gosto dele – Adam afirmou, desviando os olhos para os restos na mesa. – Mas posso tolerá-lo, por você.

Emocionada, Ivy apertou mais os braços em torno do seu pescoço.

– Obrigada – ela disse, sinceramente agradecida.

– Não fique tão animadinha. – Adam a afastou e se levantou. Sua cota de melodrama esgotada. – Se eu souber que ele fez alguma coisa com você, se ele magoá-la, ou se não der ao meu sobrinho que vai nascer uma vida de rei, vou caçá-lo como um cão raivoso fugido do inferno.

Isto esclarescido, Adam passou a mão rapidamente na barriga dela e depois caminhou em direção às escadas. Ivy somente sorriu e balançou a cabeça. Leonardo tinha toda a razão. Ela tinha mesmo uma queda por brutamontes.

Em seguida, num silêncio tranquilo, Ivy acomodou-se no sofá para ler a carta do pai, que ardia em suas mãos. Não sabia se o que estava escrito a alegraria ou deprimiria. Mas só havia uma maneira de saber. Então, respirando fundo, Ivy abriu o envelope.

Querida Ivy,

Há muito tempo, foi dada uma ordem a um homem chamado Adão, para que multiplicasse sobre a terra. E assim ele o fez. Ansioso e alegre, tomou a sua mulher a fim de conceber os seus filhos. Então, algum tempo depois, ele teve a sua primeira filha mulher. Imagino que devia ser uma linda menina, pequena, desprotegida em seus braços. Ele deve ter olhado para aquele pequeno ser e, emocionado com a sua delicadeza, prometeu a si mesmo que a amaria para sempre. Que cuidaria dela. Que não deixaria nada de mal lhe acontecer. E, com o passar dos anos, Adão deve ter feito de tudo para cumprir àquela promessa. Procurou ser um pai presente, amoroso... É claro que cometeu alguns erros, mas sempre esteve do lado da sua pequena. Ambos se divertiam juntos. E o maior prazer que ele tinha na vida era ser olhado por aquela menina com adoração. Tudo parecia perfeito.

Até que ela cresceu e se apaixonou.

Foi difícil para Adão perceber que sua filha, a sua menina, também tinha uma natureza embaraçosamente sexual. Que tinha sonhos, que tinha desejos, que tinha crescido... Adão lutou com todas as garras para mantê-la longe dos predadores. Mas, mesmo assim, eles vieram, e um dia um deles conseguiu levar sua filha para junto de si, para bem longe da aldeia do pai.

Adão ficou arrasado com isso. Quis matá-lo. Mas com o tempo, percebeu que se tivesse tido um pouco mais de paciência e sabedoria, poderia ter conquistado outro filho, em vez de perder sua amada filha.

Os séculos se passaram e ficou comprovado, por inúmeros experimentos psicológicos (tenho pesquisado), que nenhum progenitor deseja que sua rebenta se torne mulher. Mas elas se tornam, infelizmente. E, de repente, você não é mais o homem mais importante da vida dela.

E isso dói.

Arranca um pedaço de você.

Mas descobri, a duras penas, que nenhuma dor pode ser maior do que a dor da ausência.

O que quero dizer com tudo isso, minha filha, é que sinto sua falta. Sinto falta da sua risada. Sinto falta do seu carinho. E, embora eu disfarce muito melhor do que sua mãe, estou ficando doente longe de você. Morrendo aos poucos. Só Deus sabe como queimo por dentro. A prova disso é que estou passando por cima do meu orgulho ao escrever esta carta. Cá entre nós, não sei se faria isso pelos meninos. Sempre fui mais rígido com eles.

Portanto, minha pequena, assim que você quiser, volte para a sua casa. Perdoe a rigidez do seu velho pai. E sinta-se perdoada. Estou disposto a começar tudo de novo, se assim você também desejar. Porque simplesmente não posso conceber passar o resto dos meus dias longe de você. Meu orgulho não vale tudo isso.

Com amor, daquele que nunca irá te desamparar.

Paulo.

Quando Ivy acabou de ler, dobrou a carta e jogou a cabeça para trás, abafando os soluços, enquanto lágrimas de felicidade deslizavam por sua face. Não podia acreditar que caberia em si tanta alegria. Finalmente, sua vida estava se encaixando no devido lugar, como deveria ter sido desde o início. Então, fez uma prece silenciosa em agradecimento, e pediu a Deus que lhe iluminasse sobre o que pretendia fazer. Estava cansada de tomar suas decisões sozinha. Dali para frente, decidiu que Ele estaria no controle.

Capítulo 29

Quando todos acordaram no dia seguinte, Tavinho e Leonardo já tinham saído para surfar. Adam ficou furioso com o filho por ter escapado sem lhe dar satisfação, mas não conseguiu castigá-lo quando Tavinho voltou, todo molhado, com um sorriso de orelha a orelha, carregando a pequena prancha, novinha, que havia ganhado de Leo. Vencido pela felicidade do filho, Adam somente colocou as mãos nos bolsos e ficou andando em torno da prancha que Tavinho encostou na parede, examinando-a sem tocá-la, como se fosse radiotiva. Tavinho e Leonardo haviam visitado um *shape* amigo de Leo, que dispunha da prancha na exata medida para o menino. Leonardo não pensou duas vezes quando viu o sorriso ansioso de Tavinho. Comprou para ele.

Quando os dois caíram juntos no mar, Tavinho conseguiu até ficar em pé na prancha algumas vezes, e ficou tremendamente excitado de ter ido para o fundo com Leo. Ficou ainda mais fascinado, contudo, quando viu um golfinho passar perto deles. Igualmente surpreso, Leonardo jamais imaginou que se divertiria tanto em companhia de uma criança.

Era um homem condenado, meditou ele sorrindo, quando chegou ao próprio gramado. Já não havia imaginado como seria surfar com o próprio filho? Como seria mandar pintar o nome dele na prancha? Já não estava pensando até em fazer um orçamento para colocar tela na piscina dos fundos?

Já estava pensando com um pai, Leonardo percebeu. Naqueles dois dias, adorou ver as crianças andando pela casa, impregnando os móveis com suas mãos sempre meladas de doces, trepando nas coisas, a tevê aos berros... Nem se importou quando Nicolas deixou cair um lindo abajur que havia trazido da Malásia, espatifando-o em pedacinhos. Sem conseguir disfarçar, também ficou admirado de ver Adam descontraído brincando com os filhos na grama, todos apinhados à volta dele, brincando de luta, em meio a gargalhadas e bigodes de leite. Aquela energia pueril era capaz de contaminar qualquer pessoa e lugar. Leonardo descobriu que queria isso. Queria uma família como aquela. Percebeu que Ivy já o havia colocado nos trilhos, e ele nem sentira o empurrão.

Fora isso, naqueles dois dias em que Adam e Amanda ficaram ali, ele e Ivy não brigaram por nem um minuto. Mantiveram-se o tempo todo ocupados em meio ao barulho e ao bate-boca bem-humorado, levando a família para passear, fazendo churrasco e vendo filmes no Telecine. Leonardo até levou os meninos para fazer uma fogueira secreta na praia, na noite de domingo. Também assou marshmallows e ensinou Nicolas e Cauê a tocar os primeiros acordes no violão. Amanda a cada dia gostava mais dele. Assim como Adam.

Não que ele fosse dar o braço a torcer.

Naquela noite de segunda-feira, todos estavam exautos quando foram dormir. Adam e Amanda iriam embora no dia seguinte. Ivy estava em sua suíte passando – por ordem de Amanda – óleo de amêndoas no corpo, logo após o seu banho noturno. Leonardo estava sentado na cama, olhando para ela, com as pernas esticadas e os pulsos cruzados na frente do corpo. A luz do abajur iluminava a metade do seu rosto, e seus olhos estavam repletos de admiração. Ele pensou em ir puxar a toalha de Ivy e trazê-la para a cama, mas deixou o pensamento de lado por estar apreciando tanto os seus movimentos. Somente torturou-se observando ela se vestir.

Ivy o mirou através do espelho do banheiro, sorrindo com carinho. Sentia-se um pouco presunçosa – e até mesmo poderosa – diante do olhar desejoso de Leo. Mas, mais do que isso, sentia-se grata por ele estar se comportando tão bem. Curiosamente, o bem-estar que ela sentiu naquele final de semana suprimiu todas as suas ânsias de vômito. Sentia-se ótima. Pronta para recomeçar.

Quando foi para cama, Ivy ainda esfregava as mãos com o resto do óleo. Fresca e cheirosa, sentou-se ao lado do marido. Ele se inclinou para passar um braço por seu ombro e beijou-a suavemente abaixo da orelha. Satisfeita, Ivy derreteu contra o seu corpo, aconchegando-se. Ficaram ali, em silêncio por uns instantes, somente apreciando a companhia um do outro. Ivy não podia estar mais feliz com aquele ambiente de paz.

Leonardo, porém, ainda estava reticente. Agora que tudo estava bem entre ela e a irmã, temia que Ivy o abandonasse a qualquer momento. No fundo, sabia que não a merecia, que ela era boa demais para ele, mas estava absolutamente apaixonado. Com o tempo, pequenos gestos de carinho e afeto de Ivy, aparentemente sem importância, foram erguendo um edifício inesperado e sólido dentro do peito de Leo. E o amor incondicional que Ivy mostrava por ele, mesmo quando ele não merecia, estava se agarrando às suas paredes, criando alicerces, que cresciam em proporções inimagináveis. E o que antes era um órgão de pedra dentro do corpo de Leo, um coração gélido e duro, transformou-se, enfim, em um pedaço de carne. Um pequeno ponto de luz dentro daquele corpo oco e vazio. O que Leonardo havia sentido por ela no início fora apenas uma brisa passageira, um sentimento efêmero e tolo, se comparado ao que sentia agora, quando carregava seu filho. Ele a queria de todo coração, embora duvidasse que isso fosse o melhor para ela.

– Você está linda – ele sussurou contra a sua bochecha.

Com um olhar que exalava gratidão, Ivy virou o rosto para ele.

– Deve ser a felicidade. E você tem parte nisso. Fiquei muito feliz com seu comportamento neste final de semana.

Satisfeito, Leonardo beijou sua testa.

– Se fui eu quem colocou esse sorriso no seu rosto, devo servir para alguma coisa, afinal de contas.

Intrigada, Ivy se ajeitou para encará-lo melhor.

– É claro que serve, Leo. Quando quer, você é um marido maravilhoso. É gentil, cordato, atencioso... E vê-lo com as crianças neste final de semana me fez perceber que também será um excelente pai. Tavinho não sai de trás de você. Tenho certeza de que ele vai querer vir passar todas as férias aqui...

– Ele é um menino de ouro. – Leonardo riu, imaginando o que Adam acharia disso. – Fico feliz que eu o tenha ajudado de alguma forma.

– Eu também. Eu já havia percebido a deficiência dele, mas nunca tinha coragem de tocar no assunto. Você foi muito perspicaz de ter percebido isso logo.

– E muito abusado de comentar. – Ele deu uma breve risada. – Parecia que sua irmã ia me colocar para fora da casa dos seus pais aos chutes.

– É verdade. – Ivy retribuiu o sorriso. Mas, em seguida, ficou séria de novo e olhou para as mãos livres dois dois, que estavam entrelaçadas. – Preciso te contar uma coisa – ela confessou.

Sentindo um calafrio, Leonardo segurou a respiração, involuntariamente.

– O que é? – Se ela avisasse que iria embora com eles, Leonardo a amarraria no pé da cama.

– Meu pai me mandou uma carta.

O semblante de Leonardo fechou.

– E o que ele queria?

Ivy tornou a mirar os seu olhos.

– Disse que me perdoa, e que posso voltar pra casa quando eu quiser.

Leonardo começou a meditar sobre onde encontraria as algemas.

– E o que você vai fazer?

– O que acha que eu deveria fazer? – ela devolveu a pergunta.

Leonardo ponderou por um instante.

– Acho que não deve se esquecer de que agora você carrega o meu filho – disse ele emburrado.

Ivy sorriu com melancolia.

– E acha mesmo que isso seria o suficiente para me manter ao seu lado?

Rendido, Leonardo respirou fundo antes de dizer:

– Não. Você é bastante teimosa.

– Eu não vou a lugar algum... – Ivy puxou o seu rosto, lembrando-se da última conversa que tivera com Rodrigo, antes de ele ser agredido por Leo, quando conseguiu incutir em sua compreensão que Leonardo precisava de uma rocha. De sentir-se seguro. E que o segredo de um casamento feliz era, dentro das suas limitações, um tentar atender às necessidades do outro. Era um exercício de dar mais do que receber. O dia em que Ivy alcançasse isso, agradeceria a Leonardo por tê-la forçado a desenvolver essa capacidade. – Mas preciso que você se esforce para que a nossa convivência melhore, como fez neste final de semana. Eu te amo, Leo. Quero construir uma vida com você. Estou disposta a colocar um tijolo em cima do outro, mas preciso que você me ajude.

Emocionado e cheio de culpa, Leonardo a abraçou com mais força.

– Isso também é tudo o que eu quero, meu amor. Não posso mais viver sem você. Mas, às vezes – a voz dele definhou, embargada, mas logo se recuperou –, eu me pergunto se irei conseguir. Eu sou cheio de problemas, Ivy, sou tão confuso. Existem... coisas dentro de mim que você ainda não sabe. Coisas que podem afastá-la de mim.

Com delicadeza, Ivy se virou e segurou o seu queixo.

– Eu já percebi que você tem medo disso. Mas, depois de tudo que passamos, acho que você já deveria saber que estarei aqui para o que der e vier. Já pensei em desistir várias vezes de você. De nós dois. Mas não acredito que é isso que Deus espera de mim. Agora eu creio que Ele me colocou em sua vida com um propósito, Leo. Um propósito que pretendo cumprir.

Ao ouvir isso, Leonardo sentiu seu coração apertar mais. Não compreendia essa coisa toda de Deus, nem como Ivy podia se agarrar a isso para lhe dar tantas chances. Ele era um pária. Um farsante. Um verme que não merecia consideração alguma. Que a trouxera para a própria cidade com o único objetivo egoísta de fazer a mãe dela sofrer. Que tipo de Deus permitiria uma menina inocente passar por tudo que Ivy estava passando? Ainda que houvesse um céu para recebê-lo, ele mesmo se lançaria no inferno por tudo que já fizera com ela.

– Como pode pensar assim? – Leonardo não conseguia entender. – Como pode ficar comigo mesmo não sabendo se conseguirei fazê-la feliz?

Com um sorriso terno, Ivy se aconchegou em seu peito de novo.

– Não se preocupe – ela disse. – Esse não é mais o meu objetivo.

Capítulo 30

A MANHÃ ENSOLARADA INVADIA O QUARTO através da janela enquanto Ivy estava sentada na escrivaninha, relendo pela última vez a carta que havia escrito para o pai. Pediria ao irmão que entregasse a ele. Também queria pedir desculpas a Paulo e avisá-lo que seria novamente vovô. Estava emocionada por comunicar-se com o pai, depois de tanto tempo. Pensou em mandar um e-mail para que chegasse mais rápido, mas uma carta seria mais pessoal. Queria devolver a gentileza.

Também já tinha entrado na internet naquela manhã para entrar em sua rede social e curtir todas as fotos da nova sobrinha. Sâmela era uma linda menina, moreninha como Rafael. Também tinha os lábios do pai e a famosa covinha no queixo dos Cavalheiros. Ivy não pôde deixar de notar as feições enciumadas de Lili em todas as fotos. Sabia que devia estar sendo difícil para Aléxia e o irmão administrarem a situação entre ela e a bebê. Lili sempre havia sido o centro de suas vidas, e agora teria de aprender a dividir o palco.

Saudosa, Ivy enviou um e-mail gigante para Rafael e Aléxia atualizando-os das novidades e os convidando para vir visitá-la também. Sabia que agora não era o momento, pois Sâmela ainda era muito pequeninha, mas decidiu que conversaria com Leonardo para dar um jeito de visitar a sobrinha o mais rápido possível.

Sentia uma pontada de náusea matinal quando Amanda bateu à porta do quarto. Ivy escondeu a carta na gaveta e pediu para que ela entrasse. A porta deslizou lentamente e a irmã colocou somente a cabeça para dentro.

– Leonardo está aí?

– Não. – Ivy abriu um sorriso receptivo. – Ele já foi *trabalhar*. – Ela fez aspas com os dedos para a última palavra, referindo-se a surfar.

– Deve ser bom fazer o que se gosta todos os dias. – Amanda entrou e fechou a porta por trás de si.

– Ele tem um campeonato chegando e está treinando feito um maluco. Não conseguiu participar dos últimos por conta de uma lesão no joelho. Mas agora já está melhor.

Amanda aproximou-se e sentou-se na cama, apoiando as mãos para trás, para admirar o aposento melhor.

– Ele deve ter herdado muito imóveis para viver bem assim.

Ivy remexeu os ombros.

– Aparentemente sim, mas ele também ganhou muito dinheiro com os prêmios. Leonardo tem muito talento. Ele é muito bom no que faz. Mas, fora isso, já percebi que ele tem um lado empreendedor também. Embora deteste funções burocráticas, está sempre pensando em uma forma de multiplicar o dinheiro. Faz investimentos, compra imóveis...

– E por que diabos você quer trabalhar, então? Por que não se dedica somente à faculdade?

Ganhando tempo, Ivy levantou-se e foi abrir mais as cortinas, porque não queria encarar a irmã quando lhe contasse uma meia verdade. Não iria contar que por várias vezes se viu nas mãos do marido, pois não tinha dinheiro para comprar uma bala sequer.

– Gosto de ter minha independência. Acho importante ter meu próprio dinheiro.

– Você é mesmo minha irmã. – Amanda sorriu. Em seguida, se levantou e foi andando até ela. Ambas ficaram olhando para a praia durante algum tempo, observando os surfistas ao longe, a água reluzindo como um espelho azulado, o movimento constante das ondas... – Diga-me que posso ir embora tranquila. Que você está feliz com a vida que está levando.

Com ternura, Ivy olhou para Amanda.

– Aqui agora é meu lugar. Essa é a vontade de Deus.

– Não foi isso que perguntei.

– Leonardo é a minha vida. E se quer saber se me faria feliz ficar longe dele, a resposta é não. Nem tudo são flores todos os dias, mas eu aprendi a amá-lo do jeito que ele é, e tenho certeza de que seremos muito felizes. – Ela olhou para a própria barriga. – Nós três.

Emocionada, Amanda tocou o ventre da irmã.

– Você cresceu. Está mais certa das coisas. Mais decidida.

Ivy deu de ombros.

– Acho que a perspectiva de um filho deve fazer isso com a gente.

– É verdade. Ainda assim, tenho muito orgulho de você. – Quando as duas ameaçaram chorar, Amanda recuou com um grito. – Ah! Deixe-me ver sua certidão de casamento. Quero ver como ficou o seu novo nome.

– Não mudei de nome – Ivy avisou, se recuperando do susto. – Leonardo achou desnecessário, e eu também achei um saco esse negócio de trocar os documentos depois.

– Sério? – Amanda se jogou na cadeira da escrivaninha. – Mas Belfort é um sobrenome tão sexy...

– Também acho, mas gosto do meu sobrenome.

– Como se chamavam os pais dele?

Ivy franziu o cenho, depois riu.

– Sabe que eu não sei. Deixa eu ver aqui...

Ivy abriu a gaveta de documentos e procurou a certidão de casamento. Remexeu-a por inteiro, mas não encontrou. Intrigada, afastou-se e foi para o closet, onde remexeu nas coisas de Leonardo até achar uma pequena pasta com seus documentos originais. Em seguida, pegou a certidão de nascimento de Leo.

– Está aqui. – Ivy gritou lá de dentro. – O nome da mãe dele era Débora Belford, e do pai era Marcelo Salvatore... Estranho – Ela uniu as sobrancelhas enquanto andava de volta para o quarto. – Leonardo nunca me disse que também tinha o sobrenome do pai. – Mas, quando olhou para Amanda de novo, percebeu que a irmã empalideceu. – Amanda, o que foi?

– Nada. Como você disse que o pai dele chamava mesmo?

– Marcelo Salvatore.

Tentando manter a calma, Amanda se levantou e pegou o documento das mãos de Ivy.

– Você tem alguma foto dos dois?

– Dos pais dele?

Atordoada, mas ainda tentando controlar-se, Amanda balançou a cabeça que sim.

– Acho que tenho umas aqui na cômoda. – Ivy abriu a primeira gaveta e, abaixo das cuecas, lá estavam as fotos. – Estão aqui. O pai dele era um gato, menina. A cara do Leo. Mas a mãe dele estava sempre deprimida, nem nesta foto ela conseguiu abrir o sorriso direito. Ei! – Ivy desviou os olhos das fotos nas mãos e voltou para onde estava a irmã. – Seu sobrenome do meio também é Salvatore, não é? Quanta coincidência...

Trêmula por dentro, Amanda pegou as fotos das mãos da irmã e, ao olhá-las, sentiu todo o sangue do corpo fluir para os pés.

– Não. – Amanda se sentou lentamente. – Não acredito que seja tanta coincidência.

Capítulo 31

Tavinho saía do mar ao lado de Leo, cada um segurando a sua prancha, no exato minuto em que Amanda chegou à praia, com uma toalha na mão. Com o coração martelando, ela andou na direção deles e, ao se encontrarem, enxugou a cabeça do filho e pediu para que ele fosse para a casa da tia tomar um banho e se arrumar, pois partiriam logo após o almoço, que Maria estava fazendo. Aliás, a empregada lamentou profundamente não ter vindo antes para fazer mais agrados para as crianças. Estava agora mesmo assando um bolo de chocolate para eles levarem durante a viagem de volta.

Quando Leonardo ameaçou seguir o menino, Amanda o segurou pelo braço, olhando fundo em seus olhos. Esperou Tavinho se afastar mais uns passos antes de perguntar:

– Quando pretendia contar a ela?

Enrijecendo, Leonardo sentiu um embrulho no estômago.

– Do que está falando?

Amanda o encarou por mais algum tempo, examinando o seu rosto.

– Como pude não ter notado antes? Estava tão óbvio. Foi por isso que, no fundo, simpatizei com você desde o começo. E foi por isso que mamãe desmaiou quando te viu pela primeira vez...

Leonardo sentiu uma onda de pânico subindo pela garganta.

– Fico feliz de saber que gostou de mim. Agora vamos, precisamos almoçar e Adam não vai gostar que você fique aqui batendo papo comigo. Já percebi que ele é muito ciumento.

– E acha que ele vai ter ciúmes do meu irmão?

Leonardo ergueu os olhos para ela, apavorados.

– Não adianta negar – ela afirmou. – Vi sua certidão de nascimento e a foto do seu pai. Ou melhor, do *nosso* pai.

Sem saída, Leonardo fincou a prancha na areia, sentindo cada terminal nervoso do seu corpo ficar dormente. Amaldiçoou-se pode ter deixado seus documentos fora do cofre, como era de seu costume.

– Você já contou para ela? – ele perguntou, sentindo-se fraco.

Estreitando os olhos, Amanda cruzou os braços na frente do corpo.

– Quem vai contar para ela é você. No momento, estou mais interessada em saber o porquê disso tudo.

– É complicado.

– Eu tenho tempo.

Leonardo voltou os olhos para o mar, sabendo que havia chegado o momento que ele mais temia. Fora descoberto. E agora, Ivy finalmente ficaria sabendo o que os uniu.

E não foi o amor.

Amargurado, sentou-se na areia pensando em como começar a contar. Não imaginava que seria tão difícil. Ou em como todas as palavras que viessem à sua mente pareceriam tão nojentas ao pensar em pronunciá-las: vingança, ódio, ressentimento... Tudo isso parecia muito mesquinho, mas era a pura verdade. Amanda tirou os chinelos e se acomodou ao lado dele, aguardando uma explicação.

– Eu sempre quis conhecer você – ele começou assim, porque era mais fácil.

Amanda engoliu o caroço grosso que se formou em sua garganta.

– Por quê?

– Queria saber como era a vida que você levava, enquanto eu vivia naquele inferno.

Amanda deu um longo suspiro, cheio de frustração.

– Pois, para a sua informação, minha infância e adolescência não foram nenhum parque de diversões.

– Eu sei. – Ele baixou os olhos. – Ivy já me contou sua história. Mas, pelo menos, você teve a sua avó. Já eu não tive ninguém.

Ok. Ele tinha tendência a ter pena de si mesmo, Amanda notou.

– Deb foi uma mãe tão relapsa assim?

– Deb? – Ele olhou-a com um breve sorriso.

– É assim que meu pai a chamava. – Amanda estreitou os olhos, buscando na lembrança. – E eu também, eu acho...

Leonardo fechou o semblante de novo.

– Ela ficou deprimida depois da morte do meu pai. Só descobriu que estava grávida depois que ele foi preso, mas nem teve tempo de avisá-lo. Às vezes, eu me pergunto se ele faria aquilo se soubesse que eu estava por vir.

Inesperadamente, os olhos de Amanda ficaram úmidos.

– Ele já tinha a mim, e mesmo assim não pensou duas vezes antes de puxar o gatilho.

– É verdade. – Leonardo espiou o seu rosto, condoído. – De todo modo, se ele não tivesse sido preso, nada disso teria acontecido. Se sua mãe não tivesse aparecido naquela noite, bêbada, inconformada por ter perdido você na justiça...

– Ela não foi culpada pela morte de ninguém. Muito menos pelo suicídio. – Amanda a defendeu com veemência. – E nosso pai atirou nela, sabia?

– Por que ela queria pegá-la de volta.

– Eu sei. – A primeira lágrima desceu pelo nariz de Amanda, enquanto ela olhava para o mar, mas ela a enxugou. – E eu tento todos os dias não me sentir culpada por isso.

– E não deve. – Leonardo a mirou com firmeza. – Você era uma criança. A maior culpada disso tudo foi a Janine.

Amanda fungou e se virou para ele, com os olhos rígidos.

– Então, era esse o seu plano: se vingar de Janine.

– No início, sim.

– E Ivy está sendo somente um instrumento para isso, não é?

– Não. – Os olhos deles foram duros, porém sinceros. – Não mais.

– Então...

– Era a sua mãe a quem eu desejava afetar.

Amanda apertou mais os olhos.

– Por que, Leo? Todo mundo sabe que ela não matou nosso pai.

– Mas matou minha mãe – ele se exasperou. – Matou de desgosto. Sabe a vida infeliz que tive por causa dela? Minha mãe nunca me deu atenção. Passou a vida deprimida, à base de remédios. Ela amava o meu pai mais do que tudo...

– Pois, parabéns. Você conseguiu. Tem dois meses que minha mãe não come direito, não dorme com o marido e nem brinca com os netos. Está feliz agora, Leo? Está satisfeito?

Leonardo ficou calado por alguns segundos, tentando abafar a satisfação mórbida que sentiu ao ouvir aquilo. Mas não. Não conseguia se alegrar com aquele prêmio.

– Eu não imaginei que isso tudo chegaria tão longe, não imaginei muita coisa.

– Eu sei. Não imaginou que ia se apaixonar por Ivy, por exemplo.

Leonardo voltou os olhos esperançosos para ela.

– Você acredita nisso?

– Não sou cega, maninho.

Sentindo os ombros mais leves, Leonardo olhou para as próprias mãos.

– Não sei se é amor o que sinto por ela. Às vezes, acho que é somente pena, ou arrependimento...

– Não seja ridículo, Leo. Posso ser objetiva para muitas coisas, mas consigo perceber quando alguém está apaixonado, de longe. E, pelo visto, foi exatamente esse amor súbito que interrompeu os seus planos de dominar o mundo – ela riu. – Ou você vai me dizer que faz parte dos seus planos ficar cheirando os cabelos de Ivy de minuto em minuto? Ficar espiando o corpo dela quando está de biquíni?

– Eu sou homem, isso é diferente.

Amanda riu com sarcásmo.

– Diferente porcaria nenhuma. Ivy te derrubou como um lenhador derruba uma amendoeira de tronco grosso, com machadadas lentas, porém constantes. E agora você já tombou, está caidinho aos pés dela.

Leonardo ficou olhando para o seu rosto, intrigado.

– Para uma irmã de dois minutos atrás, você parece me decifrar muito bem.

Inusitadamente, Amanda tocou o seu ombro. Leonardo observou sua mão, surpreso com o gesto de intimidade.

– A vida nos prega muitas peças, não é? Nunca imaginei que teria outro irmão por aí. Sei que seu coração ainda está cheio de ódio e amargura, mas realmente creio que foi Deus quem te trouxe para as nossas vidas.

Desconfortável, Leonardo desviou os olhos para as próprias mãos.

– Você também está nessa, é? Ivy sempre fica metendo Deus no meio disso tudo. Não sei como Deus poderia estar metido no meio de tanta dor.

Enternecida, Amanda segurou o queixo de Leo e virou o rosto dele para encará-la, comovendo-o novamente com o seu toque. *Temos mais em comum do que ele imaginava,* pensou ela para si, lembrando-se de como chegou cheia de mágoa e revolta na casa de Janine pela primeira vez.

– A presença de Deus em nossa vida não pode ser medida pela ausência de dor, Leo, mas, sim, pela capacidade de superá-la. Você foi ferido, assim como eu fui, e assim como Ivy será ferida quando souber disso tudo. Mas só nós podemos mudar o nosso caminho, com as nossas atitudes. Você ama Ivy. E ela é o seu presente agora. Por isso, esqueça o passado. Não desista daquilo que te resta por causa daquilo que você nunca poderá ter de volta.

Baixando os olhos, Leonardo segurou sua mão, meditando na profundidade de suas palavras.

– Por que está sendo tão generosa comigo, depois de tudo o que fiz?

Com a cabeça caindo de lado, Amanda abriu um sorriso afetuoso.

– Por que Ivy é minha irmã, mas você também é meu irmão. Tem sorte de eu ter descoberto tudo primeiro. Se fosse Adam, sua cabeça já estaria pendurada na minha sala. Além disso, você me lembra muito uma das pessoas que mais amei nesta vida: o nosso pai. Acho que estou fazendo isso por ele também. Apesar dos seus erros, ele era um bom homem, Leo. Um pai maravilhoso. Você teria gostado muito de conhecê-lo, e tenho certeza de que ele teria adorado ter tido um menino.

Ouvir aquilo foi como se um líquido quente tivesse sido derramado dentro do peito de Leo, confortando-o.

– Isso nós nunca saberemos, não é?

– É verdade. – Amanda colocou-se em pé, estendendo a mão para ele se levantar. – Então, vamos falar do agora. É a minha única irmã que estou deixando aqui com você.

Leonardo pigarreou.

– Acha mesmo que deve contar tudo a ela agora, nesse estado?

Amanda o olhou nos olhos.

– Ivy é muito mais forte do que pensa, e espero que você a honre, contando toda a verdade o mais rápido possível. E se maltratá-la, Leo, se eu desconfiar que você continua pensando nessa vingança mesquinha, o caçarei como uma leoa por toda parte.

A despeito das circunstâncias, Leonardo sorriu.

– Será a primeira vez que tomarei uma surra de irmã mais velha – ele comentou.

– Nem tão mais velha. – Amanda passou o braço pelo dele. – Mas capaz de dar um chute no seu traseiro que o arremessará a cinco metros de distância.

– Nossa! – Ele pegou a prancha e colocou-a debaixo do braço. – E depois você critica seus filhos quando são violentos.

Amanda sorriu com malícia.

– Eles têm a quem puxar.

Capítulo 32

ADAM COLOCAVA A ÚLTIMA MALA NO CARRO quando Maria se despediu. A cozinha já estava limpa, pois todos já haviam almoçado. Ela entregou o bolo para Amanda, trocaram telefones, e afagou a cabeça dos meninos, pesarosa de que já fossem embora tão cedo. Não via a hora de o bebê de Ivy nascer e encher aquela casa de alegria de novo. *Talvez mudasse de função*, Maria pensou, *talvez pudesse virar uma babá*. Desse modo, aplacaria um pouco a saudade que sentia dos próprios netos mimando o filho de Leo, que para ela também era como um filho.

Ivy não havia almoçado. Ficara no quarto por toda a amanhã alegando enjoo, mas apareceu na varanda do quarto de cima para se despedir quando todos saíram. Pôde ver quando Amanda pôs uma mão no ombro de Leo, para falar alguma coisa, mas depois desistiu e entrou no carro para apartar uma briga dos gêmeos, que disputavam o espaço do meio no banco de trás. Adam, já ao volante, simplesmente moveu a cabeça para fora do carro para olhar para Ivy melhor.

– Eu te amo – ele moveu a boca, sem emitir nenhum som.

Ivy sorriu e mandou um beijo de volta para ele, enquanto Leonardo dizia a Tavinho que poderia voltar nas férias de janeiro, quando ambos andariam de jet ski. Tavinho deu um urro, entusiasmado, ignorando completamente o "Vamos ver" cáustico que saiu da boca do pai.

– Vou trazer meu videogame e te dar uma surra! – vibrou o menino, já fazendo a mala mentalmente.

Quando todos se foram, Leonardo suspirou de tristeza. Depois, enfiou as mãos nos bolsos e entrou para o quintal. Também olhou para cima, mas apenas pôde ver as costas de Ivy voltando para dentro do quarto de novo.

Ela passou o dia reclusa. Só tomou um copo de vitamina por insistência de Leonardo. E só se levantou quando resolveu passar quase duas horas tomando banho de banheira. Leonardo imaginou que fosse o mal-estar, por isso não a perturbou. A ansiedade em seu estômago subia e descia quando ele pensava em contar tudo para ela. Mas decidiu que ainda não era o momento. Esperaria até que Ivy se recuperasse... e que o carro de Amanda estivesse a pelo menos uns duzentos quilômetros de distância.

Durante a noite, Ivy ficou em silêncio e deitada na cama, lendo a Bíblia. Parecia muito reflexiva sobre tudo que estava lendo. Às vezes, algumas lágrimas escorriam pelo seu rosto, mas, quando Leonardo perguntava o que era, ela só balançava a cabeça, calada, como se não fosse nada demais.

Mas, no dia seguinte, tudo mudou. Ivy acordou diferente. Parecendo mais forte, bem-disposta. Inclusive, arregaçou as mangas e foi trabalhar na agência. Não havia motivo para afastar-se por uma semana. Não estava doente. E não queria que os outros funcionários imaginassem que ela tinha privilégios com Rodrigo, que era um excelente patrão.

Quando chegou ao trabalho, no entanto, não foi nenhum de seus colegas a quem Ivy achou hostil com ela, mas, sim, o próprio Rodrigo. Quando ele a avistou no trabalho, pareceu ficar irritado, embora tivesse tentado disfarçar. Perguntou por que ela havia voltado antes do tempo acordado e, quando Ivy alegou que sentia-se muito bem, Rodrigo somente contraiu um pouco os lábios e recolheu-se em seu escritório.

Na hora do almoço, Ivy foi até a sala dele para pedir um conselho e percebeu que foi recebida com um pouco de rispidez, o que a chocou. Em geral, o chefe era sempre receptivo, quando não, pelo menos educado. Ivy arriscou pensar que ele poderia estar com algum problema pessoal, e ficou tentada a incitá-lo a conversar. Ele já a havia ajudado tantas vezes que talvez fosse o momento de ela retribuir. Mas como ele demonstrou um péssimo humor, Ivy não se atreveu.

Durante o resto da semana, porém, Ivy pôde perceber claramente que o problema de Rodrigo era diretamente com ela. Tratava a todos cordialmente, mas se incomodava quando Ivy chegava perto. Pela primeira vez, Ivy calculou que os beijos pornocinematográficos que Leonardo lhe dera no trabalho, somados à sua irascibilidade, fizeram mais estragos do que ela imaginara, embora ele já a tivesse deixado em paz desde que soubera da gravidez. Mas quando, na reunião de sexta-feira, foi constatado que Ivy superou, e muito, a cota de vendas de pacotes turísticos dentre todos os funcionários e não foi parabenizada, sua paciência se esgotou. Tinha trabalhado feito uma louca em meio a enjoos e ânsias de vômito para nem ao menos ser reconhecida. Nem uma joça de um microelogio ela conseguiu. Nada do que ela fazia parecia agradar Rodrigo. Portanto, esperou pacientemente que todos os funcionários fossem embora para conversar sozinha com ele. E, quando todos se foram, ela entrou em seu escritótio e sentou-se na frente dele.

– Preciso conversar com você.

Com um suspiro impaciente, Rodrigo continuou assinando papéis.

– Estou cansado, Ivy. Se for algo sobre trabalho, fale rápido. Se não for, hoje não é um bom dia.

– Não vim despejar as minhas lamúrias, se é isso que está pensando.

– Devo trancar o escritório para não ser atacado de novo? – a voz dele surgiu sarcástica.

– Então é isso? – Ivy estreitou os olhos, observando-o parar a caneta. – Pensei que já tivesse superado aquela infantilidade de Leo, já que me manteve aqui. Sabe muito bem que ele nunca mais apareceu aqui no trabalho depois daquele dia. Se ainda está zangado comigo, por que não me demitiu de uma vez? É porque estou grávida e a lei me protege? Pois muito bem. Então, eu peço demissão. Não quero ser motivo de problemas para você. Embora seu comportamente esteja estranho nos últimos dias, você sempre foi um ótimo amigo. Não quero te prejudicar...

Desarmado com a franqueza dela, Rodrigo tirou os óculos e os colocou na mesa, mirando as hastes.

– Desculpe, Ivy. Não estou zangado com você. Têm sido dias difíceis para mim. Estou zangado comigo mesmo.

Preocupada, Ivy se inclinou para a frente. Então, ele estava mesmo com algum problema.

– Então fale comigo. Sei que há muito tempo já não somos somente patrão e funcionária. Se eu puder ajudá-lo de alguma forma, nem que seja só ouvindo, eu quero ajudar.

– Só há uma maneira de você fazer isso, Ivy.

– Então me diga.

Ele engoliu em seco antes de dizer:

– Indo embora daqui.

Ivy prendeu a respiração.

– Como?

– Não posso mais mantê-la como minha funcionária, depois de tudo.

Os olhos de Ivy se umedeceram.

– Foi por causa do soco de Leo, não foi?

– Não. Não... – Rodrigo esfregou os olhos. – Na verdade, eu mereci aquele soco. Foi como um alerta.

– Um alerta? – Ivy não conseguia compreender.

Rodrigo espalmou as duas mãos longas em cima da mesa, encarando-as.

– Eu estou apaixonado por você – ele soltou de uma vez.

Ivy sentiu uma dormência por todo corpo e recuou na cadeira.

– O que disse?

– Isso mesmo que você ouviu. Não foi intencional, simplesmente aconteceu. Nós dois nos aproximamos demais. No início, era só compaixão, por conta de tudo o que você estava sofrendo. Mas, com o tempo, fui percebendo a mulher maravilhosa que você é e comecei a desejá-la pra mim. Comecei a devanear que eu poderia ser melhor para você do que ele...

Ivy ainda estava perplexa com tudo que ouvira.

– Mas você nunca deu em cima de mim... Sempre me incentivou a perseverar com o Leo.

– Isso se chama ética – ele disse. – Por mais que eu ame você, amo mais o meu Criador, e respeito as Suas leis. Mas está difícil para mim conviver com você, Ivy. Acho que é melhor você se afastar...

As lágrimas ardiam nos olhos dela quando se inclinou para pegar as mãos dele.

– Eu também amo você, Rodrigo. Do meu jeito. Você foi como um irmão para mim. Ainda que eu não trabalhe mais aqui, não quero te descartar da minha vida. Não quero te perder...

– Eu sei. – O sorriso dele foi terno quando deu duas batidinhas na mãos de Ivy e recolheu as dele. – Mas por enquanto é melhor nós dois darmos um tempo.

Ivy sentiu uma profunda tristeza quando parte dela concordou com o que ele estava propondo.

– Tudo bem – ela se aprumou, o coração pesado. – Vou embora, se isso é o melhor para você.

– Obrigado por compreender.

– É o mínimo que eu podia fazer. Obrigada por ter sido honesto comigo.

Ivy foi embora do trabalho, pesarosa. Adorava trabalhar, e sabia que na sua condição nem tão cedo ela arrumaria outro emprego. Teve pena de Rodrigo. Ele devia estar tão sozinho que, ao mínimo de proximidade com ela, acreditou que estava apaixonado. Mas Ivy não desistiria dele tão fácil assim.

Pensou em Leo, e em como ele tinha razão de ter tanto ciúme. Não que devesse agir como um louco cada vez que Ivy fizesse um amigo, mas amizades muito estreitas entre um homem e uma mulher atraente talvez não fossem mesmo recomendadas para os casados.

Quando chegou em casa, Ivy encontrou Leonardo sentado na sala e olhou bem para ele. Nos últimos dias, ela tinha se tornado uma esposa exemplar. Sempre solícita, amorosa e compreensiva, o que o deixou Leonardo ainda mais receoso em lhe contar toda a verdade. Ele estava mais calado do que o normal, embora se mativesse carinhoso. Não queria perdê-la, tinha medo da sua reação. E todo aquele empenho dela em agradá-lo o enchia cada vez mais de culpa.

Em silêncio, Ivy jogou a bolsa sobre a mesa e tirou os sapatos. Em seguida, foi até a cozinha e tomou um copo de água gelada. Não contaria a Leonardo o motivo da demissão, mas também não inventaria uma desculpa qualquer. Estava cansada de brigas.

E cansada de mentiras.

Permitiria-se o direito de ficar em silêncio sobre o assunto. Depois de conferir um yakisoba deixado por Maria na panela, ela voltou para a sala e percebeu a expressão contrita de Leonardo, que estava pensativo, e não havia dado nenhuma palavra desde que Ivy pisara em casa.

– O gato comeu sua língua? – ela brincou.

Parecendo subitamente agitado, Leonardo se levantou.

– Precisamos conversar.

Quem visse de longe, pensaria que ele estava pronto para o ataque, em vez de mortificado pelo que ia dizer.

– Pode falar. – Segurando o copo de água, Ivy cruzou os braços e encostou o quadril na mesa. Iria ouvi-lo antes de avisar que saíra do emprego. *Talvez uma coisa case com a outra*, pensou.

– É uma história longa, melhor se sentar. – Leonardo não sabia se dissera isso a si mesmo, já que se acomodou no sofá novamente.

– Estou bem assim. Passei muito tempo sentada no trabalho. Mas antes... – Ivy foi andando até ele e lhe deu um beijo amoroso nos lábios, passando a mão livre pela lateral da sua face. Quando se afastou, Leonardo mirou seu rosto, os olhos cheios de súplica e adoração. Em seguida, puxou-a para encostar em seus lábios de novo, beijando-a com sofreguidão, como se fosse uma despedida. Quando se separaram, Ivy sorriu e simplesmente disse para ele:

– Agora pode falar. – E se afastou, sentando-se calmamente na poltrona da frente.

Leonardo não sabia como começar, então narrou tudo desde o início. Contou sobre a procedência do pai, sobre sua ligação com Janine, sobre o parentesco com Amanda, e, por fim, sobre suas intenções quando fora para São Lourenço.

Foi a parte mais difícil para ele. E para ela. À medida que contava seus planos, podia ver as lágrimas sentidas que desciam pelo rosto de Ivy. Alguns momentos foram tão difíceis para ela ouvir que Ivy teve que fechar bem os lábios para abafar os soluços, colocando uma mão sobre a boca. Mas quando Leonardo se levantou para confortá-la, ela indicou com a mão para que ele ficasse onde estava e continuasse a falar.

E ele falou. Falou, falou e falou, foi colocando tudo para fora enquanto os olhos dele também eram preenchidos de lágrimas. Lágrimas libertadoras, que fluíam de seu peito e, a despeito do medo que tinha de perder Ivy, foram lavando o seu coração. Reviver tudo pelo que havia passado, todo o seu sofrimento, de certo modo, o fez abrir os olhos para ver a vida maravilhosa que tinha hoje. Era um homem bem-sucedido, saudável, com uma esposa que o amava acima de tudo e tinha um lindo filho por vir. Se tudo desse certo, construiria uma nova família e poderia expurgar o passado. Seria feliz como nunca havia sido. Por isso, fez questão de dizer a ela que agora a amava mais do que tudo. Mais do que a própria vida.

Quando Leonardo acabou, estava ajoelhado na frente de Ivy, com cabeça baixa, olhos fechados, lhe pedindo perdão. E quase sentiu o coração sair pela boca quando sentiu a mão dela pousar delicadamente em sua cabeça. Leonardo soltou um gemido baixo e chorou mais ainda, como um menino que conseguia o perdão da mãe. Quando os soluços dele diminuíram, cautelosamente, Ivy levantou-se para tomar uma certa distância, antes de se virar e dizer:

– Fico feliz que finalmente você tenha tomado coragem.

Surpreso, Leonardo ergueu os olhos molhados para ela.

– Você já sabia?

– Acha mesmo que Amanda me deixaria no escuro?

– Mas ela me disse...

– Ela é minha irmã, Leo. E achou melhor estar aqui presente quando eu soubesse de tudo. – Ivy virou-se de costas, porque precisaria ser firme. – Foi difícil pra mim, passei mal aquele dia quando soube de tudo, por isso não saí mais do quarto. Compreendi muitas coisas, principalmente as suas atitudes. No começo, te odiei, mas graças a Deus isso durou pouco. Somente o tempo em que fiquei no chuveiro. Mas confesso que nada podia ter me preparado para tudo que ouvi. Vingança, ressentimento... era muita coisa junta...

– Mas você ainda está aqui... – Era só no que Leonardo conseguia pensar, maravilhado. – Ainda está aqui.

– Sim. Para a sua sorte, eu já sabia que você era uma missão de Deus para mim, por isso fui ler a Bíblia naquela noite. E as palavras que li confortaram o meu coração, e me fortaleceram. Entendi que seria muito mais fácil para mim desistir de você. Mas desistir é para os fracos. E eu não sou fraca, Leo. Sou mais do que vencedora em Cristo Jesus, por isso decidi que o inimigo na nossa alma não terá a sua vitória sobre a minha família. Por isso fiquei. Eu precisava ouvir tudo isso da sua boca.

Pela primeira vez, Leonardo teve vontade de beijar a Palavra de Deus.

– Você é uma em um milhão – foi só o que ele conseguiu dizer.

– E eu vou embora – Ivy soltou a bomba.

No ato, o terror de Leo lhe deu um banho de suor.

– Como?

– Você me ama, Leo, mas me odeia pelo sangue que corre nas minhas veias. O mesmo sangue que será do seu filho. Isso não pode continuar assim.

O choque o atingiu com uma força inédita.

– Mas você não pode fazer isso comigo! – Ele se levantou, subitamente frenético. – Não pode levar meu filho para longe de mim. Você é minha mulher.

Ivy apertou mais os lábios, porque não estava sendo nada fácil para ela também. Mas já havia pedido a direção a Deus sobre o assunto, e a direção era essa.

– Eu sempre serei sua mulher, mas preciso deixá-lo por um tempo para que você possa fazer uma escolha. Vou voltar para a casa dos meus pais, Leo, pedir o perdão deles. E você só me procure quando estiver pronto para perdoar a minha mãe e pedir o perdão do meu pai. Só assim poderemos seguir em frente.

Subitamente, o coração dele se endureceu como um bloco de gelo.

– Ivy, não faça isso... Vamos achar outra solução...

– Não há outra solução – afirmou ela decidida. – Precisamos recomeçar da maneira certa. Inclusive, quero me casar na igreja, com a bênção do meu pai. Ou será assim ou não será de jeito nenhum.

A veemência implícita na voz dela começou a irritar Leonardo. Ivy não podia exigir isso dele, não depois de tudo que ele havia passado. Ele já havia aceitado conviver com aquela família, já havia admitido construir uma vida ao lado de Ivy, mas pedir perdão para Janine... Isso já era demais.

– Não posso fazer isso – ele se recusou. – Não posso pedir perdão à sua mãe. É ela quem devia perdir perdão para mim.

A raiva tremeluziu por um átimo de segundo, mas Ivy recuou, taxativa:

– Então, espero que conviva com a sua escolha. – Ela precisava ter calma. Precisava mostrar a Leo que estava convicta do que estava fazendo, e não se lançar numa litania de ressentimentos e acusações.

– Quero que meu filho fique comigo – ele tentou ameaçar.

Cansada, Ivy sorriu com melancolia.

– Está começando a parecer que devo procurar o meu advogado – ela disse para ele, e Leonardo arreou os ombros e esfregou uma mão na boca, parecendo subitamente exausto. – Não se preocupe, Leo, não o afastarei de seu filho. Você sempre o verá. Só não terá mais o carinho da mãe dele. – Ivy ficou olhando para o marido por mais um momento, orando para que Deus estivesse mesmo no controle daquilo tudo. – Como você sabia que eu reagiria daquela maneira? – perguntou alguns segundos depois.

– O quê? – Ele parecia totalmente disperso.

– Como sabia que eu cairia em seus braços, conforme os seus planos?

Por um momento, Leonardo abaixou os braços ao lado do corpo e enterneceu os olhos para ela.

– Eu me imaginei dentro de você.

O rosto de Ivy ficou abatido de dor, mas ela pegou sua bolsa.

– Então agora se imagine fora pelo resto da vida.

Capítulo 33

A SUPOSIÇÃO IDIOTA DE QUE ERA IMPOSSÍVEL sentir-se pior do que já se sentia era furada. Leonardo enganara-se redondamente. Pensou que nada seria mais terrível do que perdir perdão a Janine. Só ouvir aquele nome já o fazia arder em humilhação e revolta. Entretanto, bastou Ivy sair pela porta de casa para o pânico desabar sobre ele, como uma chuva de espinhos.

Nos dias que se seguiram, Leonardo foi acometido por uma solidão insuportável. Ele imaginava que, com o tempo, tudo voltaria ao normal. Mas não voltou. Ficar sozinho naquela casa simplesmente não fazia sentido. O silêncio era total, como se o mundo inteiro tivesse prendido a respiração. Não conseguia aceitar que duas pessoas que haviam se fundido em uma só, de repente, poderiam voltar a ser duas, nitidamente distintas. E quando Maria apareceu e soube que ele havia deixado a esposa ir embora, tratou logo de perguntar, com a vassoura debaixo do braço e a vasta peitaria projetada para a frente, para intimidá-lo:

– E o que você está fazendo aqui, que ainda não foi atrás dela?

Quando Leonardo olhou para ela com os olhos vermelhos e mandou que Maria se metesse com a sua vida, ela teve vontade de estrangulá-lo, mas somente disse:

– Maldito guri de cabeça-dura. – E, percebendo que ele estava arrasado, tentou orar para que a sua raiva se dissipasse e se concentrou na sujeira do chão. Não compreendia como um casal tão jovem e saudável simplesmente não conseguia viver em paz. Precisava reforçar suas orações e pedir a Deus que colocasse algum juízo na cabeça de Leonardo. Começaria um longo jejum por esse motivo, ela decidiu.

As semanas se passaram, e Leonardo percorria o caminho sombrio de sua vida como um sonâmbulo. Poderia representar o Brasil no campeonato mundial do sofrimento, e segundo ele, vencer. A necessidade que tinha de ir atrás da esposa ficava mais premente a cada minuto. Mas ele estava decidido: iria manter seu orgulho. Otimista, porém, chegou a ligar algumas vezes para Ivy com a desculpa de que queria saber do bebê, para ver se ela amolecia. Mas, no último sábado, foi Amanda quem atendeu ao telefone na residência:

– ALÔ? – gritou ela, grunhindo em seguida, tentando arrancar à força uma faca das mãos de Cauê.

– Amanda?

– Oi, Leo... Me dá! ME DÁ ESSA PORCARIA DE FACA! – Houve um barulho de tapa na mão e uma criança começou a chorar. – Como você está? – a voz dela ficou surpreendetemente calma outra vez.

– Estou bem.

– Que cafajeste! Como pode estar bem se está distante da sua mulher grávida?

O problema de Amanda era ser franca demais. Mas Leonardo gostava dela.

– Ivy está aí?

– Ela saiu para comprar o enxoval do bebê e... Espera um minutinho que Cauê quer se sentar no meu joelho. Você vai ficar quietinho? Vai parar de chorar? Você sabe que a faca faz dodoi.

Mamãe também faz dodoi, Leonardo riu sozinho, lembrando-se do barulho de tapa.

– Adam! – ela continuou. – Pega o Nicolas, que está saindo pela porta da sala, e deixa ele ver *Discovery Kids*.

– Mas eu estou vendo o *futebol* – Adam reclamou.

– E eu estou ao TELEFONE! – ela insistiu. – Custa deixar ele ver o que quer um minuto?

– Eu vou pegar ele, mas vou ver o que eu quiser. A pessoa com o controle remoto decide.

– Ele já sabe? – Leonardo perguntou.

– Sobre o quê? – Amanda ficou confusa.

– Sobre eu ser seu irmão.

Amanda baixou um pouco a voz.

– Sabe. Sabe de tudo. Mas fique tranquilo, já conversei com Adam quando ele ameaçou ir aí partir a sua cabeça com uma chave de fenda. Aleguei que não poderia ficar casada com um homem que matou alguém da minha família e... OLHA LÁ! – Amanda berrou de novo. – Agora Nicolas já fugiu. Adam, a esta hora já deve estar do outro lado da rua... Eu cantei a pedra, não cantei? Droga! Desgruda os olhos dessa maldita tevê e vai atrás dele... – Barulho de suspiro profundo. – Fala, Leo. Onde estávamos? Ah sim, você é um ordinário. Por que ainda não apareceu por aqui? Ivy já está com uma barriguinha tímida. E está chegando o Natal. Você vai perder tudo isso?

Aquela informação logo fez a culpa de Leonardo iniciar a sua escalada ineroxável.

– Você pode mandar uma foto dela por e-mail para eu ver? – pediu ele humilde.

– Claro que não – Amanda foi categórica. – Se quiser ver seu filho crescendo, vai ter que vir aqui pessoalmente.

Leonardo fechou a cara.

– Eu posso ir, mas me recuso a pedir desculpas à sua mãe.

– Leo... – Amanda respirou fundo, buscando paciência, como se ele fosse um de seus filhos. – Nós dois sabemos que você não culpa mais Janine como antes. Isso tudo agora virou uma questão de orgulho. Uma obsessão! Você se acostumou a ter alguém para culpar por sua infância infeliz, e está difícil se desfazer dessa muleta... Quando, na verdade, a culpada foi a *sua mãe*.

Incomodado com aquela afirmação, Leonardo trocou o telefone de ouvido.

– Agora foi você quem virou psicóloga?

– Você também adorou dar consulta grátis para o meu filho, não foi? E, no final, estava certo. Deve ser um mal de família. Ou bem. Eu só acho que... EU NÃO ACREDITO QUE VOCÊ FEZ ISSO! – ela berrou, e Leonardo demorou dois segundos para entender que ela falava com as crianças. – Leonardo, vou ter que desligar. Cuide-se. Nicolas acabou de trazer uma cadela de rua para dentro de casa e Foguete já está fornicando com ela. Solta, SOLTAAAAAAAAAA! Adam, traz um balde com água fria... – E a ligação foi interrompida. Como sempre, nunca havia oportunidade de se despedir formalmente de Amanda. Ela vivia sobre-humanamente assoberbada envolta àquela balbúrdia com os filhos pequenos.

E Leonardo não via a hora de ter a sua própria balbúrdia.

Desanimado, desligou o telefone e só conseguiu falar com Ivy dezoito horas depois, mas ela foi fria.

– Já está pronto para vir? – perguntou ela, lacônica.

– Não – Leonardo resmungou. – Como você está?

– Estou bem, dentro do possível. Vamos ter um menino.

Ao ouvir aquilo, Leonardo sentiu um tranco no coração. Suas pernas ficaram fracas e um líquido quente percorreu o seu corpo por dentro. Um menino! Ele teria um menino!

– Como sabe? – Os olhos dele se encheram de lágrimas.

– Fiz um exame de sangue, que constata o sexo da criança com precisão.

Com o rosto contorcido de dor, Leonardo enxugou os olhos e olhou para o mar através da varanda do quarto.

– Sinto sua falta – ele disse, porque precisava expressar.

Ivy ficou em silêncio por vários segundos.

– Também sinto a sua – ela murmurou. Não tinha a intenção de dizer aquilo. *Droga*, jogou-se no sofá da sala e coçou a testa, lembrando-se de que precisava reforçar a distância de novo, para pressioná-lo a ceder. Não fazia isso somente por ela, mas também pelo filho... – Preciso desligar, tenho uma consulta daqui a meia hora.

– Tudo bem – Leonardo disse –, te ligo amanhã.

Mas não ligou. Doía demais. Além do mais, o que de novo ele teria para dizer? Ivy faria a mesma pergunta e ele negaria mais uma vez, como em todas as outras.

– Está pronto para vir?

– Não.

Era um ciclo que se repetia, e Leonardo começou a se questionar o porquê. Sentia um vazio indescritível dentro do peito. Um sentimento de abandono, que já conhecia de perto. E a ideia de que aquele estado de espírito pudesse se cristalizar, tornando-se permanente, era aterradora. Agora, ele finalmente se acostumara a ter alguém que o amava por perto. Sentia falta do cheiro de Ivy, do seu calor durante a noite, da sua risada infantil... Como poderia voltar a viver como antes?

Odiava seu tempo livre, pois sua capacidade de aproveitá-lo se atrofiara. Queria apenas fechar os olhos e torvelinhar para longe de tudo. Não tinha nenhum amigo em quem pudesse confiar para conversar sobre aquele assunto, mas conhecia algumas pessoas que podiam lhe distrair.

Ligou para Isabel, e ela convidou-o para um monte de festas. Na última, Leonardo bebeu o que pôde e apoderou-se de um comprimido de ecstasy, esperando que lhe proporcinasse no mínimo quatro horas de feliz esquecimento. Mas enquanto dançava na pista, os mesmos pensamentos insuportáveis não paravam de voltar à sua cabeça, dando voltas como um carrossel.

Ivy se casaria de novo...

Seu filho seria criado por outra pessoa...

Essa pessoa faria outro filho em Ivy...

Irritado, tomou mais dois comprimidos seguidos e foi parar no hospital, por overdose. Após a desitoxicação, somente Maria foi visitá-lo, para levá-lo para casa. Pela primeira vez, ela não brigou com ele. Deu-lhe de comer, mandou subir para tomar banho e dormiu na sala naquela noite. Não queria deixar Leonardo sozinho por nem um minuto. Tinha medo do que ele pudesse fazer a si mesmo.

No chuveiro, Leonardo abriu a água bem quente, pôs as mãos nas paredes e deixou que o jato caísse em sua cabeça. Sentia o cérebro inerte, esgotado. A única coisa que queria era poder apertar uma tecla e simplesmente parar de pensar. Queria apagar os últimos meses da sua vida como se faz com as palavras de um quadro negro. Talvez assim conseguisse um pouco de paz.

Quando se deitou de roupão, espalhou-se pela própria cama, com os braços e as pernas abertas, como uma estrela-do-mar. "Por que a cama parece tão grande?", ele se perguntou. "Por que este quarto parecia tão imenso?"

Enfim, rendido, Leonardo soprou a poeira das lembranças e começou a pensar sobre a mãe. Havia evitado, até aquele momento, refletir sobre o que Amanda dissera a ele: que a culpa era dela. Segundo a irmã, Débora é que fora uma mãe relapsa, negligente. A razão do sofrimento de Leo. Mas será mesmo que podia ter sido diferente? Leonardo refletia agora. Será que ele não fora um bom motivo para que a mãe lutasse contra aquela doença? Será ela tinha aquela força dentro de si, e simplesmente resolveu não usar?

Ele preferia acreditar que não. Então, tomou um comprimido de Rohypnol e pegou no sono por doze horas seguidas. Acordou com Maria batendo em seu rosto, o chamando para jantar. Quantas horas haviam se passado?

A empregada estava cheia de olheiras e parecia cansada, e Leonardo não tinha a mais pálida ideia de quanto tempo Maria estava ali. Calado, ele comeu, depois voltou a dormir, tomando escondido o remédio por dois dias. Quando estava acordado, nada parecia amenizar a sua dor, acalmar aquele grito. Era melhor fugir para longe de tudo.

No terceiro dia, Maria começou a ficar preocupada, pois, conversando com Amanda pelo telefone, descobriu sobre o passado de Leonardo e sabia sobre o estado depressivo em que viveu sua mãe. Será que aquilo era hereditário?

Sem que Leonardo soubesse, ela levou a sua foto para a vigília de oração, na esperança de orar para que ele conseguisse superar aquela crise depressiva. Mas, quando foi para a casa dele no dia seguinte, ficou ainda mais apavorada quando observou que Leonardo havia saído. Ele não estava em seu estado normal. Será que tentaria fazer alguma besteira?

Dito e feito. Leonardo pegara sua prancha e fora até a praia, onde as ondas naquele dia chegavam a oito pés. Foi descalço, apenas com um short de tactel. Andou até a beira da praia e ficou observando a espuma branca marcando a linha do quebra-mar. Melancólico precoce, desde os doze anos já pensava em suicídio, mas nunca meditara sobre como desejava morrer.

Agora sabia.

A despeito da época do ano, era um dia frio e o mar estava revolto, portanto ninguém estava surfando. *Melhor assim*, Leonardo pensou. Não gostava quando ficava cercado por um monte de *haoles* lutando por uma marola. E queria um pouco de paz, principalmente naquele dia.

Pé ante pé – porque a água estava brutalmente gelada – ele deitou-se na prancha e começou a remar para dentro. Não foi fácil. As ondas sucediam rapidamente e teve um momento em que ele precisou submergir, saindo da prancha. Quando mergulhou, sua pele parecia estar sendo espetada por mil lascas de gelo. Mas se comparada à dor que ele sentia pela falta de Ivy, o choque com a água fria parecia delicioso.

Quando finalmente chegou do outro lado da rebentação, Leonardo sentou-se na prancha, ainda ofegante pelo esforço de remar até lá. A praia parecia distante e era como se uma leve neblina pairasse por cima das águas. Ele estava aquecido pelo exercício e não estava com pressa. Afinal, ninguém mais esperava por ele.

Pelo menos, não desse lado da vida.

Ele queria somente ficar ali, maravilhosamente só, admirando a natureza. Admirando o céu cinzendo e ameaçador. As ondas cheias de fúria. Sua vida estava suspensa e seu mundo agora era feito de vento, água, sal e espuma.

Alguns pescadores na praia, impressionados com o tamanho das ondas, apontavam para Leo como se ele fosse um maluco fugido do hospício. Depois de alguns minutos de meditação, Leonardo respirou fundo e viu a onda que esperava crescer a distância. Parecia enorme, e daria um tubo perfeito. Perfeito para se despedir.

Começou a remar com os braços e sentiu o poder gigantesco do oceano sobre o seu corpo quando a onda se aproximou. Sincronizou com o movimento dela, ficou em pé, firmou-se, e atravessou triunfalmente sobre a grande massa de água em diagonal, a crista da onda espumando sobre a sua cabeça. Para a sua decepção, a alegria que sentiu ali dentro, somada à sua experiência de atleta, o fez conseguir surfar até quase a beira da praia em alta velocidade, gritando de prazer.

Sorrindo em pensamento, Leonardo desceu da prancha, com a água na altura das coxas, e olhou para trás. Com uma injeção de ânimo extra, tornou a remar para dentro, cheio de adrenalina.

Quero ver você me derrubar, ele pensou, temerário, olhando desafiadoramente para o mar. Os pescadores somente balançaram a cabeça para Leo e foram embora da praia, deixando-a deserta.

Foi mais difícil chegar aonde ele queria da segunda vez, mas Leonardo conseguiu. Deixou passar várias ondas até que julgou avistar uma que seria tão grande quanto a outra, ou até mesmo maior. Começou a remar a todo vapor, e logo conseguiu ficar em pé na prancha de novo. Mas, dessa vez, ele notou que havia algo de errado. A onda estava quebrando depressa demais. Ele ainda conseguiu equilibrar-se por mais um momento, mas então, de repente, sua prancha foi arremessada a distância e Leonardo afundou, sendo envolvido por toneladas de espuma. Prendeu a respiração e ficou parado, mas, segundos depois, lutou e procurou pela superfície. Quando chegou lá, só conseguiu dar uma mínima golfada de ar antes de ser sugado para o fundo outra vez. Sua prancha havia sumido e ele estava no fundo, em meio a um turbilhão de água escura. Procurou um ponto de luz e viu uma espuma branca passar na direção de seus pés. Subiu para lá e conseguiu respirar novamente, esquivando-se das ondas que se abatiam sobre ele, ameaçando engoli-lo. E quando viu uma onda gigantesta aparecer bem acima de sua cabeça, Leonardo decidiu que queria viver. Tomando fôlego, mergulhou o mais fundo que pôde, mas a força da onda o jogou ainda mais para o fundo e fez suas costas baterem em algo áspero. Leonardo sentiu a dor da pancada e gritou, soltando bolhas pela boca. Em seguida, buscando ter calma, e sabendo que se lutasse demais ficaria exausto, nadou para cima. Avistou a sua prancha na beira da praia e soube que teria de nadar até lá. Não havia ninguém ali para prestar-lhe socorro. Decidido, acompanhou o final de uma onda para ganhar alguns metros.

Entre caixotes e ajuda da correnteza, ele nadou, e levou quase vinte minutos para começar a conseguir sair da água. E quando chegou à costa, cambaleante, ele se arrastou até a areia e caiu de joelhos, começando a chorar e a gargalhar de alívio. Em seguida, fez a coisa mais louca. Endireitou o corpo, jogou os braços para o alto e gritou até ficar rouco, enquanto começava a chover. Em pé, gritou de alegria. Alegria porque ia ser pai. Alegria pela vida que tinha. Alegria, pois triunfara sobre a morte. Nunca se sentira tão poderoso.

Depois do êxtase, Leonardo caminhou ao longo da praia, respirando fundo, sentindo os pés afundando na areia molhada, até encontrar sua prancha, meio enterrada. Para a sua surpresa, ela ainda estava intacta. Leonardo acariciou-a, como se fosse um carro que acabara de lhe dar o grande prêmio da Fórmula 1, e a levou até um bar que ficava próximo dali.

Era um lugar só para homens, que servia bebidas, petiscos e tinha pôster com mulheres seminuas por todos os lados. O telhado era de sapê e o ambiente, cercado de janelas de vidro, que davam para o mar. As colunas eram troncos gastos de madeira e as poucas mesas, feitas de pinho. Cheirava a álcool, peixe e suor humano, e era separado da praia apenas por uma estrada de asfalto.

Quando entrou no local, Leonardo logo foi saldado pelo sorridente barman com uma toalha velha sendo jogada em sua direção. Eram velhos conhecidos, e o bar estava vazio naquela tarde, salvo os mesmos pescadores da praia, que assistiam à televisão em um canto. Um deles, ao avistá-lo, levantou o copo em um brinde, comemorando que Leonardo estava vivo.

Leonardo sorriu de volta e enxugou os cabelos, observando que suas costas sangravam um pouco. Nem tinha se dado conta do machucado, tamanha a sua euforia na praia. Resolvendo adiar o tratamento do ferimento, ele se acomodou num banco alto do balcão. Usando a toalha como manta, enrolou-se e olhou-se através do espelho, que estava na sua frente, atrás da prateleira de bebidas. Seus cabelos estavam desgrenhados, havia sal em suas orelhas e sua testa, sabe se lá como, estava arranhada. Ele pediu uma dose de caipirinha e sorriu para a própria imagem.

"Filho de Netuno", ele disse a si mesmo, orgulhoso de si.

Onde estavam todos aqueles amigos covardes que o zoavam quando ele era pequeno? Por que não enfrentavam ondas daquele tamanho?

Naquele dia, ele enfrentara a morte e vencera. Não se comprava esse tipo de respeito e poder, ele meditou. Isso se conquistava. E nem mesmo uma onda de oito pés fora capaz de detê-lo no fundo. Talvez, debochou, heterodoxo, nem mesmo o Deus de Ivy o conseguisse deter. Foi um dia memorável. Precisava comemorar.

Depois do terceiro copo, já bêbado e com seu comportamento se deteriorando acentuadamente, Leonardo fez do barman seu melhor amigo e resolveu desabafar suas mágoas. Contou que iria ser pai do filho de uma vadia que o abandonara, porque era um homem de fibra e não queria se rasteajar até a mãe dela, que matara seu pai. O barman, que ria de tudo, achou que ele estava delirando ou copiando algum enredo de novela mexicana. Mas ele iria buscá-la de volta, prometeu Leonardo ao barman.

– *Eu ainda amo aquela maljjjiiita...* – afirmou ele, com a voz arrastada.

– Tenho certeza que sim. – Preocupado, o barmam afastou um pouco a garrafa de vodka de Leo e serviu um copo de água no lugar. Era comerciante, mas não queria ser responsável pelo coma alcóolico de um cliente tão jovem. E que sempre lhe pagara tão bem.

– *Elizz não zão fofos?* – Leonardo apontou para a televisão, todo sentimental, em que um bebezinho loiro engatinhava em um anúncio de fraldas. – *Apójito que meu filho vai fazer comerzial. A mãe dele é dejjlumbranti, e eu também zou...* – comentou ele, nada modesto.

O barman sorriu e começou a enxugar um copo de vidro. Olhos apertados, Leonardo esquivou-se do copo de água, que nem tinha visto ali, e se esticou para pegar a garrafa de vodka. Mas, quando quase ia alcançá-la, o barman retirou.

– Vá para casa, filho. Ainda são duas da tarde e você já bebeu o bastante por hoje.

Leonardo coçou o nariz com as costas da mão.

– *Maji qui porra é eza?* – ele se irritou. – *Entrei num bar ou na reunião do AA? Qué ginheiro? Eu tenho ginheiro...* – Começou a apalpar os bolsos, depois ficou sem graça e deu um meio sorriso. – *Coloca eza porcaria na minha conta. Esquezi a carteira...*

– Fica por conta da casa. – O barman o enxotou com a mão. – Agora vê se vai descansar um pouco e comer alguma coisa. Posso fazer mais alguma coisa por você?

Confuso por estar sendo expulso, Leonardo pensou um pouco, depois sorriu.

– *Quero a cabeza de João Batista.* – Bateu na mesa e caiu na gargalhada.

Rindo, o barman colocou um pano de prato no ombro, levantou o tampo do balcão e passou para o outro lado. Em seguida, levantou Leonardo pelo cotovelo, para ajudá-lo a sair.

– Tem certeza de que não quer que eu chame um táxi?

– *Claro que não. Zabe que eu moro a duajj quadrajj daqui...* – Despedindo-se calorosamente dos pescadores, Leonardo foi andando para a saída. – *Coloca a bebida delij na minha conta também. Amanhã eu paaago* – avisou ao barman.

– Tudo bem, volte amanhã, então. Mas agora vá para casa. E olha o meio-fio! – gritou o dono do restaurante. – Isso, garoto. Aloha, vai na paz...

Quando saiu, Leonardo só teve tempo de parar no meio da rua a fim de se virar e colocar os dois dedos em V, antes de ser atingido por algo que o arremessou a dois metros de distância e o fez cair completamente inconsciente no chão.

Capítulo 34

Ela estava sozinha no quarto. Vestia um blusão branco, que caía até os joelhos. Estava descalça e não penteava os cabelos negros havia pelo menos dois dias. Estava de costas para ele, olhando através da janela do apartamento, que tinha grades de ferro. Eram feias, mas vovó dizia que era para que Leonardo não caísse lá embaixo. Mas ele sempre teve medo de altura, por isso nunca ia até lá.

Mas mamãe ia. Quase todos os dias.

Leonardo achava que ela gostava da vista do décimo andar. Mas então, por que chorava tanto?

Demorou até que Débora percebesse que não estava sozinha no quarto, e quando se virou, tentou sorrir para o filho. Enxugou as lágrimas e esticou os braços para Leo. Ele foi até lá e a abraçou apertado. Já batia quase em sua cintura, ele percebeu. Quando fosse do tamanho da mãe, tomaria conta dela. Nunca mais ela choraria, nem se sentiria sozinha. Leonardo não iria deixar.

Ela levou-o para a cama então se deitaram juntos. Leonardo aconchegou-se no seio da mãe, aproveitando o momento. Ela acariciava a sua cabeça enquanto cantava...

– Doooorme... Meu anjinho lindoooo... Vai na cama dormindo, com Jesus a sonhaaaaar... Doooorme, que a noite é de luaaaaaa... sua alma é puuuura... Jesus contigo estáaaa...

Leonardo não sabia quem era Jesus, mas queria muito que Ele ajudasse a mamãe a sair daquele quarto. Fechou os olhos, pedindo a Ele que a ajudasse. Que ela fosse à sua escola, como a mãe dos outros meninos. Que sorrisse sempre para ele. Mas, quando abriu os olhos de novo, assustou-se ao ver que estava no colo de Janine.

– Não foi culpa dela – mas a voz ainda era da sua mãe.

Alarmado, Leonardo deu um pulo da cama.

– Onde ela está?

– Ela foi embora. – Agora era voz de Janine.

Leonardo fechou os olhos e apertou os ouvidos com os punhos fechados.

– Mãaaaaaee... – seu grito parecia engasgado.

Abriu os olhos e espantou-se quando viu que estava sozinho, numa cela escura. Viu um homem de costas apontando uma arma para a própria cabeça.

– Desculpe-me, meu filho – o homem falou, e depois puxou o gatilho.

Outro grito abafado de Leo.

Cale a boca! A megera da sua tia gritou.

Ele estava sozinho de novo. De repente, avistou Ivy sentada em um parque, num dia ensolarado, mas ela não conseguia vê-lo. Ele notou que ela segurava um bebezinho no colo.

Seu filho.

Temeroso, Leonardo se aproximou para ver a criança, mas logo se deteve quando percebeu um homem se aproximar e se sentar ao lado de Ivy, passando a mão em sua cabeça.

Era Rodrigo.

Com o coração disparado, Leonardo correu para perto dos dois, mas, quando olhou a criança de perto, viu que contemplava a si mesmo.

– Você me abandonou. Você é igual a eles – o bebê disse.

Antes de responder, Leonardo sentiu como se seu corpo fosse puxado dali e levado para o fundo do mar. Viu as ondas sobre a sua cabeça, a espuma, as bolhas que saíam de sua boca, o caos... debatia-se desesperadamente, sozinho, no fundo do mar. Não havia ninguém ali para lhe ajudar. Nunca houve. Ele nunca fora amado por ninguém. Nunca se preocuparam com ele. E todos que ele amou o abandonaram. O pai, a mãe, Ivy... todos desistiram dele. Ele não pertencia a ninguém...

– MEU – uma voz grave rompeu no fundo do mar e Leonardo viu uma luz forte espelhando na superfície. – VOCÊ SEMPRE FOI MEU. – E Leonardo foi puxado para cima.

***

A primeira coisa que sentiu foi o desconforto de sair do melhor abraço do mundo. Ele estava deitado em algum lugar, frio, com um pequeno barulho apitando ritmadamente no seu ouvido. Sua perna direita estava imobilizada e uma luz branca e ofuscante o obrigava a abrir os olhos. Tentou se mover, mas sentiu uma dor aguda do lado direito do corpo.

– Você quebrou uma costela – uma voz doce o avisou. – Não tente se mover.

– Ele acordou? – Fechando a Bíblia, Maria deu um pulo do sofá.

– Está acordando – informou a enfermeira.

Leonardo abriu os olhos e piscou algumas vezes. Imediatamente, compreendeu que estava em um quarto de hospital, embora não se lembrasse de nada. Viu que a perna direita estava enfaixada, bem como o tronco e o pulso direito. Ao respirar mais profundamente, sentiu novamente uma fisgada na costela. Aquilo não seria fácil. A enfermeira conferia seu soro no momento em que Maria aproximou-se da cama.

– Você está bem? – ela sussurrou, preocupada.

– Pronto para a batalha. – Leonardo brincou, ainda confuso.

– Ótimo. – Sem dó, Maria deu com a Bíblia em sua cabeça, diante do olhar assustado da enfermeira. Leonardo sentiu a costela doer de novo. – Então, já posso lhe dar uns sopapos. Quase tive uma parada respiratória um milhão de vezes desde que recebi a ligação do hospital. É a segunda vez neste ano. Está querendo virar cliente cativo?

– A senhora não pode bater nos pacientes – avisou a funcionária, com medo levar uma bordoada também.

– Vai cuidar da sua vida! – Maria ralhou com ela, porque estava nervosa, num acesso de superproteção. – Deixa que eu cuido desse estrupício.

– O que foi que aconteceu? – Leonardo estava grato por ter a enfermeira ali perto, para defendê-lo. Maria respondeu:

– Você sofreu um acidente, foi atropelado por uma Kombi enquanto estava bêbado feito um gambá. Por acaso está tentando se matar?

– Você contou para Ivy? – ele ignorou a pergunta.

– É claro que não. Era capaz de a guria perder o bebê. Só ia contar se você falecesse.

Leonardo sorriu, formando grandes rugas ao lado dos olhos.

– É por isso que eu amo você.

– Ama nada. – Maria se esgueirou da mão dele. – Você só me dá trabalho! Mas cansei de cuidar de você sozinha. Trouxe uma pessoa para falar com você.

Leonardo formou uma linha entre as sobrancelhas enquanto a enfermeira anotava algo na prancheta e saía do quarto, dizendo que iria avisar o médico que o paciente acordou.

– Não quero falar com ninguém agora – ele tentou se ajeitar.

– Isso não é uma opção. Ele já está aqui. – Maria saiu pela porta e, segundos depois, apareceu com Rodrigo a tiracolo, que carregava um iPad.

Cansado, Leonardo lançou um olhar irritado para ela.

– Está demitida – disse ele em tom rude.

– Demitida uma ova! Você não daria mais meio passo sem mim. E está me devendo umas mil horas extras. Espero que se entendam e que você peça desculpa ao Rodrigo pelo que fez, senão vou dar com a minha bolsa na sua cabeça, que é bem mais pesada que a Bíblia.

Diante da ameaça, Leonardo não viu outra solução.

– Como vai? – perguntou para a última pessoa que desejava ver nesta vida.

– Vou indo – Rodrigo respondeu, cordial. – Fico feliz que não tenha sido nada mais grave. Eu já estava mesmo querendo conversar com você sobre... – ele reprimiu a imprecação quando observou que Maria sequer tinha a cortesia de fingir que não estava escutando. – Poderia nos dar um minuto? – perguntou para ela.

A contragosto, a empregada pegou sua bolsa e avisou que iria tomar um café na cantina, mas antes deu um beijo na testa de Leo, seguido de um puxão de orelha. Sorrindo, Rodrigo se sentou na poltrona perto da cama.

– Ela acha que é sua mãe – ele brincou.

– De certo modo, ela é – Leonardo devolveu. Seu rosto permaneceu impassível enquanto analisava Rodrigo. – Então, sobre o que você queria falar comigo?

– Sobre Ivy – Rodrigo foi direto.

De súbito, Leonardo lembrou-se do sonho e sentiu o próprio rosto se retesar.

– O que quer falar sobre ela?

Sem jeito, Rodrigo mirou o objeto nas mãos.

– Queria te pedir desculpas – confessou num sussurro.

O sangue de Leonardo começou a ferver.

– Pedir desculpas pelo quê?

– Por ter me apaixonado pela sua mulher.

Leonardo ficou branco. *Será que seu sonho viraria realidade? Será que eles já estavam juntos?* Se não fosse a dor na costela, já teria pulado no pescoço daquele indivíduo.

– E ainda tem a pachorra de vir aqui dizer isso na minha cara? Está se aproveitando do meu estado?

Rodrigo não conseguiu evitar o sorriso.

– Confesso que veio a calhar.

Porque era tudo tão absurdo, Leonardo soltou uma risada involuntária também.

– Então já que começou, vá até o fim. Depois eu decido quem eu mando bater em você. Tenho muitos capangas.

– Ainda bem que sou agente de viagens e posso sair do país a qualquer momento – disse Rodrigo, tentando deixar o clima mais leve. Mas em seguida, ficou sério de novo. – É importante que você saiba que, o que quer que eu ache que sentia por ela, já passou. Sou um homem sozinho, Leo. É fácil confundir as coisas quando me aproximo de uma garota tão linda, e tão especial quanto Ivy.

– Especial, e *minha* – Leonardo o lembrou.

– Tudo bem. – Rodrigo ergueu uma mão. – Não vou ficar aqui acalentando as qualidades da sua mulher. Como eu disse, o importante é que já passou, e que nunca houve nada além de amizade entre nós. Embora eu não te conhecesse, sempre o respeitei como marido de Ivy.

– E por que está me contando isso agora? – Leonardo já estava perdendo a paciência.

– Porque falar me faz bem. Ser honesto com você. E porque preciso que você ouça, sem receios, o que eu tenho pra te dizer.

Leonardo ficou calado por um segundo, antes de perguntar:

– E o que seria isso?

– Você precisa de ajuda, Leo.

Aquilo só podia ser brincadeira.

– O quê?

– Está tendo comportamentos depressivos, se autodestruindo... Isso tudo te soa familiar?

Indignado, Leonardo imaginou que Maria já havia falado demais. Sua mãe era assunto seu.

– Quem você pensa que é para vir aqui me dizer como me sinto?

– Um amigo da sua mulher. Da mulher que te ama. E, se você morrer, parte do mundo dela morrerá com você. Pare de pensar só em si mesmo e na sua dor, pare de ser egoísta e comece a pensar em Ivy. Comece a pensar no seu filho. Eles precisam de você.

– Nunca vou desampará-los. Não tenho culpa se Ivy se tornou tão obstinada. Quando eu a conheci, ela era dócil como um cordeiro.

– Se quer um capacho, compre um.

Furioso, Leonardo grunhiu:

– Não aperte esse tecla, Rodrigo. Não vai gostar do resultado. Além disso, foi ela quem resolveu ir embora. – Leonardo podia sentir o ódio derretendo na ponta da língua.

– Por que ela te ama – Rodrigo tentou o trazer à luz. – E quer que você se cure. Ivy precisa de um homem inteiro, Leo, e não de um em frangalhos.

– Frangalhos? Você vai ver quem é que vai ficar em frangalhos... – Leonardo tentou se mexer e perdeu a respiração com a dor. – Quando eu sair daqui... – sua voz saiu num rangido.

– Está vendo. – Rodrigo apontou. – Essa é a sua solução para tudo. Sempre agredir, fugir, se matar... Já parou para pensar por que você faz isso? Do que você tem medo, Leo?

– Não tenho medo de nada – afirmou ele, incisivo.

– Pois eu acho que tem. Tem medo de ser feliz e trair a sua mãe. Afinal, ela foi infeliz a vida toda, não é? Que direito você tem de ser mais feliz do que ela?

Leonardo só conseguiu fechar e abrir a boca, como um boneco de ventríloquo mudo.

– Pense nisso, Leo. Talvez você esteja se sabotando. Achando que não pode ser feliz, já que sua mãe nunca foi. A única coisa que o mantém ligado a ela, no momento, é a raiva que adotaram por Janine. E, se você abrir mão disso, estará se despedindo dela de vez.

E ao som daquelas palavras, os músculos de Leonardo se enfraqueceram. Precisava admitir. Rodrigo acabara de expressar, exatamente, o que ele sentia. Mas como ele podia saber?

– Não é fácil se despedir de alguém que amamos – Rodrigo continuou. – Sei disso porque tive que me despedir da minha mulher. Ela morreu há pouco tempo, num acidente de carro. E eu daria tudo para estar do lado dela de novo. Para que ela pudesse estar grávida... É por isso que estou aqui, Leo. Não quero vê-lo cometendo o erro de ficar afastado de quem você ama, não importa o preço que tenha de pagar. Mas, mais do que isso, quero que você conheça a restauração que só Jesus pode trazer à sua vida. Por isso, eu lhe trouxe este presente. – Ele colocou o iPad que trazia no colo de Leo.

Sem entender, Leonardo mirou o objeto, imaginando o que aquilo significava. Que tipo de maluco desconhecido lhe daria um iPad?

– Coloquei um aplicativo com um audiolivro da Bíblia. – Rodrigo explicou.

Assustado, Leonardo ergueu os olhos contraídos para ele.

– Por que audiolivro? – Seu coração começou a galopar.

– Porque Maria me contou que você tem dislexia.

Músculo por músculo, uma expressão de choque e horror tomou conta do rosto de Leo.

– Maria o quê?

Rodrigo deu um meio sorriso e deixou a cabeça cair de lado.

– Ela é mais esperta do que muita gente imagina.

Leonardo engoliu em seco. Será que estava escrito na sua testa que ele era um inepto?

– Mas como ela podia saber...

– Ela te observou, só isso. Reparou que você nunca lia os bilhetes dela, também nunca deixou bilhetes, que não lia revistas, que ficava horas para digitar uma única frase no computador... Além do que, não é comum, na sua idade, um rapaz tão jovem e bem de vida não querer tirar a carteira de motorista. Ela só ligou os pontos, pois o irmão dela também era disléxico. Mas fique tranquilo, ela não comentou com ninguém. Na verdade, ela só me contou quando eu disse que traria uma Bíblia de presente para você.

Desgostoso, Leonardo nunca havia se sentido tão humilhado na vida. Nem no colégio. Mas não iria negar. Já perfizera esse circuito algumas vezes e as pessoas sempre acabavam colocando uma caneta ou um livro na sua mão, para provar o contrário. Era muito pior.

– Obrigado. – Ele segurou o iPad, mal-humorado. Agora todo mundo pensaria que ele mal podia escrever o próprio nome com um graveto na areia da praia.

– Não precisa se sentir mal sobre isso. – Rodrigo continuou. – Albert Einstein e outras pessoas muito famosas também eram disléxicos, e, ao mesmo tempo, gênios.

– Mas eu não sou nenhum gênio – Leonardo afirmou, em um tom azedo.

– Mas isso não o impediu de ser campeão. Aliás, por várias vezes. E nem de ser inteligente e bem-sucedido. Ivy sempre elogiava o seu tino para os negócios lá no trabalho...

– Ela fazia isso? – Os olhos de Leonardo se interessaram.

– Fazia. Ela tem muito orgulho de você.

Exaurido, Leonardo baixou os olhos de novo.

– Não sei se ela ainda tem. Eu sou um idiota.

– O primeiro passo para mudar é reconhecer.

Percebendo o trocadilho, Leonardo o fulminou com os olhos, mas Rodrigo simplesmente sorriu.

– Ouça o audiolivro, do início ao fim, e você vai perceber que, na verdade, nunca esteve sozinho. Sempre teve um Pai que zelou por você.

MEU.

A palavra veio clara à mente de Leonardo de novo, e ele sentiu os pelos da nuca se arrepiarem. Rodrigo prosseguiu:

– Sei que tudo isso é difícil para você. Cada um sabe onde o seu calo aperta. Mas quero que saiba que, se quiser conversar sobre o que está aí... – Ele apontou o aparelho eletrônico. – Pode marcar comigo que eu vou visitá-lo. E, se você me permitir, eu gostaria de orar por você antes de ir embora.

Constrangido, Leonardo assentiu com a cabeça. Afinal, quem negaria um pedido daquele? Mas quando Rodrigo colocou a mão no seu ombro e perguntou se ele tinha algum pedido específico, os olhos de Leonardo se umedeceram e ele somente disse:

– Eu amo a minha mulher. E eu quero um milagre.

E foi por isso que Rodrigo clamou a Deus. Para que Leonardo pudesse experimentar o milagre de conhecer as Escrituras, ter o coração curado por Deus, e ter seu casamento restaurado por Ele.

Quando o médico que operou o joelho de Leonardo chegou ao quarto, Rodrigo se despediu e deixou um cartão com Leonardo. Para seu próprio espanto, Leonardo agradeceu a visita, de coração. Maria logo entrou e se postou ao lado dele, passando o braço em seu ombro de maneira protetora, para ver o que o médico tinha a dizer.

O doutor Mauricio foi curto e grosso: avisou que Leonardo sofrera uma fratura na tíbia, quebrara uma costela, torcera o pulso, além de ter sofrido traumatismo múltiplo do joelho direito. A nova lesão nos mesmos ligamentos do joelho que já havia sido afetado possivelmente acarretaria uma redução permanente da capacidade laborativa, ou seja: Leonardo dificilmente voltaria a surfar. As dores crônicas voltariam e ele precisaria de fisioterapia com mais constância e, dependendo do resultado na ressonância magnética, talvez ainda precisasse de uma nova artroscopia. Até lá, Leonardo precisaria ficar em repouso, tomar anti-inflamatório por sete dias, fazer compressas, e o tempo de recuperação para ele voltar a andar com perfeição poderia variar de quatro a seis meses.

Diante daquilo tudo, era de se esperar que Leonardo perdesse a cabeça ou que se sentisse sendo sugado por uma espiral de horror, por saber que iria ficar de quarentena por longo tempo, mas a coisa não foi bem assim. Sem conseguir explicar sua calma, ele simplesmente acenou para o médico e agradeceu pelas informações.

Quando o doutor Mauricio saiu do quarto, Maria logo fechou a porta e se virou para Leonardo, com os olhos cheios de pena e uma mão comprimida contra o coração dolorido.

– Vou morar na sua casa por algum tempo – ela despejou.

Com carinho, Leonardo sorriu e esticou a mão para que ela a pegasse. Não podia mais deixar de crer que existia um Deus, pois ela só podia ser um anjo enviado por Ele para a sua vida. Com os olhos úmidos, Maria foi até ele e abraçou a sua cabeça.

– Ai! – Leonardo resmungou, por conta da dor na costela.

Mas Maria não soltou a sua cabeça.

– Você não está mais sozinho, meu filho.

Sentindo um súbito bem-estar, Leonardo olhou para o iPad em seu colo.

– Eu sei.

E, de alguma forma, ele sabia mesmo. Foram os quatro meses mais transformadores da sua vida.

Capítulo 35

A MUDANÇA DE ESTAÇÕES NÃO TROUXE Leonardo de volta, e Ivy começava a duvidar de que um dia traria. Mas não foi somente Leonardo quem tivera tempo para pensar. Ela chegou à conclusão de que talvez fosse melhor assim. Por intermédio de Maria – que mantinha contato com Amanda e frequentemente fazia um relatório sumário sobre o que estava acontecendo com ele –, Ivy soube que parte de suas preces haviam sido atendidas: Leonardo havia se convertido e – pasmem – com a ajuda de Rodrigo.

Agora, eles eram grandes amigos e participavam juntos de várias atividades, dentro e fora da igreja. Em parceria, até financiaram a construção de um centro esportivo, para dar aulas gratuitas às crianças mais carentes da sua congregação. Maria disse que não podia estar mais feliz com as mudanças de Leonardo. Ele estava mais contente, mais sociável... Inclusive, recebia frequentemente os novos amigos que fizera na sua casa para pequenas reuniões. Fora isso, como não podia mais surfar, devido ao acidente, Leonardo passava horas ouvindo audiolivros no quarto. Às vezes, Rodrigo vinha para a sua casa e lia algum livro para ele, enquanto os dois dividiam uma garrafa de vinho.

Isso tudo parecia maravilhoso, mas Ivy não conseguia evitar de se sentir excluída. É verdade que Leonardo sempre lhe mandava dinheiro de sobra para tudo que precisava, mas, com o passar do tempo, suas ligações ficaram mais raras. Era como se ele finalmente tivesse seguido em frente. Ivy se perguntava diariamente se tinha tomado a atitude certa, se tinha sido exigente demais. Era doloroso pensar no que podia ter sido à luz das recentes descobertas. Tinha dias em que atribuía a culpa de todo o seu sofrimento a si mesma. Estava prestes a ter seu bebê, sozinha, e só Deus sabe como se sentia deslocada naquela casa. Não que ninguém jamais fosse saber. Todos da sua família eram sempre solícitos e atenciosos com ela. Não lhe faltava carinho. Mas, desde que voltara, a casa, que sempre fora um lugar mágico quando ela era criança, agora parecia ser a sua clausura. Ainda era adorável, mas seu lugar não era mais ali... Era ao lado de Leo. Sentia falta de estar com ele, fosse onde fosse. Odiava dormir sozinha e chorava todas as noites. Seu consolo era sentir seu filho se mexer na sua barriga para lembrá-la de que não estava sozinha. Um pedaço de Leonardo estava ali, vivo, dentro dela. Mas, ao mesmo tempo, os movimentos do filho a lembravam que estaria sozinha para criá-lo. Por mais que sua família fosse lhe ajudar, ela sabia que nada substituiria a presença de um pai.

Talvez, Ivy meditava, subjugada pelo sentimento de culpa, se tivesse ficado do lado de Leo, poderia agora estar colhendo os frutos do seu amadurecimento. Poderiam viver a vida que ela sempre havia sonhado: uma família unida na presença de Deus.

Mas não adiantava mais meditar sobre isso, Ivy decidiu. Além do que, parte dela estava contente da mesma maneira. Leonardo havia encontrado um caminho de luz e, de certa forma, ela sabia que colaborara para isso. Incentivados por Amanda, desde que Ivy voltara, toda a sua família já estava orando por ele, inclusive Paulo e Janine. Haviam finalmente compreendido que Leonardo fora vítima de um lar infeliz, que precisava de cuidados, precisava ser regenerado por Deus.

Pensava nisso enquanto estava regando o jardim da frente da casa da mãe, onde agora morava. Era domingo, e Aléxia estava ao seu lado, sentada em uma cadeira de vime, enquanto observava Sâmela dormir e tomar o sol da manhã. O dia estava lindo, o céu estava celeste e elas ainda podiam sentir no ar o cheiro de orvalho da noite. As flores que plantara tempos atrás haviam crecido, a despeito das investidas de Foguete. Ivy molhava as plantas desfrutando do prazer de contemplar algo que fizera nascer. Andava muito maternal naqueles dias, tudo a emocionava. Sentia os olhos cheios de lágrimas quando sentiu um pequeno chute.

– Olha. – Sorridente, Ivy levantou a camisa branca para mostrar a Aléxia um caroço que se formou do lado esquerdo da sua barriga. – Ele não para quieto esses dias.

Enternecida, Aléxia se esticou para pousar a mão na pequena protuberância.

– Daqui a pouco ele vai se virar – ela disse. – Se é que já não virou. Faltam poucas semanas...

O rosto bonito de Ivy passou de alegre para linhas de infelicidade.

– O que foi? – Aléxia perguntou.

– Nada.

Aléxia comprimiu os lábios, com pena, e segurou a sua mão.

– Você pensou que a esta altura ele já estaria aqui, não é?

Ivy deu um suspiro profundo.

– Fico feliz que ele esteja feliz. A decisão de ficar longe foi dele.

Pesarosa, Aléxia recuou na cadeira.

– Às vezes me pergunto se algum homem sabe mesmo o que quer...

Nesse momento, Rafael atraiu o olhar das duas. Ele estava sentado numa cadeira de praia no gramado ao lado da casa, enquanto Lili brincava de cavar na terra na sua frente. Rafael coçava o saco, preguiçosamente, com o olhar perdido no céu. Nenhuma das duas tinha a menor ideia sobre o que ele estava pensando, mas a cena era tão... masculina, que, quando as duas se olharam de novo, começaram a rir.

– É. – Ivy tornou a se concentrar nas plantas. – Talvez a gente não deva deixar que eles pensem demais.

– Quando tomamos as decisões, tudo é muito mais simples. – Aléxia ainda ria.

Pensativa, Ivy olhou agora para Adam e Amanda, que estavam num raro momento de paz – pois Janine havia carregado os netos para a feira com ela. Estavam calmamente tomando sol, deitados sobre uma canga na grama e, naquele momento, Adam mordiscava os dedos da esposa, com um sorriso de "adoro pintar o sete com você", ficando ainda mais parecido com Rafael. Ambos compartilhavam um momento de apreciação recíproca e intensa, que estava durando muito mais do que mandava a decência. Como viviam sempre cercados pelas crianças, seus momentos de intimidade aconteciam nos lugares mais loucos: no banheiro, no escritório da oficina, atrás da casa dos pais... Mas não podiam negar que aquela clandestinidade parecia só aumentar o desejo entre eles. Eram loucos um pelo outro.

Para alívio de Amanda, já haviam voltado a morar na própria casa com os filhos, mas vinham visitar os pais todos os domingos. Era uma rotina deliciosa, pacata, e que os fazia extremamente felizes.

Ivy sentiu-se culpada pela singela pontada de inveja que sentiu dos irmãos naquele momento. Será mesmo que era melhor a mulher tomar todas as decisões? Será que ela não tinha errado ao deixar o marido?

– Trouxe donuts para o meu neto. – Paulo a assustou, chegando da padaria e esticando uma sacola para ela.

Com um sorriso agradecido – pois agora comia donuts todos os dias –, Ivy pegou a sacola e deu um beijo no rosto do pai. Em seguida, desligou a mangueira e desembrulhou o quitute.

– E eu? Não ganho nada? – Rafael gritou do gramado.

– Agora eu só quero saber do meu neto – Paulo avisou.

– Mas eu também amo o seu neto – Rafael insistiu. – Como se fosse meu filho. Agora posso ganhar um pedaço?

– Não – disse Ivy de boca cheia, rindo.

– Escuta só... – Amanda se meteu. – Eu também sou mãe de três netos dele e não ganhei nenhum donuts por isso. Aliás, nem durante a gravidez...

– Mas ganhou toneladas de goiabadas – Paulo a lembrou –, que foi do que você mais teve desejo.

– E eu toneladas de azeitonas – disse Aléxia, pegando Sâmela do carrinho.

– Pelo sim, pelo não, eu gostaria de ter ganhado alguns donuts, para variar – Amanda deixou claro.

– Caramba! – Ivy entrou na brincadeira. – Vou segurar bem firme o meu, senão vai cair no chão, de tanto olho grande. Daqui a pouco Nicole vai chegar aqui e tenho certeza de que também vai querer um pedaço.

Nicole já havia se separado de Júlio e estava curtindo uma fossa. Por isso, trancou a faculdade por um semestre e voltou para a sua cidade, para o aconchego da casa dos pais. A fim de ocupar a cabeça, começou a trabalhar como recepcionista de uma pousada. Disse que era a maneira mais fácil de conhecer turistas interessantes.

– A questão é que esse negócio de desejo é pura fachada de vocês, que engravidam para comerem feito umas porcas e não serem cobradas – Rafael levantou a questão.

Revoltada, Amanda se sentou, sem reparar que Adam revirou os olhos por ter tido o seu momento de paz interrompido.

– Como é que é? Você acha que engordamos vinte quilos, sentimos enjoos, dores nas costas somente para comermos sem culpa?

E então ela se perdeu num devaneio falando sobre o milagre da vida e os sacrifícios que as mulheres faziam para colocar os trogloditas, como ele, no mundo.

Ivy assistiu ao discurso acalorado de Amanda, comendo e engasgando com as risadas. Mas, de repente, viu que todo o fervora da irmã foi para o espaço quando Amanda parou de falar e, petrificada e arregalando os olhos, mirou algo acima do ombro de Ivy. Esta, num movimento brusco, virou-se para trás e avistou o marido do outro lado da cerca.

– Leo? – Incrédula, Ivy deixou escapar um gemido baixo, enquanto seus joelhos se dobraram e o resto de seu donuts caiu no chão. Aléxia correu para socorrê-la, com o braço livre.

Preocupado – e sentindo o coração palpitar –, Leonardo pulou a cerca.

– Desculpe vir sem avisar – ele disse, enquanto todos no gramado se levantavam lentamente, como uma alcateia que se prepara para defender uma cria.

– Dá para alguém me ajudar aqui? Eu estou só com uma mão... – Toda torta, Aléxia reclamou.

– Você está bem? – Amanda cruzou a curta distância entre ela e a irmã.

– Tudo bem, tudo bem... – Ivy se endireitou e tornou a examinar Leonardo. Seu coração palpitava freneticamente, grande demais para o peito. Ele vestia uma camisa branca, uma calça com estampa militar e usava na cabeça uma touca escura, que ficava um pouco caída para trás e destacava suas marcantes maçãs do rosto. Seu rosto era o mesmo, seu corpo era o mesmo, mas algo em seu semblante havia mudado. Seu olhar parecia mais sereno, mais humilde, menos hostil... Ivy ficou pensando se não estava sonhando, pois, se estivesse, não desejava acordar nunca mais...

– Acho melhor você se sentar – Amanda sugeriu para Ivy. – Tudo bem, Leo?

Com um sorriso desconfortável, ele foi até a irmã e lhe deu dois beijinhos no rosto. Amanda também sorriu para ele, e, embora tivesse mil coisas que quisesse lhe dizer, não conseguiu dizer nada naquela hora.

– Eu gostaria de conversar a sós com Ivy por um momento – Leonardo pediu para todos.

Cunhado duas vezes, Adam lançou um olhar azedo para ele e o cumprimentou minimamente.

– Como vai? – perguntou num tom calmo.

Ressabiado, Leonardo lhe lançou um sorriso débil. Esperava dele uma recepção mais truculenta.

– Torcendo para você não me presentear com nenhuma fratura.

Ainda positivamente afetado pela paz que sentia segundos atrás, Adam resistiu ao sorriso que ameaçou alterar os seus lábios.

– Não se preocupe. Já superei o que você fez. Além do que, você dormiu com a minha irmã, mas eu dormi com a sua primeiro. – Agora sim o sorriso carregado de ironia surgiu. – Vamos ver como você se comporta daqui para frente. Mas se dentro de cinco minutos eu ouvir Ivy chorando, pode começar a correr. – Isto claro, entrou para dentro de casa, seguido por Rafael, que pegou Lili pela mão e a chamou para tomar um sorvete. Prontamente, a menina largou as pazinhas e seguiu o pai, seduzida pela guloseima.

Sorrindo afetuosamente para Ivy, Aléxia ajeitou a pequenina filha no colo e depois seguiu com o carrinho de Sâmela para dentro de casa também. Amanda foi a última a sair, porque primeiro precisava dar um abraço no irmão. Sabia, por intermédio de Maria, que Leonardo havia se transformado em um homem melhor. E o fato de estar ali agora a fez supor que ele estava pronto para seguir em frente com Ivy, e nada poderia lhe deixar mais feliz.

Ainda em choque, Ivy acompanhou Leonardo para o gramado e eles se sentaram na canga que, minutos atrás, fora alvo da sua inveja. Ela sorriu por dentro quando meditou na ironia da situação. Quando imaginou que, ainda naquele dia, estaria ali sentada com seu marido no mesmo lugar?

"Devagar com andor", ela disse a si mesma. Ainda não sabia por que Leonardo estava ali. Ele podia apenas ter vindo por causa do filho, ou por cortesia. Depois de tanto tempo, não havia motivos para ela ter esperança de que ele voltara para fazer o que ela pediu.

Ambos ficaram se olhando em silêncio por algum tempo, com mil palavras desejando explodir para fora, mas nenhuma delas parecia ser a mais adequeda. A luz da manhã era refletida nos cabelos claros de Ivy, exatamente como quando Leonardo a conheceu. Ela estava com uma blusa branca de botões, meio desbotada, mas que nela parecia reluzir. Os cabelos longos estavam amarrados com um lápis de qualquer maneira, deixando escapar alguns fios, e ela vestia uma calça legging. Estava descalça, com os tornozelos inchados e as mãos sujas de terra, mas Leonardo não podia imaginar nada mais belo no mundo.

– Veio sozinho? – Ivy rompeu a barreira entre os dois.

– Não. Rodrigo veio comigo. – Leonardo sorriu quando os olhos de Ivy se arregalaram, admirados.

– Então, é verdade? Foi só eu sair de lá para vocês dois virarem amigos...

Com um sorriso fraco, Leonardo tirou a touca e passou a mão nos cabelos.

– Mais ou menos isso – ele disse.

– E como você está? – ela perguntou, desejando com todas as suas forças que Leonardo não estivesse tão bonito.

– Agora? Perplexo por estar na sua frente.

Ivy sorriu timidamente, as lindas covinhas emergindo na face rosada. Leonardo sentiu algo quente descendo por dentro.

– Não estou falando de agora, estou falando no geral – ela explicou, à flor da pele.

Leonardo mirou a grama e meditou sobre aquela pergunta. Felizmente, encontrou rapidamente a resposta.

– Feliz – disse ele com simplicidade. – Eu estou feliz.

Ao ouvir aquilo, Ivy sentiu sua moral se arrastar para o fundo do mar, pois não era isso que ela desejava ouvir. Mas, ao mesmo tempo, também se sentiu egoísta e mesquinha. Um hiato soturno se abriu na conversa entre eles.

– Fico feliz que você esteja bem – ela tentou disfarçar, alguns segundos depois.

– Eu precisava vir aqui para te agradecer – ele disse, consciente de que o processo de regeneração que modificara sua paisagem interior jamais teria acontecido se Ivy não tivesse partido. – Ter ido embora foi a melhor coisa que você poderia ter feito por mim. Eu precisava chegar no fundo do poço. Precisava entender que eu precisava de ajuda... mas eu era muito orgulhoso para isso.

Compreensiva, Ivy acenou com a cabeça de forma afirmativa.

– É bom ouvir isso. – A voz dela soou triste. – Mas eu gostaria que não tivesse demorado tanto para você me procurar. E você parou de ligar...

Finalmente, Leonardo deu vazão ao instinto e esticou sua mão para tocar a dela. Ivy olhou para as mãos unidas, enquanto ambos sentiam um tremor com o toque.

– Eu precisava desse tempo pra mim – ele continuou. – Eu precisava me encontrar. Precisava desse tempo para aprender a me amar, Ivy. Eu sempre me odiei. Sempre achei que tinha culpa pelo sofrimento da minha mãe. Sempre me achei burro porque tenho dislexia...

– Você tem dislexia? – Ivy ergueu os olhos para ele, espantada.

– Tenho, só que sei disfarçar muito bem. – Ele riu sozinho. – Aparentemente, não tão bem para enganar uma velha zangada que mora comigo.

– Maria está morando com você? – O sorriso de Ivy surgiu verdadeiro.

– Desde que sofri o acidente. Ela foi tudo para mim durante esse tempo: mãe, irmã, amiga, enfermeira... Não sei o que eu faria se não tivesse a minha gordinha por perto.

Ivy reparou na facilidade com que Leonardo expressou afetividade em relação a Maria. Antigamente, ele não era assim.

– Sinto muito pelo seu acidente – Ivy disse, se sentindo culpada por não ter estado ao lado dele naquele momento. – Eu soube que você não poderá mais surfar.

Leonardo deu um sorriso sincero.

– Não lamente. Esse acidente foi a melhor coisa que me aconteceu. Obrigou-me a parar e olhar para dentro de mim. E sabe o que eu encontrei?

Ivy ficou o encarando em expectativa.

– Lixo – Leonardo quase cuspiu a palavra. – Muito lixo do passado. Eu não guardava coisas boas, só guardava o que me feria. Eu era como um lixão de todas as coisas ruins que já me aconteceram na vida. Foi por isso que demorei tanto para te procurar, Ivy. Eu não tinha nada para te oferecer. Precisava estar limpo. Precisava desse tempo para me curar, e para me encontrar com Deus. Hoje, estou limpo. E me sinto completo.

Ivy ouvia tudo calada, segurando as lágrimas, enquanto a emoção da vitória crescia e provocava um frêmito de felicidade em seu organismo. Deus ouvira as suas preces, ela percebeu. Tudo que ela havia passado, cada sacrifício, cada noite regada de choro e de súplicas, tudo estava sendo recompensado naquele momento. Bastou ela crer e confiar no seu Salvador. Não foi pela força de suas mãos, não foi por nada que ela pudesse fazer, mas foi pela força Suprema que movia a mão do Senhor: a oração. Foi por meio dela que seu marido conseguira vencer.

Porque não conseguia mais resistir, Leonardo sorriu e colocou a mão no ventre dela.

– Você está ainda mais linda – ele declarou. – Mesmo com esta barriga.

Ivy sorriu, enxugando os olhos enevoados.

– Está enganado – ela disse. – É a barriga que me faz ficar mais bonita.

– Tem razão. – Leonardo sentiu o coração dar um pulo quando o bebê chutou sua mão. – Você sentiu isso? – Ele olhou maravilhado para Ivy.

– Ele se mexe o tempo todo – ela avisou. – Acho que ele vai ser atleta, como o pai.

De repente, Leonardo sentiu uma dor no coração quando percebeu que jamais poderia surfar com o filho. Expulsando o pensamento, ele olhou para Ivy e afastou um fio de cabelo do seu rosto.

– Eu preciso te contar uma coisa – ele começou.

Emocionada, Ivy assentiu com a cabeça.

– Meu nome é Leonardo Belford Salvatore. Eu sou irmão de sua irmã. Sou surfista aposentado e sofro de dislexia...

– Leo...

– Não me interrompe. – Ele tocou o ombro dela. – É assim que eu deveria ter começado... – Hesitante, ele olhou firme em seus olhos. – Eu não vou poder ajudar você com os trabalhos de casa do nosso filho. E também não vou poder ajudá-lo a amarrar os sapatos. Eu não sei fazer isso. Tenho algumas limitações de motricidade. E embora eu possa ser um excelente atleta, tenho dificuldades nas coisas mais simples. Eu também fui um péssimo aluno, nunca gostei de estudar. E, como não tive incentivo, abandonei o colégio cedo demais. Mas fui um bom filho, na medida do possível. Eu amava a minha mãe, embora nunca tenha me sentido amado por ela. Por isso, foi tão difícil para mim vir aqui fazer o que você me pediu. Para isso, precisei abrir não da única coisa que ainda me unia a ela: a raiva por Janine.

– Leo... – Ivy pousou a mão em seu rosto, as lágrimas abundando na face. – Eu nunca imaginei que havia te pedido tanto. Perdoe-me...

– Não me peça perdão. – Ele beijou a palma da mão dela. – Você me libertou. Se hoje estou aqui, é graças a você. E a Deus, que te colocou na minha vida. Eu sei que Ele é que era a minha resposta, e não você. Minha alma estava com defeito. Mas você foi o veículo que Ele usou, e eu te amo cada vez mais por isso. – Leonardo envolveu o rosto dela com as mãos, mantendo-a parada. – Uma parte de mim sempre te amou. O resto de mim precisava sair das trevas para aceitar isso. Agora eu sei o que sinto por você. E eu sei o que quero.

As esperanças de Ivy dispararam como cães que foram soltos de suas coleiras.

– E o que você quer? – Ela bateu com a mão cerrada no peito de Leo, e a aproximidade fez que sentisse ainda mais aquele cheiro familiar.

Que não era de perfume. Não era da roupa. Era algo único e indescritível. Era o cheiro *dele*. – Me deixar maluca esperando você por quase nove meses? – Ela deixou a mão sobre o peito dele e sentiu o coração de Leo disparar. Ele a olhou por mais um segundo antes de dizer:

– Eu quero recomeçar.

Aquela última palavra detonou uma bomba de emoções dentro de Ivy, então ela fechou os olhos e começou a chorar. Aquilo também era tudo que ela queria. Há muito tempo. Ela tremia sob as mãos de Leonardo, pois seu mundo acabara de se transformar firme como uma rocha.

– Case comigo. – Leonardo pediu.

Rendida, os braços de Ivy envolveram o pescoço de Leo então eles choraram juntos. Era como encontrar um tesouro, ele percebeu. Como encontrar o que todo ser humano procurava na vida. Nela, ele tinha uma amiga, uma confidente, uma amante... O que sentia por Ivy era puro demais, maravilhoso demais, para que estivesse disponível em qualquer esquina. Agora, depois de tantas renúncias, os dois finalmente haviam amadurecido e estavam preparados para ser um casal. E quando Leonardo a beijou, seu sentimento foi de estar gloriosamente completo, finalmente curado.

Os raios de sol insurgiam por cima deles quando Janine chegou com os netos. Ela olhou em direção ao gramado e seus olhos imediatamente se encheram de lágrimas. Comovida, largou as sacolas no chão, enquanto os meninos corriam para dentro de casa. Pedira tanto a Deus por aquele momento... Como queria ver sua filha feliz...

Respirando fundo, Janine andou em direção aos dois, tremendo, cautelosa, e ajoelhou-se ao lado de Leo. E quando ele se deu conta da sua presença, Janine somente abaixou a cabeça e levou suas mãos ao rosto, lhe pedindo perdão. Desde que soubera de tudo, ela sentia uma culpa imensa pelo sofrimento da filha. E também pelo de Leo. Os fantasmas do seu passado voltaram para assombrá-la e ela vivia tendo pesadelos horríveis com aquela noite fatídica.

Mas, no mesmo momento, Leonardo ergueu o queixo e a encarou, com os olhos tristes, arrependidos. Ficou feliz de perceber que toda mágoa que sentia por ela havia evaporado de dentro de si. O amor de Deus o curou. Percebendo isso, Janine se lançou em seus braços e Leonardo a abraçou, fechando os olhos. Não foram necessárias palavras. Eles sabiam que, enfim, poderiam deixar o passado para trás. Havia algo maior que os conectava naquele momento: o amor que sentiam por Ivy. E aquilo, sim, é que era o mais importante, nada mais.

– Espero que tenha vindo para ficar – disse Janine, quando se recuperou, segurando as laterais da cabeça dele de forma maternal. – Ivy não pode mais viajar nesse estado.

– Não será necessário – ele disse, com um leve sorriso. – Maria já está encaixotando a nossa mudança.

– Mudança? – Ivy olhou para ele, com esfervecente expectativa. O que Leonardo queria dizer com aquela evasiva?

– Pensei que você fosse querer ter o bebê perto da sua mãe – ele explicou.

Ivy não podia acreditar.

– Mas você moraria aqui, longe do mar?

Leonardo riu.

– Existe algo de maravilhosamente provinciano nesta cidade. Não sei explicar. Além do que, de que me adianta ficar tão perto do mar se não posso surfar? Seria o mesmo que dormir com você sem poder tocá-la durante a noite.

– Ah... – Ivy compreendeu, ficando vermelha. Aliás, para que ele foi tocar naquele assunto...

– Só preciso avisá-la com antencedência de que Maria está vindo comigo. Tenho a impressão de que nunca mais vou me livrar dela. Ela não mudou de cidade nem pelos filhos, mas por mim... É um caso de perseguição sem volta.

Animada, Ivy abriu um largo sorriso.

– Eu vou precisar mesmo de uma ajudante. Mal consigo me mover. Aliás, nem consigo me levantar... – Suas pernas já estavam ficando dormentes. – Falando em forasteiros, cadê o Rodrigo?

– Ele justamente veio comigo para me ajudar a negociar uma casa, mas aproveitou para conhecer um pouco de São Lourenço. Está fazendo contato com algumas pousadas.

– Ooooooooooooooooi... – Nicole apareceu no portão, a mão com as unhas pretas agarrada firmemente ao bíceps de Rodrigo. – Achei este turista procurando pela sua casa. Ele está hospedado lá na minha pousada. Não é muita coincidência? – Ela piscou exageradamente para Ivy.

Ela e Leonardo seguraram o sorriso quando perceberam a vermelhidão no rosto de Rodrigo.

– Oi – disse ele, muito tímido.

– Acho que é o destino – Ivy disse. – Querem entrar para tomar um café?

– Pode ser. – Nicole se esqueceu completamente do trabalho e cruzou o portão, sem desgrudar do rapaz. – Mas só posso ficar até umas três horas. Depois, preciso me arrumar para ir ao culto.

Ivy e Leonardo se entreolharam, estranhando o comentário.

– Mas você nunca vai à igreja – Ivy comentou.

– Claro que vou. – Gaiata, Nicole puxou Rodrigo e sorriu para ele com simpatia, carregando-o para dentro. – Essa menina...

E foi assim que Rodrigo começou a se despedir de Lavínia.

Rindo entre eles, Janine e Leonardo se levantaram e ajudaram Ivy a colocar-se em pé.

– Bem. Então, agora preciso pedir a sua mão ao seu pai – Leonardo avisou.

– Acho melhor aproveitar e pedir agora. – Janine sorriu. – O time dele vai jogar daqui a pouco e, pelo que sei, tem tomado uma lavada atrás da outra.

– Quer que eu vá com você? – Ivy se ofereceu.

– Não. – Leonardo beijou-a de leve nos lábios. – Isso é algo que eu preciso fazer sozinho. Por enquanto, vá ajudar nosso amigo. Ele parecia bastante assustado com as investidas agressivas de Nicole.

– Eu acho que é disso mesmo que ele precisa – Ivy opinou. Depois, ficou observando sua mãe e Leonardo irem caminhando até a casa. Janine entrou primeiro, mas antes de Leonardo entrar, ele se virou para trás e, com um sorriso de menino, fingiu que estremeceu de medo e depois piscou matreiramente para Ivy. Ela sorriu de volta para ele e sentiu o coração se expandir. Como podia amá-lo ainda mais? Tudo que queria